VICENTE ALEIXANDRE

ANTOLOGÍA TOTAL

Selección y prólogo
de
PERE GIMFERRER

SERIE
MAYOR

30

VICENTE ALEIXANDRE

Antología total

Selección y prólogo
de
PERE GIMFERRER

SEIX BARRAL
BARCELONA - CARACAS - MÉXICO

Cubierta:
Alberto Corazón

Primera edición: noviembre de 1975
Segunda edición: octubre de 1977
1.ª reimpresión: noviembre de 1977
2.ª reimpresión: enero de 1978

© 1975 y 1978: Vicente Aleixandre

Derechos exclusivos de edición
reservados para todos los países de habla española:
© 1975 y 1978: Editorial Seix Barral, S. A.
Provenza, 219 - Barcelona

ISBN: 84 322 3831 7
Depósito legal: B. 469 - 1978

Printed in Spain

SUMARIO

PRÓLOGO

I

La lectura de los poemas de *Ámbito* (1928), primer libro publicado por Vicente Aleixandre, no deja de reservarnos más de una sorpresa. Considerado generalmente por la crítica como una obra interesante pero aún relativamente poco personal, tributo del autor a la poesía de la época—con una valoración, pues, análoga a la que *Perfil del Aire* reviste para Cernuda, *Libro de poemas* para Lorca o *El romancero de la novia* para Gerardo Diego—, *Ámbito* encierra, de hecho, no sólo un anticipo de algunas regiones de *Sombra del Paraíso,* como ha observado el propio Aleixandre,[1] sino también de otros aspectos, a veces muy posteriores, de la dicción poética aleixandrina. Dicho esto, resulta innegable que propiamente precede a dicha poesía, que no forma aún parte enteramente de ella; pero, leída con la perspectiva de la obra total, la prepara y esboza, a veces de modo subterráneo.

Lo que primero destaca en *Ámbito* es su materialidad. (Para simplificar, puesto que este trabajo no tiene finalidades académicas, daré las citas sin mencionar siempre la referencia del poema o página del libro a que pertenece; por otro lado, eventualmente tomaré en consideración, cuando ello pueda serme útil, datos de piezas no incluidas en la presente selección antológica.) Ya en el poema inicial aparece «el bulto»—uno de los vocablos más frecuentes en cualquier época de la poesía de Aleixandre, expresión del estar, del consistir material del cuerpo—y de lo que se trata es, precisamente, de que este bulto, «insigne»—insigne porque, en la jerarquía aleixandrina, lo material es lo cósmico—, se defina y perfile, irreductible, flagelando la sombra helada de la noche. En el poema siguiente, «Idea», ampliación de una metáfora de posible filiación gon-

[1]   «Nota preliminar» al libro en *Mis mejores poemas* (Madrid: Gredos, 1968³), p. 15. Recogida en *Obras completas* (Madrid: Aguilar, 1968), p. 1465.

9

gorina, se nos narra el proceso que va de la formación de un pensamiento a su emisión verbal, de la mente a la palabra. Con ello, no sólo se anuncia la preocupación por el pensamiento que, como ha notado José Olivio Jiménez,[2] y como veremos en su momento, caracteriza a los dos libros más recientes del poeta, sino que, al convertir en objeto poético un proceso—el habla—parcialmente fisiológico, se sientan las bases de la poetización de la anatomía humana que será desarrollada en la primera parte de *En un vasto dominio*. Del mismo modo, en otros poemas hacen acto de presencia ya la rima interna y los juegos de palabras, en ocasiones combinados—«contra cruces, contra luces», en «Cinemática»; «disueltos—no: resueltos», en «Mar y aurora»—y el tema del mundo reflejado y copiado por unos ojos—«Sus ojos copian tierra / y viento y agua, que devuelven, / precisos, campo al reflejarse», en «Retrato»—, recursos y motivos que serán característicos de *Poemas de la consumación* y *Diálogos del conocimiento*. El segundo poema titulado «Retrato» y colocado bajo el epígrafe «José Luis, patina» anticipa, por un lado, el tema de la fascinación por lo juvenil que aparece en *Sombra del Paraíso* y de distinta manera en *Poemas de la consumación* y, por otro lado, el tema de la vida frívola que emergerá en «El vals» de *Espadas como labios,* en la sección «Ciudad viva, ciudad muerta» de *En un vasto dominio* y en las intervenciones del dandy en el «Diálogo de los enajenados» de *Diálogos del conocimiento*. La personificación de la naturaleza—«La noche tiene sentidos», en «Agosto»—coexiste, como será habitual luego en Aleixandre, con la consideración del cuerpo como cosmos, como elemento natural—«Luceros, noche, centellas / se ven partirte del cuerpo», también en «Agosto», o toda la concepción de «Cabeza, en el recuerdo», que intercomunica en su protagonista los mundos vegetal, mineral y humano, o «La noche en mí. Yo, la noche» en «Posesión». Finalmente, «Pájaro de la noche», «Mar y aurora» y «Mar y noche» preanuncian la visión de las

---

[2]   «La poesía última de Vicente Aleixandre: sobre *Poemas de la consumación* y sus actuales *Diálogos del conocimiento*», en *Diez años de poesía española (1960-1970)* (Madrid: Ínsula, 1972), pp. 305-327.

fuerzas elementales que presidirá sobre todo *La destrucción o el amor y Sombra del Paraíso.*

En la breve relación anterior me propuse destacar someramente algunos rasgos, que no he solido ver subrayados por la crítica, en virtud de los cuales es posible relacionar a *Ámbito* con zonas muy diversas de la obra de su autor. Legítimo es ahora preguntarse, no por lo que de otros libros encierra o augura éste, sino por aquello que le caracteriza como título individual. Lo apunté, aunque de modo todavía algo esquemático, al referirme antes a la materialidad. En efecto, a lo largo de todo el volumen existe—y poco importa que ello estuviera ciertamente en el espíritu de la época: sólo en este libro de Aleixandre se da con semejante constancia—una preocupación incesante por lo concreto, lo táctil, la aprehensión ceñida y firmemente delineada de lo palpable e inmediato. Así, en «Cinemática», «Solo, escueto, / el perfil se defendía»; en «Niñez» se invoca al «Bosquejo»; en «Luz», ante una aparición femenina, parecen cobrar su irreductible dureza final las formas—«Llegas tú, y el marco acaba, / cierra, y queda firme el día»—; en «Noche» la hora parece guardada por un «precinto» y el poeta siente en su cuerpo «ceñido / un tacto duro: la noche», y su cuerpo como «contorno» y más adelante nos dirá aún: «Firmes siento los perfiles»; en «Viaje» asistiremos a los tránsitos del «bulto», y los ejemplos podrían multiplicarse. Diríase que lo que hay en *Ámbito* de ensayos o pruebas en diversas direcciones alternadas que permitía el haz de posibilidades de la poesía del momento—y muy particularmente el neogongorismo—viene poderosamente polarizado por la atracción de un designio único: hacer presa en lo material. De entrada, el poeta ha encontrado su tema, y la concreción de *Ámbito* no será nunca desmentida por la producción posterior de Aleixandre, donde el descubrimiento incesante de lo dado a los sentidos, de los objetos del mundo físico, formará la base de la cosmovisión poética. Incluso cuando, en *Poemas de la consumación* y muy particularmente en *Diálogos del conocimiento,* sea el concepto—la idea—y no lo físico—la forma—el centro de la tensión interior del poema, y se introduzca la duda explícita acerca de la identidad del mundo visible, ello se expresará, precisamente, a través del juego de atracciones y rechazos, convergencias y divergencias, entre grupos de imágenes tomadas del universo material.

I I

Pocas veces, en la poesía contemporánea, el tránsito de una etapa a otra se ha desencadenado con la abrupta violencia que separa al Aleixandre de *Ámbito* del Aleixandre de *Pasión de la tierra*. Ni siquiera en el interior de la propia generación del poeta puede decirse que aparezca un caso equivalente. La transición de un Cernuda desde *Perfil del Aire* a *Un río, un amor* no es brusca, y conoce la etapa intermedia de *Égloga, elegía, oda;* elementos del Lorca de *Poeta en Nueva York* eran perceptibles ya en *Romancero gitano;* el Alberti de *Marinero en tierra* no da paso súbitamente al de *Sermones y moradas,* sino que surge de una evolución que se refleja por buen número de libros sucesivos. Únicamente en Aleixandre la irrupción de lo irracional se produce sin solución de continuidad, y de modo tan radical que instaura en el centro mismo de esta poesía el pujar de lo oscuro y anterior con un poderío inquietante que acaso sólo encontraríamos en el Neruda de *Residencia en la tierra*. Ello aparece como sumido en un indiviso fluctuar, en un caos originario y generador, que explica que la sensación de aversión y proximidad simultáneas experimentada respecto al libro por el propio poeta[3] sea en cierta medida compartida por los lectores. Es una sensación de esta índole la que, por razones parecidas, despierta la lectura de *Les chants de Maldoror,* uno de los libros en los que más positivamente nos consta que se reconoció el Aleixandre de entonces,[4] aunque no por ello, pese al empleo de la prosa y a alguna relevante coincidencia de imágenes, deba entenderse

---

[3] «Nota preliminar» al libro en *Mis mejores poemas,* p. 31; *Obras completas,* p. 1466.

[4] Véanse al respecto los rasgos observados por José Ángel Valente en «El poder de la serpiente», en *Las palabras de la tribu* (Madrid: Siglo XXI de España, 1971), pp. 170-184.

que *Pasión de la tierra* sea resultado de la lectura de Lautréamont, o, según lo indicado por el poeta, de las de Freud y Joyce. De hecho, lo que se lleva a cabo en *Pasión de la tierra* es una operación poética insustituible: la rotura de las compuertas, el desvelamiento de las claves ocultas que en nuestra percepción tiene el mundo exterior.

A partir de *Pasión de la tierra*—y he aquí otro aspecto que no siempre he visto que se advierta—resulta claro que lo cantado por Aleixandre no es casi nunca el universo visible como tal, sino en tanto que percibido por nuestra conciencia. El gigantesco catálogo cósmico abierto en este libro y desarrollado en los siguientes—en forma distinta, como veremos, a partir de *Sombra del Paraíso*—es una metáfora de nuestra subjetividad, una proyección múltiple de la mente individual. Ello, que se hará explícito en *Poemas de la consumación* y *Diálogos del conocimiento,* debe ser ya tenido en cuenta, a mi modo de ver, para apreciar debidamente gran parte de la poesía aleixandrina. No es que las fuerzas que pululan voraces por el universo aterrador y cernido de *Espadas como labios* o *La destrucción o el amor* pertenezcan a él propiamente; no, por cuanto ni siquiera nada nos prueba que este universo tenga existencia real fuera de nosotros; se hallan, pues, en nosotros mismos. *Ámbito* define el mundo, lo concreta y delimita; lo ordena. *Pasión de la tierra* invierte los términos: descubre el mundo de nuevo, pero esta vez para comprobar que, como el rostro de Krishna en la *Bhagavad Gita,* es huidizo y polimorfo, y, por ello, terrorífico. Terrorífico, sobre todo, en la medida en que este rostro innumerable e irreconocible es el rostro de nuestra conciencia.

Pasión de la tierra es, como *Espadas como labios* y en menor medida *La destrucción o el amor,* un libro desesperanzado, violentamente sarcástico y nihilista. A partir del último de los títulos citados, y como notó ya Luis Cernuda,[5] el elemento irónico tenderá a desaparecer de la poesía de Aleixandre, y si *Mundo a solas* es una obra tan desolada como *Pasión de la*

[5] «Vicente Aleixandre (1955)», en *Crítica, ensayos y evocaciones* (Barcelona: Seix Barral, 1970), particularmente p. 230.

tierra, y acaso más aún, tal vez ello se deba precisamente a la ausencia del humor que en aquel libro, o en *Espadas como labios,* al tiempo que acentuaba la negatividad y el escepticismo, los paliaba en cierta medida. No por inconteniblemente abierta a los impulsos de las libres asociaciones de ideas e imágenes deja la escritura de *Pasión de la tierra* de estar estrechamente vinculada al desarrollo del mundo verbal aleixandrino: así, en esta entrega aparece, creo que por primera vez, la imagen, que luego será recurrente, de la mujer comparada al curso del agua de un río («Todo estaba en el fondo del aire con la misma serenidad con que las muchachas vestidas andan tendidas por el suelo imitando graciosamente al arroyo»; en el futuro, esta imagen se referirá más bien, de modo expreso o tácito, al desnudo), y el comienzo de un poema («Sobre tu pecho unas letras de sangre fresca dicen que el tiempo de los besos no ha llegado») anticipa el de «Vida», de *La destrucción o el amor* («Un pájaro de papel en el pecho / dice que el tiempo de los besos no ha llegado»). Esta primera aparición de lo intertextual—que, presente en mayor o menor grado a lo largo de toda la obra del poeta, se convertirá en un procedimiento de importancia fundamental en sus dos libros últimos—puede abarcar también referencias a la cultura precedente: así, en el «castillo exterior» aludido en «Fuga a caballo» acaso no sea imposible ver un eco o respuesta al «castillo interior» enunciado en el título completo de *Las moradas* de santa Teresa, invirtiendo los términos, precisamente, por cuanto la experiencia narrada en *Pasión de la tierra* es el reverso o negativo de una experiencia mística.

En *Pasión de la tierra,* para adoptar su propia frase, el poeta está «diciendo las palabras expresivas, aquellas que me han nacido en la frente cuando el sueño». El mundo que este estado de semivigilia revela se halla lejos de la dureza y compacta definición con que, en *Ámbito,* se ponía cerco a la materia: aquí cuanto toca el poeta es a menudo hueco («un huevo vacío», «los bolsillos vacíos», «Una cáscara de huevo»), fláccido («Una mano de goma», «trapos»), o perteneciente al mundo de lo inanimado y ficticio, que es a menudo también el de los objetos gratos a los surrealistas, los objetos sobreañadidos al hombre por la civilización («una careta de cartón», «puños de paraguas», «maniquíes»). Este universo inconsistente y quebradizo resume el vivir del hombre en un vacío final que, en otros momentos de la poesía de Aleixandre, será expresado por la invencible cerrazón de la nada: la sombra que, agotado de cansancio, no puede penetrar el pez espada de «Sin luz» en las oquedades submarinas de *La destrucción o el amor,* o el «bulto sin luz o letal hueso» contra el que se estrelló, al palpitar opreso e insistir tercamente, el corazón del poeta en un libro cuyo tono general tiende a presentárnoslo como más optimista («Sombra final», el soneto de *Historia del corazón*).

Ya el mismo título de *Espadas como labios,* al propio tiempo que prefigura el de *La destrucción o el amor,* equiparado el instrumento vulnerador con lo erótico, expresa esta identificadora dualidad: lo más esquinadamente duro y punzante—el acero—es lo más blando y entregador—el labio. Los elementos cortantes o agresivos dominan el libro: «cuchillos», «clavos», «diente duro», «peces de acero sólido», o el crecimiento de un cuerpo que quebranta techumbres o firmamentos y hunde abismos en «Nacimiento último». En el poema quizá capital del volumen, «El vals», los componentes de agresividad convergen con los de blandura o flaccidez y se les enfrentan: «los vellos van a pinchar los labios obscenos». Conviene acaso detenerse en ello. Al principio del poema se nos ha dicho que la orquesta elegante, en un medio de salón convencional, «Ignora el velo de los pubis». Lo que, puesto en relación con su contexto, nos expresa la imagen antes aludida es, pues, la irrupción liberadora del sexo, sellado y como oculto por la sociedad burguesa (sabemos que incluso en la pintura de desnudos se consideró inconveniente durante mucho tiempo la plasmación del vello pubiano), tema que, al propio tiempo que actúa a modo de representación simbólica de la rebeldía del mundo natural, de los seres elementales, frente al mundo artificial de lo civilizado—según observó cumplidamente Bousoño—[6] nos permite considerar tal rebeldía como

---

[6]   *La poesía de Vicente Aleixandre* (Madrid: Gredos, 1956²), particularmente pp. 35-39.

una amplificación generalizadora de la postergación del deseo físico por las convenciones. En este sentido podría leerse el siguiente memorable pasaje de *La destrucción o el amor*:

> *El mar entero, lejos, único,*
> *encerrado en un cuarto,*
> *asoma unas largas lenguas por una ventana donde el*
> *   cristal lo impide,*
> *donde las· espumas furiosas amontonan sus rostros*
> *pegados contra el vidrio sin que nada se oiga.*

Sería limitar el alcance de esta etapa de la poesía aleixandrina tender a reducirla, como hizo en cierto modo Cernuda en el trabajo que he citado anteriormente, a la expresión de una voluntad transgresora encaminada a reivindicar el erotismo en una sociedad que sanciona su represión; en efecto, este mar personificado, de múltiples rostros que se debaten con una angustia impotente y colérica, es también, a todas luces, una encarnación del subconsciente, de las retenidas fuerzas de lo irracional, de los instintos sojuzgados; pero no por ello la implicación erótica deja de estar presente, y en tal aspecto—la primera parte de *En un vasto dominio* lo expresará de modo particularmente claro—la obra de Aleixandre se sitúa en el centro de la vasta «rebelión del cuerpo» que Octavio Paz[7] ha señalado como característica de nuestra época. En este sentido, se opone violentamente a la tradición poética española posterior a la Contrarreforma (nadie es tan crudo como Quevedo, pero Quevedo no es erótico: lo domina, como a Swift y a diferencia de Donne, el horror por el cuerpo), tradición presidida por la ocultación o disfraz de lo corporal, para enlazar en cambio con alguna figura marginal como Aldana y con la lírica popular medieval. Sólo otro poeta de la generación de Aleixandre —precisamente Cernuda—se propuso una tarea parecida; pero, mientras que en Cernuda la reivindicación del cuerpo derivó hacia lo ético, en Aleixandre será el punto de partida

[7]   Véase Octavio Paz, *Conjunciones y disyunciones* (México: Joaquín Mortiz, 1969), y Octavio Paz y Julián Ríos, *Solo a dos voces* (Barcelona: Lumen, 1973).

de una amplia visión metafísica de la existencia humana y el mundo.

«Obscenos» son, desde este punto de vista, los labios del verso que nos sirvió de punto de partida, precisamente en un sentido contrario al habitual: su obscenidad radica en su voluntaria o impuesta ignorancia de la verdad material del cuerpo, del «vello de los pubis»: la obscenidad consiste en creer que el cuerpo es obsceno. Pero al propio tiempo, en el sintagma «labios obscenos» (y ello pudo no entrar sino muy secundariamente en la intención del poeta, pero es una lectura que el texto consiente), el lector no deja de percibir la posible referencia a los labios del sexo femenino, calificados esta vez de acuerdo con el lenguaje convencional, en cuyo caso el verso se abre a otro significado latente: el cuerpo se rebela contra sí mismo, el vello pubiano hiere al sexo. Desdoblamiento: el cuerpo contra el cuerpo. Los labios serán espadas, y la destrucción, amor que aniquila, que se aniquila a sí mismo.

Inventariar los temas que aparecen de modo más persistente en *La destrucción o el amor* es tarea a la que se ha dedicado ya con fruto Bousoño, y excedería, de aspirar a la exhaustividad, el alcance de un texto de la naturaleza del presente. El tema de la clausura, de lo natural sofrenado que se debate contra su prisión, reaparece en pasajes como «El mar, encerrado en un dado, / desencadena su furia o gota prisionera» o «Soy el sol que bajo la tierra pugna por quebrantarla», por citar sólo dos ejemplos evidentes. La inversión tierra-sol que figura en el último verso citado expresa una tendencia general del libro: en la unidad del cosmos total, los planos de la realidad y la relación entre los elementos naturales son intercambiables. Así, de la comparación mar-cielo («De nada sirve que un mar inmenso entero / sienta sus peces entre espumas como si fueran pájaros») podremos pasar a la consideración directa del cielo como mar en «los peces innumerables que pueblan otros cielos», del mismo modo que, equiparando el mundo vegetal y el animal, «Los árboles del bosque cantan como si fueran aves». El tema de la imagen, el espejo y el reflejo—que, hasta alcanzar su máximo despliegue en *Diálogos del conocimiento,* se hallará presente a lo largo de toda la obra de Aleixandre—es de los más frecuentes: «[Soy] un espejo donde la luna se contempla temblando», «como un claro espejo donde cantan las aves» (se refiere al cuerpo extendido de la amada, que es, según una constante que ya conocemos, comparado a un río y, como tal, refleja en sus aguas el mundo celeste: el río es cielo, como lo era el mar), «un duro acero vivo que nos refleja siempre». Este último ejemplo alude también al cuerpo amado, forma más elemental de relación con el mundo exterior: este mundo, es decir, este cuerpo es «la limpia superficie sobre la cual golpeamos ... superficie que copia un cielo estremecido». El amor como hostigamiento y como reflejo: «Látigo de los hombres que se asoma a un espejo». La comunión con el mundo, la ciencia del mundo, se expresa a menudo—de modo análogo al que veremos en «Conocimiento de Rubén Darío» de *Poemas de la consumación* y en diversos pasajes de *Diálogos del conocimiento*—a través de la quemazón de los labios o de su contacto con lo universal: «ese ligado latido / de este mundo absoluto que siento ahora en los labios», «la tentación de morir, / de quemarme los labios con tu roce indeleble, / de sentir mi carne deshacerse contra tu diamante abrasador». En el caso de los versos que acabo de transcribir, el diamante no aparece considerado como joya, sino como roca, como elemento de dureza del mundo natural, geológico: en esta acepción no tendrá el matiz peyorativo, de oposición a lo espontáneo, de ornamento, que Bousoño señala a partir de casos como las «esmeraldas u ópalos» de «Las águilas», sino que encarnará en la resistente fulguración del cuerpo amado la materialidad del mundo: «Tu forma externa, diamante o rubí duro», «Oh tú, calor, rubí o ardiente pluma». Del mismo modo que se convoca al diamante como superficie impenetrable, el rubí es elegido por su proximidad a la sangre: «quiero ser tú, tu sangre», nos dirá luego el poeta. Por oposición persistirán, en otro orden, los elementos efímeros que habíamos visto en *Espadas como labios* y anteriormente en *Pasión de la tierra*: «el cartón, las cuerdas, las falsas telas, / la dolorosa arpillera, el mundo rechazado», «rocas falsas, cartones», «Ay, tu corazón

que no tiene forma de corazón; / caja mísera, cartón que sin
destino quiere latir mientras duerme», «Los senos de cartón
abren sus cajas». Este mundo de guardarropía es el polo contrario al poder de lo inmediato, al desnudo que, en un verso
de «Triunfo del amor», se presentará como convergencia de
la luminosidad, la joya en tanto que elemento positivo y los labios como vehículo de conocimiento por el contacto erótico: «Es
la luz o su gema fulgurante: los labios». He explorado sólo
en algunas direcciones, y sólo parcialmente me he internado
en ellas: la riqueza estilística de *La destrucción o el amor,*
cima de la obra aleixandrina de anteguerra, se abre, como no
escapará al lector, a indagaciones muy diversas.

III

Desorden del mundo: orden del mundo. Tal es la sucesión
alternada de principios que define la nueva etapa aleixandrina.
Pasión de la tierra, Espadas como labios y *La destrucción o el
amor* son libros del desorden universal; en adelante—y este
principio vale tanto, en mi opinión, para *Sombra del Paraíso*
como para *Historia del corazón* y *En un vasto dominio*—lo
que en aquellos títulos aparecía amenazante, bifurcado y dis-
gregado, se someterá a una armonía. El universo cobra sentido.
Mundo a solas supone ya un primer paso en esta dirección. El
síntoma más visible del cambio es la menor irracionalidad en
la escritura, la menor frecuencia del alogicismo que caracterizaba a los títulos anteriores, el espaciamiento de las imágenes
de agresión o violencia. De este escenario, desde el primer
poema, ha desaparecido el hombre. Triunfaron los elementos
destructores, pero terminó la lucha. Por contrapartida, *Sombra
del Paraíso* es la versión positiva de *La destrucción o el amor.*
Son posibles interpretaciones biográficas (el tránsito, en el
poeta, de la juventud al inicio de la madurez) para explicar
el serenamiento que preside estos nuevos libros; y, en otro
orden, no está excluido ver en *Sombra del Paraíso,* escrita en
los años inmediatamente posteriores a la guerra civil, una elegía colectiva. Pero los problemas exegéticos que en su día

planteó la inserción de *Historia del corazón* en la trayectoria del poeta—y que son visibles en las páginas que a la cuestión dedica el libro de Bousoño—, si bien surgieron más agudamente a raíz de dicho libro, hubieran podido concernir ya a *Sombra del Paraíso,* no en la técnica (e incluso parcialmente en ella: la de *Sombra del Paraíso* no es aún la escritura narrativa y analítica de *Historia del corazón,* pero no es ya la de *La destrucción o el amor*), pero sí en la actitud: hasta *Mundo a solas* la poesía de Aleixandre expresa la pujante irrupción de lo oculto, de lo prohibido, su reivindicación y el pánico a la vez liberador y mortífero que suscita en la mente. Después de este libro—e incluso cuando, en *Poemas de la consumación,* aparezcan nuevos elementos susceptibles en principio de introducir el desorden: la decadencia física, el envejecimiento, la muerte—la conciliación es el tema central de la obra del poeta. Esta conciliación concierne primero al amplio cosmos, trasposición del tumulto de las fuerzas interiores, aunque visto ahora desde una perspectiva que se refiere al pretérito: *Sombra del Paraíso.*

Basta una lectura atenta de toda la producción de Aleixandre posterior a *Mundo a solas* para advertir que los problemas de exégesis a que aludí, si bien no podían dejar de plantearse a los analistas, deben ser resueltos en el sentido de afirmar la fidelidad del escritor al sentido evolutivo de su obra. Ésta tiene, a mi modo de ver, dos grandes momentos, en un proceso de amplificación inicial y posterior concentración y reducción. Un planteamiento previo, en *Ámbito,* ciñe y pone cerco a las formas aparentes. A partir de *Pasión de la tierra,* asistimos al descubrimiento de las corrientes secretas de la conciencia, que se materializarán cada vez más agigantadas y diversificadas, en el innumerable repertorio de seres y cosas de un mundo del que son proyección y metáfora, y que es proyección y metáfora de ellas: lo irreductiblemente individual se hace cósmico. Pero también lo cósmico se hace individual: conciliado el universo en *Sombra del Paraíso,* pasaremos del vasto escenario mundanal a la pareja, en *Historia del corazón* —a la pareja histórica, concreta, al tú y yo inconfundibles, no a lo erótico universal de *La destrucción o el amor*: por lo mismo, los factores psicológicos cobrarán aquí por primera vez importancia—y, ya en el mismo libro, al individuo en tanto que inmerso en la humanidad, en la especie. Éste será el punto de partida de *En un vasto dominio,* que del cuerpo irá a la sociedad. Encarnación del mito corporal en la historia: el cuerpo en la ciudad, en la palabra del poeta, en el pueblo que se confunde con la montaña en que se asienta, en la estatua idéntica a las olas del mar que la acogió. Más adelante, en *Poemas de la consumación,* el sujeto no es ya la pareja, o el individuo humano idéntico a través de tiempos y latitudes, sino determinado individuo particular—el propio poeta—en determinada circunstancia de su vida—la entrada en la vejez—; pero, al mismo tiempo, este individuo es cualquier hombre: todos pueden reconocerse en su experiencia.

Así, el círculo se ha cerrado. Partimos, en *Pasión de la tierra,* de la conciencia del poeta, y regresamos, desde otra vertiente, a ella. Del vértigo tumultuoso de lo irracional, insaciable y poderoso, hemos llegado a su ordenación, de la alucinación al éxtasis. *Sombra del Paraíso,* este fulgurante himno a la plenitud sensorial de un mundo acorde con su sentido, señala el inicio del segundo momento aleixandrino. Cumplidas, en *Poemas de la consumación,* las últimas consecuencias de esta trayectoria, el poeta nos dará un libro que, desde el otro extremo de la obra, responde a *Ámbito: Diálogos del conocimiento.* Lo que allí era, antes de iniciar la trayectoria, asedio a la realidad exterior, es en *Diálogos del conocimiento* meditación del mundo desde la cúspide de la trayectoria. Pocos poetas hispánicos contemporáneos son al tiempo tan peculiares en su expresión y tan diversos en ella a lo largo de su carrera como Aleixandre; pocos tan reconociblemente fieles a sí mismos. Del estallido de *Pasión de la tierra,* que actúa por bruscas explosiones de imágenes autónomas, al desmenuzamiento temporal de *Historia del corazón* y *En un vasto dominio,* hasta llegar—después de *Retratos con nombre,* que cierra esta etapa del poeta y, en sus poemas dedicados a figuras diversas, reales o no, anticipa la creación de voces hablantes que singularizará a *Diálogos del conocimiento*—a la progresiva y cerrada conceptualización de los dos libros últimos, Aleixandre ha mostrado el desarrollo ente-

ro de una cosmovisión poética. Interrogado sobre sus poetas
preferidos, el nuestro contestó: «Aquellos cuyo desarrollo ha
cumplido una curva vital».[8] Resulta evidente que tal es el
ejemplo, cumplido con pleno rigor, que Aleixandre se fijó para
sí mismo.

IV

Los dos volúmenes más recientes de Vicente Aleixandre,
Poemas de la consumación (1968) y *Diálogos del conocimiento*
(1974), constituyen un grupo autónomo en la obra de su
autor, que vienen a culminar. La redacción del segundo libro siguió inmediatamente a la del primero, lo que explica
su complementariedad. *Poemas de la consumación* preanuncia
Diálogos del conocimiento; pero la amplitud del despliegue de
este último título es única, no sólo en el interior de la obra de
Aleixandre, sino en la lírica española contemporánea. Sólo el
Juan Ramón Jiménez de *Espacio*—y, en otro sentido, el de
Dios deseado y deseante—había alcanzado, entre los poetas pe-
ninsulares en lengua castellana de este siglo, un tan absoluto y
esencial fulgor en la búsqueda metafísica. Como en Juan Ramón Jiménez, la plenitud del último Aleixandre va unida a
una mayor complejidad expresiva, cercana a veces a la oscuridad, y a una reducción y concentración del campo semántico
y el repertorio imaginístico. El acecho a lo inefable que se ha
propuesto el poeta determina tales particularidades.

Poemas de la consumación y *Diálogos del conocimiento* son
libros de tema único, enunciado en su título—la consideración
de la vida desde la perspectiva de la vejez y la vecindad de la
muerte en el primer caso, el enigma de la conciencia humana
y el sentido del mundo en el segundo—que se contraponen
por sus características externas. *Poemas de la consumación* está
formado por cincuenta poemas, en general extremadamente
breves—los hay que no llegan a diez versos—, aunque no fal-

---

[8]   «Respuesta al cuestionario Marcel Proust», en *Obras completas*,
pp. 1621-1623.

ten algunas excepciones; *Diálogos del conocimiento* consta tan sólo de catorce piezas, pero la extensión de cada una de ellas («Los amantes viejos», por ejemplo, supera los ciento veinticinco versos) hace del libro el integrado, proporcionalmente, por mayor número de poemas largos de toda la lírica aleixandrina. El metro, en *Poemas de la consumación,* es variado y frecuentemente corto; en *Diálogos del conocimiento* rara vez llega al versículo—que había dominado en otras entregas del autor—, pero tampoco desciende sino en contadas ocasiones por debajo del alejandrino o el endecasílabo, con la excepción de un solo poema.

Lo que primero sorprende en *Diálogos del conocimiento,* con respecto a *Poemas de la consumación* y aun a toda la obra producida por el poeta después de la guerra civil, es la dificultad de su lectura. Desde su período parasurrealista, es decir, desde *Espadas como labios, Pasión de la tierra* y *La destrucción o el amor,* Aleixandre no nos había entregado un volumen que resistiera tan pertinazmente a cualquier intento de lectura racionalizadora. Ello proviene tanto de la naturaleza misma de lo emprendido en la obra como del hecho, vinculado a lo anterior, de que en ella el poeta ha llevado a sus últimas consecuencias determinados rasgos de estilo que ya aparecían en *Poemas de la consumación.* El más singular y visible posiblemente sea la tendencia a la concatenación de aforismos de sentido ambiguo, a menudo alógico, que además en muchas ocasiones se excluirán mutuamente puestos en relación con el contexto. Este falso estilo aforístico—ejemplificado por lo común en la identidad entre dos infinitivos, o en oraciones cuyo sujeto es un pronombre personal, casi siempre «quien», y al que con frecuencia se refieren dos verbos, uno en presente y otro en pretérito perfecto—domina el sector más reciente de la poesía aleixandrina de modo tan claro como, en el pasado, lo había hecho el empleo de la «o» identificativa.

No escasean ejemplos del procedimiento en *Poemas de la consumación*: «Conocer es reír», «Conocer no es lo mismo que saber», «Quien duda existe» nos lo ofrecen en su formulación probablemente originaria, susceptible aún de una glosa racional. Pero ya en «Quien fue» nos hallamos ante series del

orden de «Quien ve conoce, quien ha muerto duerme, / Quien
pudo ser no fue», o más adelante «Quien pudo amar no amó.
Quien fue, no ha sido», la última de las cuales encierra una
violenta contradicción. El poema más característico en este
aspecto es el titulado «Conocimiento de Rubén Darío». Un
epígrafe lo califica de «intermedio», y, en efecto, es la única
composición que no participa de la temática general del libro, o por lo menos no en su nivel más inmediato, y por sus
procedimientos se emparenta con el volumen siguiente hasta
tal punto que tal vez no sea arriesgado aventurar la hipótesis
de que fue principalmente el hecho de que en él no se emplea-
ra la forma dialogada lo que decidió su inclusión en *Poemas
de la consumación.*

En «Conocimiento de Rubén Darío» convergen varios de
los motivos característicos de la última etapa aleixandrina. El
tema del poema es, como indica el título, el conocimiento: el
tránsito de los sentidos a la mente. El poema se abre con la
mirada, para pasar al tacto de las manos, y al labio. En «Como
Moisés es el viejo» se nos dice que el hombre muere «en la
boca la luz»; el beso, ya desde los días de *La destrucción o el
amor,* es ciencia y perdición fulmínea de quien lo da o recibe. Rubén pone las manos en el crepúsculo («poner en su
quemar las manos es saber»; el soldado de «Sonido de la
guerra», en *Diálogos del conocimiento,* nos dice «Tenté. Quien
tienta vive») y todo el calor del mundo arde en su labio. El
segundo movimiento se centra, nueva y definitivamente, en la
mirada. Del mismo modo que, en «Sin fe», al fondo de los
ojos oscuros de la amada aparecen unos brillos «que oscuridad prometen», y en «Cueva de noche» la amada es «aurora
funeral que en noche se abre», a un tiempo nocturnidad y
luz, en «Conocimiento de Rubén Darío» el mundo que contempla Rubén (asimilable, pues, al cuerpo con quien nos fu-
siona el deseo: erotismo cósmico y personificación animista,
antropomorfización del mundo o amplificación visionaria del
cuerpo) abre una oscuridad que es claridad, y consume los ojos
con su incandescencia. Rubén sabe, pero su saber pertenece
a la esfera de la mente: «No música o ardor, no aromas fríos, /
sino su pensamiento amanecido». Y este saber—«saber es

conocer»—es, como el del místico o el filósofo que nombra
lo absoluto, un saber que rechaza el verbo, un saber de eli-
sión y mutismo: «El que algo dice dice todo, y quien / calla
está hablando». En su aparente paradoja, esta conclusión nos
evoca la también aparente y secretamente turbadora obviedad
del aserto de Wittgenstein: «De lo que no se puede hablar,
mejor es callarse». No me propongo hacer un uso abusivo de
Wittgenstein—o de Heidegger, que a su vez también consen-
tiría aquí paralelismos—, pero me parece innegable que el
último Aleixandre, y en particular el de *Diálogos del conocimiento,* se propone hablar, precisamente, de aquello que se
resiste a ser nombrado. De ahí esta esgrima ininterrumpida
de enmascaramientos y desenmascaramientos verbales, de proposiciones que, imposibles en el plano de los hechos objetivos,
existen sólo por el poder de las palabras, son puros entes del
lenguaje, y crean un tumulto que equivale al silencio y lo
suscita.

Junto al estilo aforístico, reaparecen en *Poemas de la consumación* diversos hechos de estilo que figuraban ya en la obra
precedente de Aleixandre pero que, a mi modo de ver, serán
determinantes en este libro y en el siguiente. Así, la rima
interna («y destellos los besos, muertos dieron»), la aliteración («urgidos de una sed que un soplo sacia») y el juego de
palabras («Existir es vivir con ciencia a ciegas», que permite
por lo menos una segunda lectura—«conciencia a ciegas»—y,
en rigor, una tercera—«conciencia, ciegas»—y una cuarta—
«con ciencia, ciegas»—, y ello por más que la puntuación
las excluya: una cosa es el sello unívoco que quiera conferir
el poeta al pasaje y otra las posibilidades fónicas que éste
admite, y que, en tanto que tales, son queridas). Asume un
papel importante la intertextualidad, referida exclusivamen-
te a la propia obra (en *Diálogos del conocimiento,* como
veremos, podrá con carácter de excepción aludir a obra ajena). Así, los dos versos iniciales de «Ayer» repiten, respec-
tivamente, de modo literal y paralelístico los dos versos finales de «Cercano a la muerte», y en el tercer tramo de «Cumple» se reproducen, con sólo una variante de léxico y otra
de puntuación, dos versos de «Vida», de *La destrucción o el*

amor. El juego intertextual se establecerá de modo particularmente fecundo entre *Poemas de la consumación* y *Diálogos del conocimiento,* y en el interior de este último libro: el verso inicial de «Quien hace vive», del primer volumen, será parafraseado en «Los amantes viejos» del segundo, y de modo semejante asistiremos, entre uno y otro título, al tránsito de «Quien muere vive, y dura» a «Quien siente vive, y dura», de «Ignorar es vivir. Saber, morirlo» a «Conocer es amar. Saber, morir», de «La noche es larga, pero ya ha pasado» a «Larga es la noche, pero ya ha cedido». Pero las relaciones pueden abrazar libros anteriores del autor: «El hombre no existe», de *Mundo a solas,* será en *Diálogos del conocimiento* «El hombre existe», y el desenlace de «Hijo de la mar», un poema de *En un vasto dominio*—«Como en la mar, las olas»— será en «La maja y la vieja», de *Diálogos del conocimiento,* «Como el mar en las olas». Es fácil advertir que la mayoría de las veces tales referencias—por otro lado, no necesariamente perceptibles para cualquier lector—, más que a corregir, confirmar o desmentir la escritura anterior se encaminan a introducir en ella la ambigüedad y lo plurivalente.

En determinado momento—de modo especial en *La destrucción o el amor* y *Sombra del Paraíso*—la poesía de Aleixandre estuvo habitada, como ha observado Bousoño, por una fauna numerosísima. Su ámbito era el cosmos, y en él llameaba la escala de los seres. Pero, en *Poemas de la consumación* y de modo más acentuado aún en *Diálogos del conocimiento,* el centro del poema se ha desplazado al interior del hombre. Así, los elementos que entrarán en juego serán relativamente reducidos y resultarán operantes principalmente por la complejidad y recurrencia de sus relaciones. La luz, la sombra y la noche—a menudo intercambiables, del mismo modo que, en la «Canción del día noche» de *Poemas de la consumación,* lo serán la esfera terrestre y la celeste—dominarán con su alternancia y su mutuo reflejo este universo. El alba, la llama, las luces, el arder, la quemazón, frente—recojo vocabulario del poeta—a la puesta, el ocaso, la ceniza. Pero no frente a ello, sino en constante comunicación, propuesta a los sentidos, y principalmente a los ojos, que de un lado lo copian y de otro son cegados. La muerte es oscuridad, pero también luz y relámpagos; y el mar—poblado por «espinas»—puede ser tanto el dominio de las sombras como el de la luminosidad. De este modo, los diversos motivos que reaparecen en *Poemas de la consumación* y amplían aún más su alcance en *Diálogos del conocimiento* son referibles a un núcleo común: el universo y su imagen, el diálogo entre el ser y la apariencia, entre la mente y lo fenoménico. El mito de Narciso adquiere aquí su valor emblemático. Presente ya en «Horas sesgas» de *Poemas de la consumación,* reaparece, sin ser nombrado, en uno de los parlamentos del amador del «Diálogo de los enajenados» del siguiente libro. En otro poema del mismo, «Dos vidas», uno de los interlocutores, el joven poeta segundo, ilustra la concepción del mundo exterior como espejo. La pasión erótica—y la pasión de la vida—es la fusión con la imagen.

Así, el primer poema de *Diálogos del conocimiento*—notemos, por otra parte, que estos textos dialogados son en realidad yuxtaposiciones de monólogos paralelos, contrapuestos o convergentes, no verdadero diálogo dramático—se abre con la evocación de la luz vista al fondo de unos ojos, es decir, en el instante amoroso. Pero ahora esta luz no existe; en la unidad del mundo, que es tierra, cielo y ave, una sola luz total impone su dominio a un cuerpo telúrico, hecho piedra, mineral. Como el soldado—que es quien pronuncia este parlamento—, la alondra que cierra el poema se compara a una piedra. La ceguera, la luz, la tiniebla, lo mineral, el reflejo del mundo en los ojos, la llama, la blancura o la claridad y el luto, serán desde estos versos iniciales los centros polarizadores del libro. El brujo de «Sonido de la guerra» cegará; la mujer de «Los amantes viejos» será, con su brillo, «eco y espejo», responderá al mundo una y otra vez, asentirá a la claridad de unas estrellas que se le asimilan, en tanto que el hombre que debía fusionarse con ella se irá sumiendo en la oscuridad; Maravillas, la joven de «La maja y la vieja», será toda brillo, identificada a la luna y al cielo luminoso, alto resplandor ante los ojos; ciego tras haber creído en las luces, el viejo de «El lazarillo y el mendigo» invocará desde su penumbra a la duda absoluta, el demonio, «hijo del sol»; «El inquisidor, ante el espejo» edificará un tejido de contagios y oposiciones entre imagen y espejo, nieve y carbón, fuego y sombra, hoguera y hielo, y estructuras análogas reaparecerán en los sucesivos poemas del libro. El contraste o confrontación en su estado más puro presidirá «Diálogo de los enajenados», «Dos vidas» y «Yolas el navegante y Pedro el peregrino», que son, como «El lazarillo y el mendigo», debate entre dos formas de vida. «Yolas el navegante y Pedro el peregrino» lo lleva al terreno más abstracto y más preciso a la vez: el elemento marítimo frente a la permanencia del mineral.

El erotismo es penetración en lo infranqueable, vulneración del cuerpo y su secreto, exorcismo que, por magia mimética, aspira a propiciar la integración en la realidad exterior. Desde *Pasión de la tierra* late e irradia en la raíz del verso de Aleixandre. El brujo de «Sonido de la guerra» invocará la sangre tras los labios, besados por el amante; el amador del «Diálogo de los enajenados» cavará en los cuerpos como en la tierra; el dandy del mismo poema—coincidiendo en esto con la Juliette de Sade, que, como él, desliga el erotismo del amor—apelará, tras la desnudez, a la escueta presencia del hueso. Los sentidos se desplazarán: si en «Horas sesgas» de *Poemas de la consumación* el poeta escuchaba a una sombra, en *Diálogos del conocimiento* la muchacha de «Después de la guerra» oirá el sonido de la luz. Luz y oscuridad, personificadas, piensan: no es que el pensamiento humano se aplique a la tiniebla o a la claridad, sino que, en el escenario asolado de «Sonido de la guerra», impera «el pensamiento de la luz sin hombres», y, en «Los amantes viejos», el universo entero es el cráneo donde piensa la oscuridad. El propio mundo, en «Después de la guerra», es un pensamiento, «pero no humano».

La persistencia o mayor explicitación de los temas y procedimientos que habíamos empezado a inventariar en *Poemas de la consumación* convierte a *Diálogos del conocimiento* en el libro quizá más compactamente cohesionado de toda la poesía de Aleixandre: fuego tallado, buril y cristal de roca. Reaparecen la rima interna («¿Dónde el beleño de tu sueño?»), la aliteración («Ralo el pelo pende»), combinadas a veces con

el juego de palabras «lama / la llama el azul claro»), y hallamos también la reelaboración de la frase hecha («Sólo un reflejo o mano / mortal, que vida otorga. / Y sé. Quien calla
escucha», parece provenir de o encaminarse a crear un des-
membramiento del usual «Quien calla, otorga», suscitado por
la acción retrospectiva y mnemotécnica del último verso citado sobre el que lo precede) y la intertexualidad llega a la
paráfrasis (a dos paráfrasis sucesivas: «Ayer viví. Mañana ya
ha pasado» y «Ayer murió. / Mañana ya ha pasado») de un
célebre verso de Quevedo, sin dejar por ello de referirse prin-
cipal y frecuentemente a la propia obra del autor («Mi destrucción amante», «Espadas como flores para los labios», «La
destrucción o amor en las negras arenas»). El falso estilo
aforístico adquiere aquí su más extrema complejidad, y también su mayor índice de frecuencia: «y ella [la madre originaria, la gran maternidad cósmica] nos cubre y somos, si ser
ella es ser, siendo / pero no siendo»; «Quien habla escucha.
Y quien calló ya ha hablado», son sólo dos ejemplos. El pre-
dominio de los aforismos oscuros o contradictorios, visible
sobre todo en la primera mitad del libro, configura a buen
número de poemas de *Diálogos del conocimiento* como una difícil sucesión de proposiciones abstractas, de una elevación y
majestad inalterables, entre las que se encapsulan como un
brusco fuego movedizo los estallidos de las sinestesias, metoni-
mias e imágenes alógicas.

El mundo como espejo y el espejo como mundo: el Swan
del poema a él dedicado nos dice que pasó «ante el grandioso
espejo en que viví», y para Yolas el navegante las ciudades
son «el reflejo del sol y sus espejos», mientras que los montes
«son espejo / para todo lo vivo», en «Dos vidas», estos mismos montes que, en «Quien baila se consuma», aparecen «como
cuerpos tumbados». La tierra es un cuerpo y es su refracción
en un espejo, en un ojo: el ojo humano y el ojo del cosmos. De
este modo, los temas de las relaciones entre pensamiento y
realidad fenoménica, y entre erotismo y conocimiento, se reve-
lan idénticos al de las relaciones entre palabra y mundo.

La maja existe sólo porque se refleja en los ojos ajenos;
no ya su desnudez—hemos visto que el deseo del dandy llega

al hueso, y el joven poeta primero de «Dos vidas» nos dirá
que «la carne es el vestido»—, sino sus venas brillan para
todos, pero todos están ciegos. ¿Deslumbrados? No, tal vez,
sino abiertos a la verdadera visión, ya que para el protagonista masculino de «Los amantes viejos» es patente que «el
ojo ciego un cosmos ve». A la certeza destructora del mendigo—«Destrucción, tú me has hecho»—se opone la duda del
lazarillo, cuyo cuerpo, como los que aparecían a veces en
Sombra del Paraíso, adquiere en su crecimiento proporciones
cósmicas. El inquisidor—sombra que otorga sombra y que también otorga llama, es decir, calor, mas esta quemazón es el
«frío / de una nieve perpetua»—se habla ante el espejo, pero
también el Dios a quien se dirige le es un espejo. En el
«Diálogo de los enajenados», la contraposición entre el rendi-
miento del amador al vórtice del deseo y el distanciamiento
del dandy se expresa al principio tanto por el tenor de sus
parlamentos—el amador vive poseído por el mundo y los cuerpos a través de la mirada: el «brillo» el aire para sus ojos, la
luz de «un bulto joven» que éstos sienten, la búsqueda, como
Narciso, de la imagen vista en las aguas que son espejo—, como
por la presencia de la rima asonante en *a* en la segunda inter-
vención del dandy; pero, significativamente, cuando ambos se
entregan a la consumación final la asonancia en *uo* los identi-
fica, presente en las palabras últimas de uno y otro. En «Después de la guerra», el viejo vive en el ámbito de la idea más
allá de la forma, en el silencio del mineral y el árbol, en la
ceguera, mientras que la muchacha—como la mujer de «Los
amantes viejos»—siente el mundo en sus labios, expresando
su comunión universal incluso a través de la aliteración («En
los labios la luz, en la lengua la luz sabe a dulzuras»), identificada a la flor y a las estrellas, que, al igual que ocurrirá con
el joven poeta segundo de «Dos vidas», laten en su mejilla.
Ciego en el resplandor, el protagonista de «Los amantes jóvenes» siente en su boca «todo el fuego del mundo», y su amada vive hollando el sol con sus plantas: no es un labio lo que
ha visto, sino «una estrella sola». En «Dos vidas» el joven
poeta primero se contrapone a Narciso, distanciándose de la
luz que le muestra el espejo de la soledad, al paso que el jo-

ven poeta segundo comulga con sus ojos con la luz y el brillo
del mundo visible. El torero de «Misterio de la muerte del
toro» nos dirá «Soy la luz», pero el toro, cerrado en su soledad, cegará. El Proust de «Aquel camino de Swan»—que, al
igual que la mujer de «Los amantes jóvenes», no tiene nombre, es decir, nombre verdadero que cifre su ser—es «reflejo
de un ojo que no existe / porque nadie lo mira» (como, para
Machado, «El ojo que ves no es / ojo porque tú lo veas; / es
ojo porque te ve») y Swan, a quien hemos visto ante un gran
espejo universal, es «un brillo en el pecho» y, «por dentro,
otros brillos extintos». De «un astro extinto», y «como sombra», llega el niño de «La sombra» y anhela «una sombra»; y
es «una sombra» su padre que fue, más que una luz, un «pabilo ahogado». Yolas el navegante—que se corresponde con
el joven poeta segundo de «Dos vidas»—es «joven / como la
luz» y en su frente rutilan las estrellas—o acaso su frente son
las estrellas—; es el mar, confundido con la claridad, «espumas o llamas», y sus ojos ven que los cuerpos de los amantes
copian las estrellas; Pedro el navegante, en cambio—equivalente al joven poeta primero—, busca la «sombra profunda» y
en sus labios no se halla la luz—como en los de Rubén Darío o
en los de la muchacha de «Después de la guerra»—sino «la
piedra». El mineral es sombra y el mar es claridad. El bailarín
de «Quien baila se consuma» es, en «una mar salobre», «espuma», mientras que el director de escena ve «Un montón de
lujuria, pero extinto, en la sombra».

La corriente disyuntiva e identificativa se establece, como
habíamos apuntado anteriormente, entre los grupos luz - elemento marítimo - visión y los grupos sombra - mineral - ceguera u oscuridad. Los espejos, los reflejos, el erotismo, el papel de otros sentidos—y particularmente el tacto de las manos y los labios—, además de la vista (la tácita equiparación
labio - estrella que hemos visto en «Los amantes jóvenes» es,
aparte de ilustrar las relaciones entre individuo y cosmos,
harto significativa a este respecto), al igual que el entrecruza-
miento de miradas e imágenes múltiples o la oposición entre
soledad e identificación con el mundo son otras tantas mani-
festaciones de este centro generador. Como «cántico de la luz

desde la conciencia de la oscuridad» definió Aleixandre a su *Sombra del Paraíso*. En *Diálogos del conocimiento* este tema se ha subsumido en una constelación aún más amplia de símbolos visionarios que sucesivamente se oponen, se complementan o se confunden. Como la de Trakl o la del último Juan Ramón Jiménez, a cuyo antecedente aludí al principio—y no porque haya que pensar en influencias, sino en paralelismo de preocupaciones—, la poesía del último Aleixandre es un arte combinatoria que procede por permutación, sustitución o superposición de un repertorio extremadamente parco de elementos. Lo verdaderamente sorprendente y admirable, como en los otros dos casos que he citado, es el hecho de que dichos elementos revistan un tal valor polisémico que su reaparición pase inadvertida al lector común y sea sólo perceptible para el analista. Desde sus inicios—desde el ceñido dibujo perfilado de lo concreto, la definición del trazo y el contorno de la materia visible que caracterizaba a los poemas de *Ámbito*—la poesía de Aleixandre puede resumirse en una palabra: unidad. La imaginería frondosísima de *La destrucción o el amor, Pasión de la tierra* o *Sombra del Paraíso* expresaba a un tiempo la disolución de la conciencia individual en el universo y el universo como imagen o proyección interior de dicha conciencia. La objetivación de la etapa de *Historia del corazón* y *En un vasto dominio* preanuncia el desdoblamiento en múltiples personajes de *Diálogos del conocimiento,* y el desdoblamiento ulterior y reconocimiento de éstos en las imágenes del cosmos (así, el viejo de «Después de la guerra» se reconoce en un árbol). Cada ser, en la luz total—inseparable de la tiniebla total—, es idéntico a los otros, y todos son el poeta: el ojo que, ciego, se ve a sí mismo, la palabra que se designa al designar el mundo, la pasión erótica que se reencuentra en los cuerpos ajenos, la percepción que asume la unidad de mente y materia. Conocimiento de lo unitario, fragor y quietud de un cosmos hecho idea, de una idea que es el cosmos.

PERE GIMFERRER

ÁMBITO

[1924-1927]

CERRADA

CAMPO desnudo. Sola
la noche inerme. El viento
insinúa latidos
sordos contra sus lienzos.

La sombra a plomo ciñe,
fría, sobre tu seno
su seda grave, negra,
cerrada. Queda opreso

el bulto así en materia
de noche, insigne, quieto
sobre el límpido plano
retrasado del cielo.

Hay estrellas fallidas.
Pulidos goznes. Hielos
flotan a la deriva
en lo alto. Fríos lentos.

Una sombra que pasa,
sobre el contorno serio
y mudo bate, adusta,
su látigo secreto.

Flagelación. Corales
de sangre o luz o fuego
bajo el cendal se auguran,
vetean, ceden luego.

O carne o luz de carne,
profunda. Vive el viento
porque anticipa ráfagas,
cruces, pausas, silencios.

CINEMÁTICA

Venías cerrada, hermética,
a ramalazos de viento
crudo, por calles tajadas
a golpe de rachas, seco.
Planos simultáneos—sombras:
abierta, cerrada—. Suelos.
De bocas de frío, el frío.
Se arremolinaba el viento
en torno tuyo, ya a pique
de cercenarte fiel. Cuerpo
diestro. De negro. Ceñida
de cuchillas. Solo, escueto,
el perfil se defendía
rasado por los aceros.

Tubo. Calle cuesta arriba.
Gris de plomo. La hora, el tiempo.
Ojos metidos, profundos,
bajo el arco firme, negro.
Veladores del camino
—ángulos, sombras—siniestros.
Te pasan ángulos—calle,
calle, calle, calle—. Tiemblos.
Asechanzas rasan filos
por ti. Dibujan tu cuerpo
sobre el fondo azul profundo
de ti misma, ya postrero.

Meteoro de negrura.
Tu bulto. Cometa. Lienzos
de pared limitan cauces
hacia noche sólo abiertos.

Cortas luces, cortas agrios
paredones de misterio,
haces camino escapada

de la tarde, frío el gesto,
contra cruces, contra luces,
amenazada de aceros
de viento. Pasión de noche
enciende, farol del pecho,
el corazón, y derribas
sed de negror y silencios.

FORMA

MENUDO imprime el pie
la huella de los dedos
sobre la arena fina,
que besa largo el viento.

Levántala, la lleva
a dar contra mi pecho,
y, aún calientes, cinco
yemas de carne siento.

El gesto blando que
mi mano opone al viento
es molde que yo al breve,
huidizo pie le ofrezco.

Mas ya el pasaje, esquivo,
se alza y quiebra el céfiro,
y el pie con lluvia fina
de arena, cae disperso.

RETRATO

(José Luis, patina)

SOBRE la pista
te deslizas
haciendo un 8 elegante,
con una sonrisa.

¡La muerte!: profunda
palabra, y, más elegante, giras
en una curva graciosa
y dulce, y platicas
desde la baranda, un momento,
con una amiga.

Y piensas: ¡la muerte!
y, a solas, ¡la vida!,
y te entristeces y tu 8
se amplía,
y en la curva dudas
para resolverte en una
pirueta nueva y atrevida.

Y los demás contemplan
con sus ojos atónitos
nuevas gracias
y nuevas pensadoras sonrisas
con que entreabres los labios
sobre todas las cosas de la
pista
y de la vida.

AGOSTO

PLANTADA, la noche existe.
Vientos de mar sin esfuerzo.
Cuajante, estrellas resulta
—signos de amor—y luceros.
Luceros, noche, centellas
se ven partirte del cuerpo.
La noche tiene sentidos.
¿Qué buscas? Se te ven bellos
desplantes a solas; alzas
tu forma, cristales negros,
que chocan de fe y de luces
contra las brisas, enteros.
Rotunda afirmas la vida
tuya, noche, aquí en secreto:
secreto que está callado
porque el mundo entero es ciego:
que tú lo gritas, la noche,
te vendes, ¡te das!, en sueltos
ademanes sin frontera
para los ojos abiertos.
Todo el espacio partido
está para mí. Te encuentro
feliz y cierta, carente
ya de flojos, torpes lienzos,
liberales los sentidos,
los pulsos altos, enteros,
cuajante la forma impura
sin compasión, bajo el cielo,
y en la abierta sombra mate
tu sangre, erguida, latiendo.

CABEZA, EN EL RECUERDO

En óvalo tu rostro, de asechanzas
de sombras huye, sabe, y se proyecta
—faz en la luz en curso—recordado
—ondas sutiles de memoria—, y ama
ser y no ser, en cauce subterráneo.
Surte y se esconde. Rosas. Guadiana.
Finas pestañas tallan, rayan a hilo
paños de luz tendidos casi azules.
Párpados lentos cruzan y permiten
blancas—contactos—sedas deslizadas.
Obra de amor tejida sin ensueño:
sombra fresca, no verde, que hace a gusto
siesta a los ojos, blancos más los dientes.
Paréntesis oprimen las palabras.
Rojos de vida en carne suavemente
meta, carmín, jugosos les oponen:
palabras que se tocan con los labios,
desfallecen y mueren, besos lisos
dando al pasar cayendo sin sonido.
Las mejillas arriba. Siempre ausentes
púrpuras las coronan. No: las aguas
de la tarde las mojan: flores húmedas,
casi de carne, son, y así, calientes,
pronto decaen y pasan. De memoria
doble montón de pétalos derramo.
Hondos, los dos, tus ojos nuevamente
a una futura sequedad previenen.
Toda la noche, ya jugosa y fresca,
pompa y fragancia a su velar les toma.
Tallos te crecen de tus ojos, yergue
alta la noche su ramaje, y savia
pura compartes, vegetal y humana.
Más alta, más, venciendo, la terraza
de tu frente paisajes mil—si turbio
tu rostro abajo—inventa transparentes.
Hiere a la luz el mármol: piel helada.

Piso, azotea. Abajo el río negro:
flojo el cabello pasa en ondas anchas.
Soberbio cauce lento que se lleva
ideas sumergidas, olvidadas.
Un acero de luz, plancha, las cubre.
El cabello hermosísimo navega.
Tu cuerpo al fondo tierra me parece:
un paisaje de sur abierto en aspa.
Riberas matinales. Quizás luces
en torso, mediodía, suben, queman.
Quizás, crepusculares, soles cumplen
—carne: horizonte—y tiñen las dos márgenes
—brazos de cobre, rojos, viajeros—.
Quizás el cielo sin azul vacila.
Vence tu rostro—el fondo sometido—,
duro compone su escultura y, plástico,
ámbito ensancha en mi memoria, y queda.

PÁJARO DE LA NOCHE

FRONDA. Noche cerrada. Ausente el cuerpo,
se captarían
imágenes borrosas, a su contacto nítidas.
Volúmenes de sombra desalojan
el aire claro de la luna.
Es inútil pensarlo. De luz y seda, nada.
Pero presencia de presencia
de frío y tacto, de planos repetidos.
Si surges tú, pájaro de la noche,
trasvaso a ti la comprobación de la noche.
Tu cola larga y plumada
resbala sobre el hielo del aire sólido.
La pesantez estática del viento
supone más tu densidad, oh pájaro,
que tu ligereza.
Y si quisieras lanzar de tu garganta luces,

las veríamos caer en arco grave,
gotas heladas para los suelos nocturnos.
inhallables sin onda y sin destello.

Te miro así, casi en vacío,
nudo de sombra, ruiseñor,
mudo bloque de ébano.
Preciso molde, la noche
se cerró sobre ti, te apretó en ella
y te retuvo inmóvil, hecho tú vena líquida,
cuajándote en silencio.
Y al apuntar el alba se quebrantó la cárcel
en dos, y tú emergiste,
estático y opaco, de entre las negras valvas,
con volumen y forma, helado y cierto.

MAR Y AURORA

DESCUBIERTAS las ondas velan
todavía sin sol, prematinales.
Afilados asoman por oriente
sonrosados atrevimientos del día.
Las largas lenguas palpan
las pesadas aguas, la tensa
lámina de metal,
aún fría y bronca al roce insinuante.
Todavía emergiendo de la noche
la lisa plancha asume
adusta las comprobaciones iluminadas.
Penetran, de carne, de día,
los lentos palpos, que adoptan
ondas tímidas, pasivas espumas
bajo sus cóncavos avances,

Todo el ámbito se recorre, se llena
de crecientes tentáculos,
alba clara, alba fina, que se adentra
a volúmenes largos, en estratos de luz,
desalojando la estéril sombra,
fácil presa a esta hora.
Comienzan a alzarse bultos
de espuma voluntaria,
inminentes.
No permitáis que emerja.
Hinche el agua la redonda
sospecha, y se adivine
el día abajo, pujante bajo el manto
líquido, poderoso a alzarse
con el mar, abismo cancelable.
La luz venga del hondo,
rota en cristales de agua,
destellos de clamores
disueltos—no: resueltos—
sin torpe algarabía.
Surta en abiertas miras
con orden y se adueñe
del esqueleto oscuro
del aire y lo desarme,
y limpio espacio brille
—sometido a su dueño—,
lento, diario, culto
bebedor de las ondas.

MAR Y NOCHE

EL mar bituminoso aplasta sombras
contra sí mismo. Oquedades de azules
profundos quedan quietas al arco de las ondas.
Voluta ancha de acero quedaría
de súbito forjada si el instante

siguiente no derribase la alta fábrica.
Tumultos, cataclismos de volúmenes
irrumpen de lo alto a la ancha base,
que se deshace ronca,
tragadora de sí y del tiempo, contra el aire
mural, torpe al empuje.
Bajo cielos altísimos y negros
muge—clamor—la honda
boca, y pide noche.
Boca—mar—toda ella, pide noche;
noche extensa, bien prieta y grande,
para sus fauces hórridas, y enseña
todos sus blancos dientes de espuma.
Una pirámide linguada
de masa torva y fría
se alza, pide,
se hunde luego en la cóncava garganta
y tiembla abajo, presta otra
vez a levantarse, voraz de la alta noche,
que rueda por los cielos
—redonda, pura, oscura, ajena—
dulce en la serenidad del espacio.

Se debaten las fuerzas inútiles abajo.
Torso y miembros. Las duras
contracciones enseñan
músculos emergidos, redondos bultos,
álgidos despidos.
Parece atado al hondo
abismo el mar, en cruz, mirando
al cielo alto, por desasirse,
violento, rugiente, clavado al lecho negro.

Mientras la noche rueda
en paz, graciosa, bella,
en ligado desliz, sin rayar nada
el espacio, capaz de órbita y comba
firmes, hasta hundirse en la dulce

claridad ya lechosa,
mullida grama donde
cesar, reluciente de roces secretos,
pulida, brilladora,
maestra en superficie.

LUZ

TE vi una noche templada,
la madrugada vacía,
sin viento, de valles anchos
salir, viva de ti misma.
Paisaje, fondo. Naciendo,
uniendo, el aire. Hialina,
de la luz, risa creciente,
en abanico, sin prisas,
desde los montes tardíos
desparramada, blanquísima.
De ti misma. Sólo tú
pudieras ser ella misma.
Todos tus dedos alzados
tomaban luces de arriba
al paso, tu carne blanca
erguida, nueva, prístina.
Gentil, gentil, por los valles
la misma luz conducías
que de tus ojos silentes
delante blanca fluía.
Aprisco de luz. ¿Adónde?
A la madrugada tinta
en verdes—campo, miradas—
iniciales, sin malicia.
Tus brazos largos se alargan,
más lejos, más, se partían
sumos en el aire aviando
ondas recientes perdidas.

Se van todos los halagos,
todos, todos, mas no el día.
¡Halago justo que centra
una tu fisonomía!
Llegas con él, llegas siempre
de ti misma y en ti misma.
Llegas tú, y el marco acaba,
cierra, y queda firme el día.

ÍNTEGRA

¿QUÉ hora? La de sentirse
aislado, roto el recinto
—límites—, sobre la frente
suelta los celajes lívidos.

Se han desterrado ropajes
caducos. Queda el sucinto
poder del poniente, a fuerza
de pujanza, fiel, tranquilo.
Se arrasan todos los aires
sin disculpa. Se echa el frío
de espalda sobre los valles.
Pasean los ojos tímidos
sobre los verdes silencios.
Estoy solo. Ya el precinto
guarda esta hora. Centellas,
sin perturbar el sigilo
de la tarde. Amor del cielo.
Siento en mi cuerpo, ceñido,
un tacto duro: la noche.
Me envuelve justo en su tino.
¿Mi alma sola? Aquí estoy,
cuerpo, pasión. ¡Vivo, vivo!
¿Me sientes? La noche. Cuerpo
mío, basta; si yo mismo

ya no soy tú. Mas ¿qué pides,
si eres contorno? ¿Eres mío?
(Firmes siento los perfiles.)
¿Tu amor? Es la noche. Mío
es ya. (Me pasa el silencio:
le soy presente.) ¡En ti vivo!

(Y se derrumban cristales
mudos, verticales. Signo.
Y se levantan fulgentes
cielos, del hondo, firmísimos.)

VIAJE

¡Qué clara luz en la mañana dura!
Diligencias de tiempo impulsan lisas
mi cuerpo. El suelo plano
patina blanco despidiendo el bulto
mío, que sobrenada inmóvil hacia
nortes abiertos en redondo, azules.

El rodaje no impide ni ocurrentes
partidas brisas, enfoscada espuma
de aire. Esquirlas. Luz. ¡Oh mediodía
tirante! El bulto se alza a muelle comba
¿de agua?, de campo verde, alcores curvos
—sumo un momento, coronante, alegre,
casi azules las manos altas—, para
pasar en pausa honda entre las lomas
opresas—cielo lento, contenido—,
lomas que se atirantan y de súbito
despiden tensas la secreta perla
—cuerpo mío—fugaz, inerte, a luces
navegantes. ¡Qué oriente! Sin espasmo,
maestra, asume brillos en certamen
y se domina a sí, segura siempre

en el friso que estila su pasaje
de belleza. ¡Belleza que es el día!

Impasible insinúa hacia su norte
inqueridas espiras. Elementos
de aire, de sol, de cielo, rompedores
del orden pretendido, vierten fuera
accidentes, miradas, torpes lazos
(pero no, no hay cuidado), que levantan
peligrosa su gracia crespa.
　　　　　　　　Voy
en bulto cierto, a firme lejanía,
disparado de líneas, bajo palmas
de cielo abierto empujadoras, agrias.
Si te acogen, ¡oh bulto!, con destino
evidencia de luces últimas, estática
plenitud de ondas altas, abrigante
voluta de la noche, rinde viaje
—¡calma!—sobre ti mismo y da tu giro
perfecto, entero, de la estela dura
eximido, difícil, que has vencido
flotadora y que resta inerme, sólida.

POSESIÓN

Negros de sombra. Caudales
de lentitud. Impaciente
se esfuerza en armar la luna
sobre la sombra sus puentes.

(¿De plata? Son levadizos
cuando, bizarro, de frente,
de sus puertos despegado
cruzar el día se siente.)

Ahora los rayos desgarran
la sombra espesa. Reciente,
todo el paisaje se muestra
abierto y mudo, evidente.

Húmedos pinceles tocan
las superficies, se mueven
ágiles, brillantes, tersos
brotan a flor los relieves.

Extendido ya el paisaje
está. Su mantel no breve
flores y frutos de noche
en dulce peso sostiene.

La noche madura toda
gravita sobre la nieve
hilada. ¿Qué zumos densos
dará en mi mano caliente?

Su pompa rompe la cárcel
precisa, y la pulpa ardiente,
constelada de pepitas
iluminadas, se vierte.

Mis rojos labios la sorben.
Hundo en su yema mis dientes.
Toda mi boca se llena
de amor, de fuegos presentes.

Ebrio de luces, de noche,
de brillos, mi cuerpo extiende
sus miembros, ¿pisando estrellas?,
temblor pisando celeste.

La noche en mí. Yo la noche.
Mis ojos ardiendo. Tenue,
sobre mi lengua naciendo
un sabor a alba creciente.

PASIÓN DE LA TIERRA

[1928-1929]

SUPERFICIE DEL CANSANCIO

El que un hombre esté triste como yo no es razón para que me eches en cara la forma de mi sombrero. Te lo brindaría al sol, tendido, si te gustase. Pero me gustan tus ojos, me gustas tú y no es porque me engañes sino porque la campiña ha perdido todos sus accesorios. ¡Esencial! Aquí en la capital es donde mejor se adivina. Tú eres hermosa como la hoja de un almanaque. Día a día lo vengo comprobando. Y no esperes que yo te mienta, porque me duele la caja del pecho de tanto almacenar ilusiones. Toda mi sangre viene cantando la misma canción, acompañada, reíos, reíos, de una pandereta. Tan, tan. Tan, tan, tan, tan. Las rodajas de lata os las serviría yo a todos para que comulgaseis con mis sentimientos. Pero vosotros tenéis el pelo rizado, convulso, y parecéis eléctricos. Me resultáis admirables. Inservibles. Desmontados. Sólo tú, la de siempre, sacas la lengua porque has comprendido que le va muy bien al crepúsculo. Con la punta tocas la pura miel que él te sirve y encuentras muy endebles todas mis objeciones. No, si no te discuto. ¿Pero no comprendes que empequeñeces la Naturaleza así, con tu servilleta prendida? Luego pretenderás degustar el café y exigirás en él unos inéditos puntos luceros, que no interrumpan su silencio. ¡Ah, qué doméstica! No me mientas el común, el resobado, el ya desleído aguardiente y agua. ¡Ah, qué harto estoy de amaneceres! Cada hora un manjar, un espíritu. ¡Materialista! Y todo porque te has comprado un sombrero de paja, pamela italiana, y has sentido crecer todos tus dedos para prolongar la languidez de tus gestos. El aire está poblado de cintas que se enredan cada vez más a cada ondeamiento de tus manos en desmayo. ¿A ver: no hay por ahí un jazz? Por de pronto arráncate ese sombrero. Pero tienes las caderas tan finas que si te estrecho te daré dos vueltas con mi brazo. Me desenredo de tu cintura rápidamente, y qué bonito trompo luminoso, vertical, con música. Te amo, perinola: canta. Todo el paisaje, monocorde, lírico. Tendida, abres los ojos y todos giramos a tu alrededor.

53

Te lo figuras. Hasta la falda de tu vestido conserva no sé qué forma centrífuga, impaciente, y tus muslos parecen de plata. Papirotazo y: ¡clin! Cómo suenas, inhumana. Pero no me beses, que tus labios tan rojos me saben a minio. Ese broche —no te enfades— que llevas sobre el pecho me parece una gota de estaño. Sí, sí, tienes razón; es la hora de volver a casa y de colarnos mientras la puerta se desquijara de aburrimiento. Pero si tú pretendes servirme la cena se callarán todos los ruiseñores. Porque su plumaje es de música y se quedarán hechos calderón de silencio. Tú te columpias sobre mis dudas enseñándome bien las piernas. Si te descuidas me serviré un helado con tu tobillo, porque amo sobre todo la redondez en los párrafos. Aunque sean de cera. ¡No! Nauseabunda hay una bujía encendida no sé por dónde. Vámonos al cuarto de baño. Su decoración aséptica me equilibra. Bruñido, matinal, te entrego unos buenos días de níquel y me zambullo en la cama. Porque estoy triste.

Sí, porque estoy triste. Pero no insistas. El día hoy tiene forma de perol. Irresistiblemente abrumador. Me hastío. Y no saldré hasta mañana. Que me llamen a la hora de las espumas. Al filo de ellas. Y entra tú aquí en mi cuarto, frutal y tersa, porque yo amo sobre todo la pulpa y la mañana sin alcohol es una delicia.

RECONOCIMIENTO

CADA vez me canso más porque tus mejillas se van poniendo más pálidas. No esperes que yo te ame por el solo valor de tus actos: amor mío, amparo, socorro o piedad. Nombres en do sobreagudo. Con voz de falsete, no puedo. La garganta gargariza gargarizando gárgaramente, y no son clavos. Quisiera yo que tu nombre fuera de pluma pero no me hagas cosquillas. Inútil que nos riamos los dos, porque no conseguiremos que llueva. Lágrimas en los ojos, la luz se irisa pura mentira y me das un beso redondo. Bah, cariño, permíteme que me distraiga con el vuelo de una mosca: tú siempre tienes razón, aunque el aire esté emparedado. Tu pecho sube, tu pecho baja y hay un excedente de ácido carbónico. La pesantez de los cuerpos es tan torpe que cabecean los pensamientos. Si tuvieras un guante de Suecia quedaría todo arreglado con tacto. Pero la boca se te arruga y el poniente es de lija usada. No puedo. Un pincel de miradas, un golpe de pecho; y: permíteme, Dios mío, que eleve yo a ti mis súplicas. Nos ahogamos de redundancias y el cuarto se hunde de popa. El desacuerdo no siempre es intemperancia. Pero yo te amaba. He amado siempre los veladores de mármol frío. Con las manos calientes he estrujado tu corazón. Y palpitaba sin plumas, recién nacido, infuso de ciencia y lastre. Si yo me lo hubiera comido todo el plomo del ala hubiera sido pura retórica. Me has querido. Y a fuerza de concupiscencia comprendemos que el rezar no es un vicio. Yo amo a Dios sobre todas las cosas. Sobre ti palpitante, también lo amo. Pero en este cuarto tan chico el aire se cansa pronto. Rompe el cristal, que los cuchillos del Occidente se están mellando. Desnuda de medio cuerpo, a la ventana, no le temes a las heridas. Filos te pasan sin agonía, pero te has hecho pura pantalla. A través tuyo alcanzan mi frente e iluminan mi desconfianza. Porque te espero, vuelo de ave, porque eres pura ficción y quisiera esconder mi pensamiento bajo el ala. Dios no me acusa. Truenos, rayos, dominaciones se resuelven en notas largas, en sola nota, y el caudal no se sale de madre,

Tu palabra es excelsa, Dios santo, y te lo digo completamente sordo. La tarde, pura gesticulación, me golpea sobre los omoplatos, y en cambio los antípodas van a amanecer: acude. Un amor no me falta. El amor es lento como el abanico de los trópicos y me despeina ordenadamente. Esta brisa calentona es un beso de tu boca redonda que me das en la mejilla. Chocarrera. ¡Qué dirán las palmeras! ¡Qué dirán aquellas paredes blancas que se han desplomado súbitamente para que de su flor abierta surtamos tú y yo dormidos en su corola! ¡Qué dirán los músculos que nos hemos arrancado a manotazos tirándolos sobre las sillas! Ven, Dios mío, y envíanos tu nuevo olvido. Bautizados sobre la frente nos miramos con indulgencia. Prístina mañana. No sabemos si existe el aire. Pero la desnudez de los pechos enseña su gesto incalificable. Presiento, Dios mío, que el fin del mundo no tiene nombre.

LINO EN EL SOPLO

Aquí tú y yo sentados, alma, vamos a jugarnos la existencia
sin prisa. Tú tienes un pelo muy largo, posiblemente ni es
tuyo, porque la raíz de la tierra te está contando su secreto.
¡No vale! Tendré que pedirte una mano, besar el ángulo brusco
que irrumpe de sombra por las mañanas y reírme mirando la
frente más atenta. Tendré que aprender a abrazarte. Una carcajada. Una risa de números, de bestias o de soles ilumina
la curiosidad que se inicia. No esperemos la aparición de ninguna sorpresa. Contentémonos con saber que la luz no es
evidencia de tus labios, ni caricia de tu pecho, ni siquiera
llanto caído de otros planetas. Sepamos, duros, fuertes, sabios,
seguros, contener nuestro resultado. Aquí en la frente de otra
materia, en ese beso largo que tú me estás pidiendo para subir
al cielo, no está el secreto de tus sentidos. Ni de los míos.
Tú, alma, eres el lino claro, el fervor sin pespunte, la clara
alegría de una baranda. Un paisaje de brazos despedidos. En
cambio, yo. ¿Qué soy yo? Después de todo, yo no soy más
que una evidencia. Pero con un compás muy lento. Con una
resonancia que bordea las copas de los árboles con miedo de
florecer por la noche. Yo no soy una luz en la cima, ni una
senda a deshora, ni siquiera esa sonata que se escucha en las
raíces más tiernas. Soy, simplemente, una vacilación en la
trama. Un segundo de estupor sin arcilla, sin quebranta-
miento del instante, sin dolor de los ojos desnudos. Soy lo
que soy: tu nombre extendido. Un perfume de tela no pre-
vista. La triste historia de otra muerte. Un bostezo que aspira
a la nariz divina. Una piel inquebrantable. Un acero que
urge. Un aviso a la gente: Alta tensión, los voltios no se
saben.

   ¡Qué burla! ¡Qué burla, porque podéis tocar y no moriréis!
Podré sacudir los brazos, sacudir la cabeza, atraer la nube con
mis ojos cargados, y no pasará nada. Sacudiré eléctricamente
mi pie cargado de razón, y un roce opaco, despacioso, rumo-

reará en mi oído: «El vals embellece los perfiles correctos». Por Oriente asomará una sonrisa tan blanca que sentiré mis dientes de harina. ¡Qué bella sangre, qué enloquecida elocuencia brotaría de mis ojos si todos los ruidos de los árboles estuvieran crispados! Pero esta amorfa tranquilidad de todas las laderas, esta derramada conformidad con el presente, esta infame máscara de la electricidad fundida ya no asusta a los niños. A nadie. Ni siquiera a mí mismo. A mí que vengo auscultando mi corazón, esperando su vagido de terror, su emergencia repentina en un suicidio a lo alto, en un atrevido vuelo de despedida convulsa. Para entonces sentir la descarga verdadera, total, la instantánea comunicación con el centro, el polo de altiveza concentrando las respuestas ensordecedoras. La muerte por fulminación de Dios entero.

Pero como es inútil. Como sé que no puede ser. Como sé que el acordeón es un instrumento secundario que vierte un agua lechosa y oblicua, golpeándome tercamente las pantorrillas. Como sé que la grandeza es una farsa que acabó anteayer tras de un telón expectorante, por eso no juego. Y juego. Juego a los naipes, a las cartas, a las figuras y a los bastos. A ti, alma, que alzas tus manos cartománticas y con un gesto de baile jondo me enseñas tu triunfo: la sota. La sota jaranera que muestra su copa enturbiada por un crepúsculo de bayeta. A ti, alma, que humeas agonizando los naipes bajo la grasa ciega que envuelve los colores del pecho. A ti que suspiras ladeando tu busto, enarcando tu cintura, mostrando la falsa argolla de tu maniquí de mimbre, que vuela luego bajo los cielos con un gesto canalla de reservas calientes.

EL AMOR NO ES RELIEVE

Hoy te quiero declarar mi amor.

Un río de sangre, un mar de sangre es este beso estrellado sobre tus labios. Tus dos pechos son muy pequeños para resumir una historia. Encántame. Cuéntame el relato de ese lunar sin paisaje. Talado bosque por el que yo me padecería, llanura clara.

Tu compañía es un abecedario. Me acabaré sin oírte. Las nubes no salen de tu cabeza, pero hay peces que no respiran. No lloran tus pelos caídos porque yo los recojo sobre tu nuca. Te estremeces de tristeza porque las alegrías van en volandas. Un niño sobre mi brazo cabalga secretamente. En tu cintura no hay nada más que mi tacto quieto. Se te saldrá el corazón por la boca mientras la tormenta se hace morada. Este paisaje está muerto. Una piedra caída indica que la desnudez se va haciendo. Reclínate clandestinamente. En tu frente hay dibujos ya muy gastados. Las pulseras de oro ciñen el agua y tus brazos son limpios, limpios de referencia. No me ciñas el cuello, que creeré que se va a hacer de noche. Los truenos están bajo tierra. El plomo no puede verse. Hay una asfixia que me sale a la boca. Tus dientes blancos están en el centro de la tierra. Pájaros amarillos bordean tus pestañas. No llores. Si yo te amo. Tu pecho no es de albahaca; pero esa flor, caliente. Me ahogo. El mundo se está derrumbando cuesta abajo. Cuando yo me muera.

Crecerán los magnolios. Mujer, tus axilas son frías. Las rosas serán tan grandes que ahogarán todos los ruidos. Bajo los brazos se puede escuchar el latido del corazón de gamuza. ¡Qué beso! Sobre la espalda una catarata de agua helada te recordará tu destino. Hijo mío. —La voz casi muda—. Pero tu voz muy suave, pero la tos muy ronca escupirá las flores oscuras. Las luces se hincarán en tierra, arraigándose a mediodía. Te amo, te amo, no te amo. Tierra y fuego en tus labios saben a muerte perdida. Una lluvia de pétalos me aplasta la columna vertebral. Me arrastraré como una serpiente. Un pozo de lengua seca cavado en el vacío alza su furia y golpea mi frente. Me descrismo y derribo, abro los ojos contra el cielo mojado. El mundo llueve sus cañas huecas. Yo te he amado, yo. ¿Dónde estás, que mi soledad no es morada? Seccióname con perfección y mis mitades vivíparas se arrastrarán por la tierra cárdena.

LA MUERTE
O ANTESALA DE CONSULTA

IBAN entrando uno a uno y las paredes desangradas no eran de mármol frío. Entraban innumerables y se saludaban con los sombreros. Demonios de corta vista visitaban los corazones. Se miraban con desconfianza. Estropajos yacían sobre los suelos y las avispas los ignoraban. Un sabor a tierra reseca descargaba de pronto sobre las lenguas y se hablaba de todo con conocimiento. Aquella dama, aquella señora argumentaba con su sombrero y los pechos de todos se hundían muy lentamente. Aguas. Naufragio. Equilibrio de las miradas. El cielo permanecía a su nivel, y un humo de lejanía salvaba todas las cosas. Los dedos de la mano del más viejo tenían tanta tristeza que el pasillo se acercaba lentamente, a la deriva, recargado de historias. Todos pasaban íntegramente a sí mismos y un telón de humo se hacía sangre todo. Sin remediarlo, las camisas temblaban bajo las chaquetas y las marcas de ropa estaban bordadas sobre la carne. «¿Me amas, di?» La más joven sonreía llena de anuncios. Brisas, brisas de abajo resolvían toda la niebla, y ella quedaba desnuda, irisada de acentos, hecha pura prosodia. «Te amo, sí»—y las paredes delicuescentes casi se deshacían en vaho. «Te amo, sí, temblorosa, aunque te deshagas como un helado.» La abrazó como a música. Le silbaban los oídos. Ecos, sueños de melodía se detenían, vacilaban en las gargantas como un agua muy triste: «Tienes los ojos tan claros que se te transparentan los sesos». Una lágrima. Moscas blancas bordoneaban sin entusiasmo. Una luz de percal barato se amontonaba por los rincones. Todos los señores sentados sobre sus inocencias bostezaban sin desconfianza. El amor es una razón de Estado. Nos hacemos cargo de que los besos no son de *biscuit glacé*. Pero si ahora se abriese esa puerta todos nos besaríamos en la boca. ¡Qué asco que el mundo no gire sobre sus goznes! Voy a dar media vuelta a mis penas para que los canarios flautas puedan amarme. Ellos, los amantes, faltaban a su deber y se fatigaban como los pájaros. Sobre las sillas

las formas no son de metal. Te beso, pero tus pestañas... Las agujas del aire estaban sobre las frentes: qué oscura misión la mía de amarte. Las paredes de níquel no consentían el crepúsculo, lo devolvían herido. Los amantes volaban masticando la luz. Permíteme que te diga. Las viejas contaban muertes, muertes y respiraban por sus encajes. Las barbas de los demás crecían hacia el espanto: la hora final las segará sin dolor. Abanicos de tela paraban, acariciaban escrúpulos. Ternura de presentirse horizontal. Fronteras.

La hora grande se acercaba en la bruma. La sala cabeceaba sobre el mar de cáscaras de naranja. Remaríamos sin entrañas si los pulsos no estuvieran en las muñecas. El mar es amargo. Tu beso me ha sentado mal al estómago. Se acerca la hora.

La puerta, presta a abrirse, se teñía de amarillo lóbrego lamentándose de su torpeza. Dónde encontrarte, oh sentido de la vida, si ya no hay tiempo. Todos los seres esperaban la voz de Jehová refulgente de metal blanco. Los amantes se besaban sobre los nombres. Los pañuelos eran narcóticos y restañaban la carne exangüe. Las siete y diez. La puerta volaba sin plumas y el ángel del Señor anunció a María. Puede pasar el primero.

EL SILENCIO

Esa luz amarilla que la luna me envía es una historia larga que me acongoja más que un brazo desnudo. ¿Por qué me tocas, si sabes que no puedo responderte? ¿Por qué insistes nuevamente, si sabes que contra tu azul profundo, casi líquido, no puedo más que cerrar los ojos, ignorar las aguas muertas, no oír las músicas sordas de los peces de arriba, olvidar la forma de su cuadrado estanque? ¿Por qué abres tu boca reciente, para que yo sienta sobre mi cabeza que la noche no ama más que mi esperanza, porque espera verla convertida en deseo? ¿Por qué el negror de los brazos quiere tocarme el pecho y me pregunta por la nota de mi bella caja escondida, por esa cristalina palidez que se sucede siempre cuando un piano se ahoga, o cuando se escucha la extinguida nota del beso? Algo que es como un arpa que se hunde.

Pero tú, hermosísima, no quieres conocer este azul frío de que estoy revestido y besas la helada contracción de mi esfuerzo. Estoy quieto como el arco tirante, y todo para ignorarte, oh noche de los espacios cardinales, de los torrentes de silencio y de lava. ¡Si tú vieras qué esfuerzo me cuesta guardar el equilibrio contra la opresión de tu seno, contra ese martillo de hierro que me está golpeando aquí, en el séptimo espacio intercostal, preguntándome por el contacto de dos epidermis! Lo ignoro todo. No quiero saber si el color rojo es antes o es después, si Dios lo sacó de su frente o si nació del pecho del primer hombre herido. No quiero saber si los labios son una larga línea blanca.

De nada me servirá ignorar la hora que es, no tener noción de la lucha cruel, de la aurora que me está naciendo entre mi sangre. Acabaré pronunciando unas palabras relucientes. Acabaré destellando entre los dientes tu muerte prometida, tu marmórea memoria, tu torso derribado, mientras me elevo con mi sueño hasta el amanecer radiante, hasta la certidumbre germinante que me cosquillea en los ojos, entre los párpados, prometiéndoos a todos un mundo iluminado en cuanto yo me despierte.

Te beso, oh, pretérita, mientras miro el río en que te vas copiando, por último, el color azul de mi frente.

ROPA Y SERPIENTE

...Ni a mí que me llamo Súbito, Repentino, o acaso Retrasado, o acaso Inexistente. Que me llamo con el más bello nombre que yo encuentro, para responderme: «¿Quéeeeeee?...» Un qué muy largo, que acaba en una punta tan fina que cuando a todos nos está atravesando estamos todos sonriendo. Preguntando si llueve. Preguntando si el rizo rubio es leve, si un tirabuzón basta para que una cabeza femenina se tuerza dulcemente emergiendo de nieblas indecisas.

Pero no me preguntes más. Una pompa de jabón, dos, tres, diez, veinte, rompen azules, suben, vuelan, qué lentas, qué crecientes. Estallan las preguntas, y bengalas muy frías resbalan sin respuesta. Un caballo, una cebra, una hermosa inutilidad que yo me he sacado de la manga, corre, trota, quiere distraer vuestros ojos, mientras la lágrima más grande, la que no podemos entre todos sostener con nuestros brazos, nos pesa de tal modo que nuestros cuerpos vacilan bajo el mundo tristísimo. ¡Esfera, recentísima esfera que no podemos besar aunque queramos, perla de amor inmensa caída de nosotros, de un astro, del vacío, del diminuto espacio del corazón más niño y escondido; del infinito universal que está en una garganta palpitando! ¡Oh muerte! ¡Oh, amor del mal, del bien, del lobo y del cordero; de ti, rojo callado que creces monstruoso hasta venir a un primer plano, darme en la frente, destruirme! Soy largo, largo. Yazgo en la tierra, y sobro. Podría rodearla, atarla, ceñirla, ocultarla. Podría ser yo su superficie. Cubriéndola, ¡qué infame ropa rueda en el espacio! ¡Qué chaqueta callada, qué arrugas entre risas de vacío va girando o mintiendo bajo el yeso polar de la Luna, bajo la máscara más pálida de un payaso agorero que no tiene su gorro de franela! Que está mintiendo todos sus largos muertos ya de tela. Oh amor, ¿por qué no existes más que en forma de trapecio? ¿Por qué toda la vacilación se convierte en dos rodillas columpiadas (de carne, voy a besarlas), mondas, desguarnecidas de calor, calvas para mis dientes que rechinan? ¿Por qué dos huesos largos hacen de cuerdas y sostienen a un ángel niño, redondo, mecido, que espera saltar luego a los brazos o deshacerse en siete mariposas que sean siete miradas en unos grandes ojos femeninos?

Pero no importa, ¡qué importa! Tengo aquí un pájaro en mis manos. Lo aprieto contra mi seno, y sus plumas rebullen, son, están, ¡las tengo! Una a una voy a quitarme todas mis espinas. Una a una, todas las fundas de mi vida caerán. ¡Serpiente larga! Sal. Rodea el mundo. ¡Surte! Pitón horrible, séme, que yo me sea en ti. Que pueda yo, envolviéndome, crujirme, ahogarme, deshacerme. Surtiré de mi cadáver alzando mis anillos, largo como todos los propósitos articulados, deslizándome sobre la historia mía abandonada, y todos los pájaros que salieron de mis deseos, todas las azules, rosas, blancas, tiernas palpitaciones que cantaban en los oídos, volverán a mis fauces y destellarán con líquido fulgor a través de mis miradas verdes. ¡Oh noche única! ¡Oh robusto cuerpo que te levantas como un látigo gigante y con tu agudo diente de perfidia hiendes la carne de la luna temprana!

LA IRA
CUANDO NO EXISTE

No busquéis esa historia que compendia la sinrazón de la Luna, el color de su brillo cuando ha ganado su descanso. La consistencia del espíritu consiste sólo en olvidarse de los límites y buscar a destiempo la forma de las núbiles, el nacimiento de la luz cuando anochece. Porque yo me soporto. Habéis oído el cerrar de una puerta, ese latido súbito que ha quedado sobrecogido en vuestros cabellos. No pretendáis verlo convertido en madera, no pretendáis siquiera verlo separado de vuestro cuerpo en forma de mariposa negra; ni aspiréis tan siquiera al relámpago cárdeno que como ensalmo venga a despejar la atmósfera, a poner claros vuestros ojos. Vuestra frente es de nieve. La he paseado muchas veces cuando murmurabais mi nombre, pero siempre a traición, porque nunca he conseguido ver la forma de vuestros labios. Pero en vano me han dicho que pájaros y peces se entrecruzaban en silencio, y que su comprobación era fácil. Una mano de goma, tan ligera que el viento no la sentía entre sus venas, he deslizado cautamente. Pero no lo he conseguido. En vano un poco de yesca hacía presumir, con su brillo de fósforo, un poco de sensibilidad en las uñas. Su redondez nativa, la ceguedad ronquísima, se arrastraba entre lana en busca del frío, o acaso de la pluma, o acaso de esa catarata de estertores que, envueltos en materia, me habían de anegar hasta el codo. No lo he sentido. Mil bocas de heno fresco, mil palabras de mañana he tropezado en mi camino. Mi brazo es una expedición en silencio. Mi brazo es un corazón estirado que arrastra su lamentación como un vicio. Porque no posee el cuchillo, el ala afiladísima que después de partirme la frente se hundió bajo la tierra. Por eso me arrastraré como nardo, como flor que crece en busca de las entrañas del suelo, porque ha olvidado que el día está en lo alto.

No me olvidéis cuando os llamo. Sois vosotros los silencios de humo que se anillan entre los dedos. La difícil quietud en cruz de vientos. Ese equilibrio misterioso que consiste en olvidarse del sueño, mientras los anhelos brillan como gargantas.

DEL COLOR DE LA NADA

Se han entrado ahora mismo una a una las luces del verano,
sin que nadie sospeche el color de sus manos. Cuando las
almas quietas olvidaban la música callada, cuando la severidad
de las cosas consistía en un frío color de otro día. No se reco-
nocían los ojos equidistantes, ni los pechos se henchían con
ansia de saberlo. Todo estaba en el fondo del aire con la
misma serenidad con que las muchachas vestidas andan tendidas
por el suelo imitando graciosamente el arroyo. Pero nadie moja
su piel, porque todos saben que el sol da notas altas, tan altas
que los corazones se hacen cárdenos y los labios de oro, y los
bordes de los vestidos florecen todos de florecillas moradas.
En las coyunturas de los brazos duelen unos niños pequeños
como yemas. Y hay quien llora lágrimas del color de la ira.
Pero sólo por equivocación, porque lo que hay que llorar son
todas esas soñolientas caricias que al borde de los lagrimales
esperan sólo que la tarde caiga para rodar al estanque, al cielo
de otro plomo que no nota las puntas de las manos por fina
que la piel se haga al tacto, al amor que está invadiendo con
la noche.

Pero todos callaban. Sentados como siempre en el límite
de las sillas, húmedas las paredes y prontas a secarse tan pronto
como sonase la voz del zapato más antiguo, las cabezas todas
vacilaban entre las ondas de azúcar, de viento, de pájaros invisibles que estaban saliendo de los oídos virginales. De todos
aquellos seres de palo. Quería existir un denso crecimiento de
nadas palpitantes, y el ritmo de la sangre golpeaba sobre la
ventana pidiendo al azul del cielo un rompimiento de esperanza. Las mujeres de encaje yacían en sus asientos, despedidas
de su forma primera. Y se ignoraba todo, hasta el número de
los senos ausentes. Pero los hombres no cantaban. Inútil que
cabezas de níquel brillasen a cuatro metros sobre el suelo, sin
alas, animando con sus miradas de ácidos el muerto calor
de las lenguas insensibles. Inútil que los maniquíes derramados

ofreciesen, ellos, su desnudez al aire circundante, ávido de sus respuestas. Los hombres no sabían cuándo acabaría el mundo. Ni siquiera conocían el área de su cuarto, ni tan siquiera si sus dedos servirían para hacer el signo de la cruz. Se iban ahogando las paredes. Se veía venir el minuto en que los ojos, salidos de su esfera, acabarían brillando como puntos de dolor, con peligro de atravesarse en las gargantas. Se adivinaba la certidumbre de que las montañas acabarían reuniéndose fatalmente, sin que pudieran impedirlo las manos de todos los niños de la tierra. El día en que se aplastaría la existencia como un huevo vacío que acabamos de sacarnos de la boca, ante el estupor de las aves pasajeras.

Ni un grito. Ni una lluvia de ceniza. Ni tan sólo un dedo de Dios para saber que está frío. La nada es un cuento de infancia que se pone blanco cuando le falta el respiro. Cuando ha llegado el instante de comprender que la sangre no existe. Que si me abro una vena puedo escribir con su tiza parada: «En los bolsillos vacíos no pretendáis encontrar un silencio».

FUGA A CABALLO

HEMOS mentido. Hemos una y otra vez mentido siempre. Cuando hemos caído de espalda sobre una extorsión de luz, sobre un fuego de lana burda mal parada de sueño. Cuando hemos abierto los ojos y preguntado qué tal mañana hacía. Cuando hemos estrechado la cintura, besado aquel pecho y, vuelta la cabeza, hemos adorado el plomo de una tarde muy triste. Cuando por primera vez hemos desconocido el rojo de los labios.

Todo es mentira. Soy mentira yo mismo, que me yergo a caballo en un naipe de broma y que juro que la pluma, esta gallardía que flota en mis vientos del Norte, es una sequedad que abrillanta los dientes, que pulimenta las encías. Es mentira que yo te ame. Es mentira que yo te odie. Es mentira que yo tenga la baraja entera y que el abanico de fuerza respete al abrise el color de mis ojos.

¡Qué hambre de poder! ¡Qué hambre de locuacidad y de fuerza abofeteando duramente esta silenciosa caída de la tarde, que opone la mejilla más pálida, como disimulando la muerte que se anuncia, como evocando un cuento para dormir! ¡No quiero! ¡No tengo sueño! Tengo hartura de sorderas y de luces, de tristes acordeones secundarios y de raptos de madera para acabar con las institutrices. Tengo miedo de quedarme con la cabeza colgando sobre el pecho como una gota y que la sequedad del cielo me decapite definitivamente. Tengo miedo de evaporarme como un colchón de nubes, como una risa lateral que desgarra el lóbulo de la oreja. Tengo pánico a no ser, a que tú me golpees: «¡Eh, tú, Fulano!», y yo te responda tosiendo, cantando, señalando con el índice, con el pulgar, con el meñique, los cuatro horizontes que no me tocan (que me dardean), que me repiten en redondo.

Tengo miedo, escucha, escucha, que una mujer, una som-

71

bra, una pala, me recoja muy negra, muy de terciopelo y de
acero caído, y me diga: «Te nombro. Te nombro y te hago.
Te venzo y te lanzo». Y alzando sus ojos con un viaje de brazos
y un envío de tierra, me deje arriba, clavado en la punta del
berbiquí más burlón, ese taladrante resquemor que me corroe
los ojos, abatiéndome sobre los hombros todas las lástimas
de mi garganta. Esa bisbiseante punta brillante que ha horadado el azul más ingenuo para que la carne inocente quede
expuesta a la rechifla de los corazones de badana, a esos fuma-
dores empedernidos que no saben que la sangre gotea como el
humo.

¡Ah, pero no será! ¡Caballo de copas! ¡Caballo de espadas!
¡Caballo de bastos! ¡Huyamos! Alcancemos el escalón de los
trapos, ese castillo exterior que malvende las caricias más
lentas, que besa los pies borrando las huellas del camino.
¡Tomadme en vuestros lomos, espadas del instante, burbuja
de naipe, descarriada carta sobre la mesa! ¡Tomadme! Envol-
vedme en la capa más roja, en ese vuelo de vuestros tendones,
y conducidme a otro reino, a la heroica capacidad de amar,
a la bella guarda de todas las cajas, a los dados silvestres que
se sienten en los dedos tristísimos cuando las rosas naufragan
junto al puente tendido de la salvación. Cuando ya no hay
remedio.

Si me muero, dejadme. No me cantéis. Enterradme envuelto en la baraja que dejo, en ese bello tesoro que sabrá
pulsarme como una mano imponente. Sonaré como un perfume
del fondo, muy grave. Me levantaré hasta los oídos, y desde
allí, hecho pura vegetación me desmentiré a mí mismo, des-
haciendo mi historia, mi trazado, hasta dar en la boca entreabierta, en el Sueño que sorbe sin límites y que, como una
careta de cartón, me tragará sin toserse.

EL MAR NO ES UNA HOJA
DE PAPEL

Déchirante infortune!
ARTHUR RIMBAUD

Lo que yo siento no es el mar. Lo que yo siento no es esta lanza sin sangre que escribe sobre la arena. Humedeciendo los labios, en los ojos las letras azules duran más rato. Las mareas escuchan, saben que su reinado es un beso y esperan vencer tu castidad sin luna a fuerza de terciopelos. Una caracola, una luminaria marina, un alma oculta danzaría sin acompañamiento. No te duermas sobre el cristal, que las arpas te bajarán al abismo. Los ojos de los peces son sordos y golpean opacamente sobre tu corazón. Desde arriba me llaman arpegios naranjas, que destiñen el verde de las canciones. Una afirmación azul, una afirmación encarnada, otra morada, y el casco del mundo desiste de su conciencia. Si yo me acostara sobre el mar, en mi frente responderían todos los corales. Para un fondo insondable, una mano es un alivio blanquísimo. Esas bocas redondas buscan anillos en que teñirse al instante. Pero bajo las aguas el verde de los ojos es luto. El cabello de las sirenas en mis tobillos me cosquillea como una fábula. Sí, esperad que me quite estos grabados antiguos. Aguardad que mi nombre escurra las indiferencias. Estoy esperando un chasquido, un roce en el talón, un humo sobre la superficie. La señal de todos los tactos. Acaricio una melodía: qué hermosísimo muslo. Basta, señores: el baño no es una cosa pública. El cielo emite su protesta como un ectoplasma. Cierra los ojos, fealdad, y laméntate de tu desgracia. Yo soy aquel que inventa las afirmaciones de espaldas, el que acusa al subsuelo de sus culpas abiertas. El que sabe que el mar se levantaría como una lápida. La sequedad de mi latrocinio es este vil abismo en que se revuelven los gusanos. Los peces podridos no son una naturaleza muerta. El mar vertical deja ver el horizonte de piedra. Asómate y te convencerás de todo tu horror. Apoya en tus manos tus ojos y cuenta tus pensamientos con los dedos. Si quieres saber el destino del hombre, olvídate que el acero no es un elemento simple.

EL SOLITARIO

UNA cargazón de menta sobre la espalda, sobre la caída catarata del cielo, no me enseñará afanosamente a buscar ese río último en que refrescar mi garganta.

(Giboso estás, caminando camino de lo descaminado, esperando que los chopos esbeltos te acaricien la rencorosa memoria, mostrando la plata nueva sin la corteza de ellos, hechos los ojos azules suspiro sin humo que merodee. No, no crezcas doblándote como una ballesta que atirante la interjección de los dientes ocultos, paladeando la sombra de los pelos caídos sobre el rostro. No ocultes tus malas pasiones, mientras buscas la linfa clara, inocente, final, en que bañar tu feo cuerpo.)

Aquí hay una sombra verde, aquí yo descansaría si el peso de las reservas a mi espalda no impidiese a la luna salir con gentileza, con aérea esbeltez, para quedar sólo apoyada en una punta, con los brazos extendidos sobre la noche. Pero me siento, definitivamente me siento. Alardeo de barbas foscas y entremezclando mis dedos y mis rencores evoco el vino rojo que acabo de dejar sobre las pupilas dormidas de una muchacha. He aprovechado su sueño para escaparme de puntillas, presumiendo que la madrugada sería hermosa como un cuerpo desollado con jaspe, veteado de ágatas transitorias. Sólo me ha faltado, para que la hora quedase aún más bella, hacerle unas estrías con mis uñas. Déjame que me ría sencillamente lo mismo que un cuentakilómetros de alquiler. No quiero especificar la distancia. Pero no puedo por menos de reconocer que mis manos son anchas, grandísimas, y que caben holgadamente cuatro filas de desfilantes. Cuatro (sin recosidos) cintas de carretera. Pero aquí no las hay. Sólo un prado verde recogido sobre sí mismo, que me contiene a mí como un lunar impresentable. Soy la mancha deshonesta que no puede enseñarse. Soy ese lunar en ese feo sitio que no se nota bajo las palabras.

(Por eso estás esperando tú que te llegue la hora de sacar
la baraja. La hora de observar el brillo aceitado de la luna
sobre la cara redonda, cacheteada, de un rey arropado. Sobre
los terciopelos viejos una corona de lirismo haría el efecto
de una melancolía retrasada, de un cuento a la oreja de un
anciano sin memoria. Por eso se te ladean las intenciones. Por
eso el rey también sabe sesgar su espada de latón y conoce
muy bien que las cacerolas no humean bajo sus pies, pero
hierven sobre las ascuas, aromando los forros de guardarropía.
Nos cuesta mucho la seriedad de los bigotes y de las barbas
trémulas bajo las lunas.)

En vista de todo (¡la hora es tan propicia!), haré un
solitario, olvidándome de mi joroba. Por algo dicen que la
noche, cuando está acabándose, besa la espalda apolínea. Por
algo me he traído yo esta reserva de sonrisas para saludar los
minutos. Haré mi solitario. La baraja está hoy como nunca.
¡Qué fluida y zigzagueante, qué murmuradora, casi musical!
Si la beso, pareceré un disco de gramófono. Si la acaricio, no
me podré perdonar una sonata ruidosa, con un surtidor en el
centro que caracolee casi en la barbilla. Suspiraré como un
fuelle dignísimo. Empezaré mi solitario.

Cuatro reyes, cuatro ases, cuatro sotas hacen la felicidad
de una mano, arquean los lomos de las montañas, mientras el
sol de papel de plata amenaza con rasgarse sin ruido. Los
reyes son esta bondad nativa, conservada en alcohol, que hace
que la corona recaiga sobre la oreja, mientras el hombro protesta del abrigo de todo, del falso armiño que hace cuadrada
la figura. La mejilla vista al microscopio no invita más que a
la meditación de los accidentes y al pensamiento de cómo lo
esencial está cubierto de púas para los labios de los hijos; de
cómo la aspereza de los párpados irrita la esclerótica hasta
deformar el mundo, incendiado de rojo, quemándose sin que
nadie lo perciba.

Si los reyes soltasen ahora mismo la carcajada, yo me sen-
tiría ahora mismo aliviado de mi cargazón indeclinable. Y re-

cogería las coronas caídas para echarlas en el hogar que no existe, dulce crepúsculo que dibujaría mi reino con sus lenguas que el cartón alimentaría, apareciendo las palabras que certificarían mi altura, los frutos que están al alcance de la mano.

Pero aduzco mi as—¡qué hacer!—que antes de caer a tierra, a su sitio, brilla de ópalo turbio, manejando su basto sin asustar a los árboles. Lo pongo sólo para que cumpla su destino. Su verde es antiguo. Se ve que no es que haya retoñado, sino que se quedó así recién nacido, con esa falsa apariencia de juventud, mostrando sus yemas hinchadas en una esterilidad enmascarada. Por más que las mujeres lo besen, esos botones no echarán afirmaciones que se agiten en abanico. De ninguna manera su copa acabará sosteniendo el cielo. Pero tampoco tema la luna que su roma punta pueda herir la susceptibilidad de su superficie. Sepultado bajo la grasa que borra las arrugas y abrillanta su escondida calidad de yesca inusada, el as de bastos rueda por los bolsillos sin poder silbar siquiera, ahogándose en la ronquera opaca que no se percibe, entre las uñas negras de los que murmuran.

Entre todos, finalmente, la señorita, la trémula, la misma, sí, la insostenible sota nueva, recién venida, que yo manejo y pongo en fila para completar. Finalmente, tengo ya mi solitario. He aquí la última figura, que sostiene su pecho con brocados para que las intenciones no rueden hasta el césped y alarguen su figura, que se pueda clavar en la tierra blanca como un rosal enfermo, donde los ojos no acabarían de abrirse nunca, siempre de una rosa inminente bajo su azul empalidecido. El cuello lento no podrá troncharse nunca por más que los besos le lleguen. ¿Sucumbiré yo mismo? Acaso yo pondré los labios sin miedo a la espina más honda, sin miedo al fracaso de papel, que es el más barato de todos, el que puede lograrse siempre, sin más que guardarse la carta para lo último. Acaso yo terminaré echándome sobre la tierra y cerrando los ojos, al lado de mi baraja extendida. ¡Oh viento, viento, perdóname estas barbas de hierba, esta húmeda pendiente que como un alud me sube hasta los ojos cerrados! ¡Oh viento,

viento, oréame como al heno, písame sin que yo lo note!
¡Bárreme hasta ensalzarme de ventura! ¿Por qué me preguntas
en el costado si la muerte es una contracción de la cintura?
¿Por qué tu brazo golpea el suelo como un látigo redondo
de carne? Ya los naipes no están. ¡Oh soledad de los músculos!
¡Oh hueso carpetovetónico que se levanta como los anillos de
una serpiente monstruosa!

EL MUNDO ESTÁ BIEN HECHO

PERDIDAMENTE enamorada la mujer del sombrero enorme, caía torrencialmente en forma de pirata que viene a sacudir todos los árboles, a elevar hacia el cielo las raíces desengañadas que no sonríen ya con sus dientes de esmeralda. ¿Qué esperaba? Tras la lluvia el corazón se apacigua, empieza a cantar y sabe reír para que los pájaros se detengan a decir su recado misterioso. Pero la prisa por florecer, este afán por mostrar los oídos de nácar como un mimo infantil, como una caricia sin las gasas, suele malograr el color de los ojos cuando sueñan. ¿Por qué aspiras tú, tú, y tú también, tú, la que ríes con tu turbante en el tobillo, levantando la fábula de metal sonorísimo; tú, que muestras tu espalda sin temor a las risas de las paredes? Si saliéramos, si nos perdiéramos en el bosque, encontraríamos la luna cambiando, ajustando a la noche su corona abolida, prometiéndole una quietud como un gran beso. Pero los árboles se curvan, pesan, vacilan y no me dejan fingir que mi cabeza es más liviana que nunca, que mi frente es un arco por el que puede pasar nuestro destino. ¡Vamos pronto! ¡Avivemos el paso! ¿No ves que, si te retrasas, las conchas de la orilla, los caracoles y los cuentos cansados abrirán su vacilación nacarina para entonar su vaticinio subyugante? Corramos, antes que los telones se desplieguen. Antes que los pelos del lobo, que el hocico de la madriguera, que los arbustos de la catarata se ericen y se detengan en su caída. Antes que los ojos de este subsuelo se abran de repente y te pregunten. Corramos hacia el espanto.

Pero no puedes. Te sientas. Vacilas pensando que los pinchos no existen más que para bisbisear su ensueño, para acariciarte tus extremos. Tus uñas no son hierro, ni cemento, ni cera, ni catedrales de pórfido para niños maravillados. No las besarán las auroras para mirarse las mejillas, ni los ríos cantarán la canción de las guzlas, mientras tú extiendes tu brazo hasta el ocaso, hasta tocar, tamborilear la mañana reflejada.

Entonces, vámonos. Me urge. Me ansía. Me llama la realidad de tu panoplia, de las cuatro armas de fuego y de luna que me aguardan tras de los valles romancescos, tras de ti, sombrío desenvolvimiento en espiral. Por eso tú llevas una cruz violeta en el pecho, una cruz que dice: «Este camino es verde como el astro más reciente, ese que está naciendo en el ojo que lo mira». La cruz toca tu seno, pero no se hiere; llega a las palmas de tus manos, pero no desfallece; sube hasta la sinrazón de las luces, hasta la gratuidad de su nimbo donde las flechas se deshacen.

Si hemos llegado ya, estarás contemplando cómo la pared de cal se ha convertido en lava, en sirena instantánea de «Dime, dime para que te responda»; de «Ámame para que te enseñe»; de «Súmete y aprenderás a dar luz en forma de luna», en forma de silencio que bese la estepa del gran sueño. «Ámame», chillan los grillos. «Ámame», claman los cactos sin sus vainas. «Muere, muere», musita la fría, la gran serpiente larga que se asoma por el ojo divino y encuentra que el mundo está bien hecho.

EL ALMA BAJO EL AGUA

QUÉ gusto estar aquí, en este suelo donde la materia no es el mármol ni el acero, donde se acaba olvidándose si las plantas existen, como una leyenda que no hay que creer. Donde la más bella hada no puede romperse, aunque la fustiguen las barras doradas que se desclavan de los cielos con la noche. No importa que los ojos no duelan. ¡Mejor! Que el sueño no exista. ¡Mejor, mejor! Un poco de música subiendo como el nivel respirado me enfría con su agua sedeña la piel quietísima. Si ascienden las ondas, si te empapas de todas las tristes melancolías que volaban evitando rozarte con sus maderas huecas, finas, se detendrán justas en la garganta, decapitándote con la luz, dejando tu cabeza como la flor, el alga, el verde amaranto más concreto que busca el accidente para sumirse. ¡Qué hermosa, ¿no es cierto?, una verdad entre las manos! ¡Qué hermoso poder sonreír al eco largo, en cinta que pasa cerca, cerca, sin tocarnos, mientras el calor, el latir, se ha hecho justo en el hueco, en este aire que yo acabo de respirar, y en él mueve sus alas como espejos, excitando la sonrisa templada en que amanezco! Por la mañana, cuatro carros de grandes planos amontonados y metálicos armarán su agrio estrépito, que siembra de vidrios de botellas todos los desnudos inermes. Si Dios no me acusa, ¿por qué el alma me punza como una espina cuyo cabo está al aire, flameando como un gallardete insatisfecho? ¿Por qué me saco del pecho este redondo pájaro de ocasión, que abre sus luces en abanico duende y espía los rincones para desde allí encantarme con su pausado jeroglífico? ¿Por qué esta habitación, como una caja de música, se mueve, ondula sobre las aguas temerosas e insiste plenamente en su bella desorientación frente al crepúsculo?

¡Oh hermosura del cielo! Mástiles duros, altos, me sonríen. Velas del cierzo quieren, no pueden arribarme. ¿Entonces? Una cabeza fina, entera, dueña, vuela de gris a gris, bajo la nube nueva y cae en forma de silencio, mojándome los ojos con su roce, callándose su forma decisiva. ¿Espero? Sí. En mi oído cuatro rubios delfines, fantasmas, peces acaso, con gorras de azul hondo, redondas, cantan, dudan, mecen horizontes redondos, altos, hondos también, que abren los caminos. Una estrella es un mar. Un mar enorme, extenso, me sostiene en la palma de su mano y me pide respeto. Su secreto no es suyo, y si buceo en el alma que se abre, un doloroso rictus en la cara dirá que he dado con corales en el fondo, que el corazón apenas puede con mi peso en su profundo oscuro. ¡Oh alma, qué me quieres! ¿Por qué tu luz se olvida y a tientas yo te habito, callando las corrientes que golpean, los peces más viscosos y las estrellas vivas que pueden estamparse sobre el pecho para hacer más sencilla la ascensión sobre el cristal final donde me pierda?

Pero el amor me salva. ¿La palabra no existe? Apoyado en un codo grande, grande, me extiendo y quedo. Pensamientos, barcos, pesares pasan, entran por los ojos. Me soy, os soy. Os soy yo sin querer, porque en mi ceguera veo hacia afuera esa dulce melancolía en forma de cabeza que, ladeada, se hunde y me llega a las manos, queda, no pesa, torpemente se balancea con el cabello plomo derretido, de repente hecho masa por el frío.

ESPADAS COMO LABIOS

[1930-1931]

NACIMIENTO ÚLTIMO

PARA final esta actitud alerta.
Alerta, alerta, alerta.
Estoy despierto o hermoso. Soy el sol o la respuesta.
Soy esa tierra alegre que no regatea su reflejo.
Cuando nace el día se oyen pregones o júbilos.
Insensato el abismo ha insistido toda la noche.
Pero esta alegre compañía del aire,
esta iluminación de recuerdos que se ha iluminado como
       una atmósfera,
ha permitido respirar a los bichitos más miserables,
a las mismas moléculas convertidas en luz o en huellas de
       las pisadas.
A mi paso he cantado porque he dominado el horizonte;
porque por encima de él—más lejos, más, porque yo soy
       altísimo—
he visto el mar, la mar, los mares, los no-límites.
Soy alto como una juventud que no cesa.
¿Adónde va a llegar esa cabeza que ha roto ya tres mil
       vidrios,
esos techos innúmeros que olvidan que fueron carne para
       convertirse en sordera?
¿Hacia qué cielos o qué suelos van esos ojos no pisados
que tienen como yemas una fecundidad invisible?
¿Hacia qué lutos o desórdenes se hunden ciegas abajo esas
       manos abandonadas?
¿Qué nubes o qué palmas, qué besos o siemprevivas
buscan esa frente, esos ojos, ese sueño,
ese crecimiento que acabará como una muerte reciennacida?

EL VALS

Eres hermosa como la piedra,
oh difunta;
oh viva, oh viva, eres dichosa como la nave.
Esta orquesta que agita
mis cuidados como una negligencia,
como un elegante biendecir de buen tono,
ignora el vello de los pubis,
ignora la risa que sale del esternón como una gran batuta.

Unas olas de afrecho,
un poco de serrín en los ojos,
o si acaso en las sienes,
o acaso adornando las cabelleras;
unas faldas largas hechas de colas de cocodrilos;
unas lenguas o unas sonrisas hechas con caparazones de can-
     grejos.
Todo lo que está suficientemente visto
no puede sorprender a nadie.

Las damas aguardan su momento sentadas sobre una
     lágrima,
disimulando la humedad a fuerza de abanico insistente.
Y los caballeros abandonados de sus traseros
quieren atraer todas las miradas a la fuerza hacia sus bi-
     gotes.
Pero el vals ha llegado.
Es una playa sin ondas,
es un entrechocar de conchas, de tacones, de espumas o de
     dentaduras postizas.
Es todo lo revuelto que arriba.

Pechos exuberantes en bandeja en los brazos,
dulces tartas caídas sobre los hombros llorosos,
una languidez que revierte,

un beso sorprendido en el instante que se hacía «cabello de
    ángel»,
un dulce «sí» de cristal pintado de verde.

Un polvillo de azúcar sobre las frentes
da una blancura cándida a las palabras limadas,
y las manos se acortan más redondeadas que nunca,
mientras fruncen los vestidos hechos de esparto querido.

Las cabezas son nubes, la música es una larga goma,
las colas de plomo casi vuelan, y el estrépito
se ha convertido en los corazones en oleadas de sangre,
en un licor, si blanco, que sabe a memoria o a cita.

Adiós, adiós, esmeralda, amatista o misterio;
adiós, como una bola enorme ha llegado el instante,
el preciso momento de la desnudez cabeza abajo,
cuando los vellos van a pinchar los labios obscenos que
    saben.
Es el instante, el momento de decir la palabra que estalla,
el momento en que los vestidos se convertirán en aves,
las ventanas en gritos,
las luces en ¡socorro!
y ese beso que estaba (en el rincón) entre dos bocas
se convertirá en una espina
que dispensará la muerte diciendo:
Yo os amo.

EN EL FONDO DEL POZO

(EL ENTERRADO)

ALLÁ en el fondo del pozo donde las florecillas,
donde las lindas margaritas no vacilan,
donde no hay viento o perfume de hombre,
donde jamás el mar impone su amenaza,

allí, allí está quedo ese silencio
hecho como un rumor ahogado con un puño.

Si una abeja, si un ave voladora,
si ese error que no se espera nunca
se produce,
el frío permanece;
el sueño en vertical hundió la tierra
y ya el aire está libre.

Acaso una voz, una mano ya suelta,
un impulso hacia arriba aspira a luna,
a calma, a tibieza, a ese veneno
de una almohada en la boca que se ahoga.

¡Pero dormir es tan sereno siempre!
Sobre el frío, sobre el hielo, sobre una sombra de mejilla,
sobre una palabra yerta y, más, ya ida,
sobre la misma tierra siempre virgen.

Una tabla en el fondo, oh pozo innúmero,
esa lisura ilustre que comprueba
que una espalda es contacto, es frío seco,
es sueño siempre aunque la frente esté cerrada.

Pueden pasar ya nubes. Nadie sabe.
Ese clamor... ¿Existen las campanas?
Recuerdo que el color blanco o las formas,
recuerdo que los labios, sí, hasta hablaban.

Era el tiempo caliente. —Luz, inmólame—.
Era entonces cuando el relámpago de pronto
quedaba suspendido hecho de hierro.
Tiempo de los suspiros o de adórame,
cuando nunca las aves perdían plumas.

Tiempo de suavidad y permanencia;
los galopes no daban en el pecho,
no quedaban los cascos, no eran cera.

Las lágrimas rodaban como besos.
Y en el oído el eco era ya sólido.

Así la eternidad era el minuto.
El tiempo sólo una tremenda mano
sobre el cabello largo detenida.

Oh sí, en este hondo silencio o humedades,
bajo las siete capas de cielo azul yo ignoro
la música cuajada en hielo súbito,
la garganta que se derrumba sobre los ojos,
la íntima onda que se anega sobre los labios.

Dormido como una tela
siento crecer la hierba, el verde suave
que inútilmente aguarda ser curvado.

Una mano de acero sobre el césped,
un corazón, un juguete olvidado,
un resorte, una lima, un beso, un vidrio.

Una flor de metal que así impasible
chupa de tierra un silencio o memoria.

EL MÁS BELLO AMOR

Anteayer distante.
Un día muy remoto
me encontré con el vidrio nunca visto,
con una mariposa de lengua,
con esa vibración escapada de donde estaba bien sujeta.

Yo había llorado diez siglos
como diez gotas fundidas
y me había sentido con la belleza de lo intranscurrido
contemplando la velocidad del expreso.

Pero comprendí que todo era falso.
Falsa la forma de la vaca que sueña
con ser una linda doncellita incipiente.
Falso lo del falso profesor que ha esperado
al cabo comprender su desnudo.
Falsa hasta la sencilla manera con que las muchachas
cuelgan de noche sus pechos que no están tocados.

Pero me encontré un tiburón en forma de cariño;
no, no: en forma de tiburón amado;
escualo limpio, corazón extensible, ardor o crimen,
deliciosa posesión que consiste en el mar.
Nubes atormentadas al cabo convertidas en mejillas,
tempestades hechas azul sobre el que fatigarse queriéndose,
dulce abrazo viscoso de lo más grande y más negro,
esa forma imperiosa que sabe a resbaladizo infinito.

Así, sin acabarse mudo ese acoplamiento sangriento,
respirando sobre todo una tinta espesa,
los besos son las manchas, las extensibles manchas
que no me podrán arrancar las manos más delicadas.

Una boca imponente como una fruta bestial,
como un puñal que de la arena amenaza el amor,
un mordisco que abarcase toda el agua o la noche,
un nombre que resuena como un bramido rodante,
todo lo que musitan unos labios que adoro.

Dime, dime el secreto de tu dulzura esperada,
de esa piel que reserva su verdad como sístole;
duérmete entre mis brazos como una nuez vencida,
como un mínimo ser que olvida sus cataclismos.

Tú eres un punto sólo, una coma o pestaña;
eres el mayor monstruo del océano único,
eres esa montaña que navegando ocupa
el fondo de los mares como un corazón desbordante.

Te penetro callando mientras grito o desgarro,
mientras mis alaridos hacen música o sueño,

porque beso murallas, las que nunca tendrán ojos,
y beso esa yema fácil sensible como la pluma.

La verdad, la verdad, la verdad es esta que digo,
esa inmensa pistola que yace sobre el camino,
ese silencio—el mismo—que finalmente queda
cuando con una escoba primera aparto los senderos.

POEMA DE AMOR

TE amo, sueño del viento;
confluyes con mis dedos olvidado del norte
en las dulces mañanas del mundo cabeza abajo
cuando es fácil sonreír porque la lluvia es blanda.

En el seno de un río viajar es delicia;
oh peces amigos, decidme el secreto de los ojos abiertos,
de las miradas mías que van a dar en la mar,
sosteniendo las quillas de los barcos lejanos.

Yo os amo, viajadores del mundo, los que dormís sobre
　　el agua,
hombres que van a América en busca de sus vestidos,
los que dejan en la playa su desnudez dolida
y sobre las cubiertas del barco atraen el rayo de la luna.

Caminar esperando es risueño, es hermoso,
la plata y el oro no han cambiado de fondo,
botan sobre las ondas, sobre el lomo escamado
y hacen música o sueño para los pelos más rubios.

Por el fondo de un río mi deseo se marcha
de los pueblos innúmeros que he tenido en las yemas,
esas oscuridades que vestido de negro
he dejado ya lejos dibujadas en espalda.

La esperanza es la tierra, es la mejilla,
es un inmenso párpado donde yo sé que existo.

¿Te acuerdas? Para el mundo he nacido una noche
en que era suma y resta la clave de los sueños.

Peces, árboles, piedras, corazones, medallas,
sobre vuestras concéntricas ondas, sí, detenidas,
yo me muevo y, si giro, me busco, oh centro, oh centro,
camino, viajadores del mundo, del futuro existente
más allá de los mares, en mis pulsos que laten.

MUÑECAS

Un coro de muñecas,
cartón amable para unos labios míos,
cartón de luna o tierra acariciada,
muñecas como liras
a un viento acero que no, apenas si las toca.

Muchachas con un pecho
donde élitros de bronce,
diente fortuito o sed bajo lo oscuro,
muerde—escarabajo fino,
lentitud goteada por una piel sedeña.

Un coro de muñecas
cantando con los codos,
midiendo dulcemente los extremos,
sentado sobre un niño;
boca, humedad lasciva, casi pólvora,
carne rota en pedazos como herrumbre.

Boca, boca de fango,
amor, flor detenida, viva, abierta,
boca, boca, nenúfar,
sangre amarilla o casta por los aires.

Muchachas, delantales,
carne, madera o liquen,

musgo frío del vientre sosegado
respirando ese beso ambiguo o verde.

Mar, mar dolorido o cárdeno,
flanco de virgen, duda inanimada.
Gigantes de placer que sin cabeza
soles radiantes sienten sobre el hombro.

SIEMPRE

ESTOY solo. Las ondas; playa, escúchame.
De frente los delfines o la espada.
La certeza de siempre, los no-límites.
Esta tierna cabeza no amarilla,
esta piedra de carne que solloza.
Arena, arena, tu clamor es mío.
Por mi sombra no existes como seno,
no finjas que las velas, que la brisa,
que un aquilón, un viento furibundo
va a empujar tu sonrisa hasta la espuma,
robándole a la sangre sus navíos.

Amor, amor, detén tu planta impura.

SON CAMPANAS

CORAZÓN estriado
bajo campanas muertas pide altura.
Campanas son campanas,
son latidos ocultos de un giro que no llega.

El pueblo en lontananza
del tamaño de un ojo entornado
yace en verde sin respirar aún,
medio camino o brazo tibio al beso.

Campanas de la dicha,
de una sed de espiral donde un grito mudo
del tamaño de un niño moribundo
no acaba de caer como nieve a los hombros.

Blandura de un paisaje de suspiros
por el que andar no cuesta aunque ese mar se altera
al respirar despacio una tristeza o lámina comida.

Mientras suenan campanas
como zapatos tristes
descabalados en la tarde suave;
mejilla son que pide ser pisada,
mientras suspira un alba aún bajo tierra.

SALÓN

Un pájaro de papel
y una pluma encarnada,
y una furia de seda,
y una paloma blanca.

Todo un ramo de mirtos
o de sombras coloreadas,
un mármol con latidos
y un amor que se avanza.

Un vaivén obsequioso
de momentos o pausas,
un salón de walkyrias
o de damas desmayadas.

Una música o nardo
o unas telas de araña,
un jarrón de cansancios
y de polvos o nácar...

Todo dulce y dolido,
todo de carne blanca;
amarillez y ojera,
y pábilo, y estancia.

Amor, vueltas, caídas,
mariposas, miradas,
sonrisas como alambres
donde la cera canta;

pájaros, caja, música,
mangas, vuelos y danza,
con los pechos sonando
bajo las llamas pálidas.

Cinturas o saliva,
hilos de finas platas,
besos por los dorados
limones que colgaban.

Tú, calor que ascendiendo
chocas carnes de lata,
pones besos o líquenes
por humedades bajas,

llevas vientre o conchas
o perezosas barcas
y axilas como rosas
sueltas de madrugada,

misterios de mejillas
a la deriva amadas
y oídos y cabello,
desmayos, voces bajas...

Golfo ancho detenido
junto a la orilla baja,
salón de musgo y luna
donde el amor es alga,

donde los trajes húmedos
son piel que no se arranca
cuando entre polca y brisa
despunta lacia el alba.

LIBERTAD

Esa mano caída del occidente,
de la última floración del verano,
arriba lentamente a los corazones
sencillamente como la misma primavera.

Las mismas bocas más frutales,
la tierna carne del melocotón,
el color blanco o rosa,
el murmullo de las flores tranquilas,
todo presiente la evaporación de la nube,
el cielo raso como un diente duro,
la firmeza sin talla brilladora y amante.

El aroma, el no esfuerzo para perdurar,
para ascender,
para perderse en el deseo alto pero lograble,
todo esto está dichosamente presidido por el mediodía,
por lo radioso sin fin que abarca al mundo como un amor.

Una inmensa mariposa de brillos,
un respirar batiente que pasa sin recelos
dadivoso de dichas perfectamente compartidas,
va y viene en forma de belleza, en forma de transcurso,
haciendo al tiempo justamente un instante a vista de pájaro.

Ni palmas ni brillos, ni mucho menos ya primores.
Sino lo liso, lo raso, lo tenso y lo infatigable.
Esa senda hecha para la planta de oro,

también para los labios,
para recorrerla despacio,
para ir diciendo los nombres a los horizontes,
para que todo lo más en un momento de desfallecimiento se
    pueda uno convertir en río.

No pido despacio o de prisa,
no pido más que libertad.
Pido que todos vayan allá, más lejos,
y allá me esperen mucho tiempo,
hasta que troncos lisos sin pavor den señas de su existencia.

Porque soy escéptico.
La libertad en fin para mí acaso consiste en una gamuza,
en esa facilidad de abrillantar los dientes,
de responder con mi propio reflejo a las ya luces extinguidas.

Pido señales o pido indiferencia.
Se me puede creer si digo que a veces un brazo pesa más que
    otro astro,
que un párpado de espuma respira quietamente, pero que
    nunca acederá a dormir en nuestro seno.

Pido sobre todo no lamentos, no salutaciones o visos;
que todo pase como debe.
Fila infinita, de tormento olvidado que duele,
preocupado únicamente de no ver mojado su zapato por esa
    espuma negra.

CON TODO RESPETO

ÁRBOLES, mujeres y niños
son todo lo mismo: Fondo.
Las voces, los cariños, la nitidez, la alegría,
este saber que al fin estamos todos.
¡Sí! Los diez dedos que miro.

Ahora el Sol no es horrendo como una mejilla dispuesta:
no es un ropaje, ni una linterna sin habla.
No es tampoco la respuesta que se escucha con las rodillas,
o esa dificultad de tocar las fronteras con lo más blanco de
    los ojos.
Es ya el Sol la verdad, la lucidez, la constancia.
Se dialoga con la montaña,
se la cambia por el corazón:
se puede seguir marchando ligero.
El ojo del pez, si arribamos al río,
es justo la imagen de la dicha que Dios nos prepara,
el beso ardentísimo que nos quebranta los huesos.

Sí. Al fin es la vida. Oh, qué hermosura de huevo
este amplio regalo que nos tiende ese Valle,
esta limitación sobre la que apoyar la cabeza
para oír la mejor música, la de los planetas distantes.
Vamos todos de prisa,
acerquémonos a la hoguera.
Vuestras manos de pétalos y las mías de cáscara,
estas deliciosas improvisaciones que nos mostramos,
valen para quemarlas, para mantener la confianza en el mañana,
para que la conversación pueda seguir ignorando la ropa.
Yo ignoro la ropa. ¿Y tú?
Yo vestido con trescientos vestidos o cáñamo,
envueltos en mis ropones más broncos,
conservo la dignidad de la aurora y alardeo de desnudeces.

Si me acariciáis yo creeré que está descargando una tor-
    menta
y preguntaré si los rayos son de siete colores.
O a lo mejor estaré pensando en el aire
y en esa ligera brisa que riza la piel indefensa.

Con la punta del pie no me río,
más bien conservo mi dignidad,
y si me muevo por la escena lo hago como un excelente,
como la más incauta hormiguita.

Así por la mañana o por la tarde
cuando llegan las multitudes yo saludo con el gesto,
y no les muestro el talón porque eso es una grosería.
Antes bien, les sonrío, les tiendo la mano,
dejo escapar un pensamiento, una mariposa irisada,
mientras rubrico mi protesta convirtiéndome en estiércol.

CADA COSA, CADA COSA

HOY estoy más contento
porque monto un caballo de veras,
porque los estribos hechos de hierro
aprietan un vientre desnudado.
La dureza del mundo no existe, ni las canciones se osifican.
Las serpientes consiguen ser serpientes y las cintas son cintas.
No es fácil confundir un ojo y una estrella.
A nadie se le ocurriría apellidar a la Luna Señora.

  Un bello guante de mimbre,
suave *malgré tout,*
encuentra su empleo precisamente en este día.
Y una cabeza de cartón descolgada
se lamenta de no ser más que eso...: elegancia.

  Porque todo quiere ser más.
Yo tengo un primo hermano,
un abrazo extremoso,
un reloj hecho de primavera,
una carita de enana que guardo como recuerdo de una excursión al África ecuatorial,
cuatro vasos hechos de telas de araña recogidas de labios mudos por tres meses.
Tengo muchas cosas.

  Pero todas quieren ser más.
Mi prima Rosalía,

la linda doncellita que en su niñez fue un cerdito o crujido,
mi enamorada Rosa que se callaba siempre ante el siseo de
    otras aguas,
más pequeñita que nunca,
se empeñaba siempre en enseñarme cómo deben ser los
    muslos por los labios.

    Recuerdo que un barco,
un pincel,
un saludo por la calle,
una rana cariñosa o sencillamente el bostezo,
todo junto aspiraba también a la política,
a explicarme finalmente por qué las cocinas económicas renun-
    ciaron para siempre al amor.

    Cada cosa debe estar en su sitio.
A mí me gusta dormir sobre un dado.
Una mano, la izquierda, acostumbrada a tomar el mundo para
    que descanse,
no se acostumbra como yo quiero a ser sólo lo que es: indi-
    ferencia.

    Por dondequiera ve cabezas,
o planchas calientes,
o inicia saludos y pretende tener una ronca voz y hasta una
    forma respetable,
y deponer sus quejas ante lirios o canapés o luces que no in-
    terrumpan.

    Si yo acaricio un escarabajo,
si me rebajo para decir ternezas al águila caudal,
si sello mis labios y me hago impenetrable a las preguntas de
    los peces fríos,
el Sol se detiene, se alarga, se convierte en escala,
desciende y se entretiene en establecer tiendas de aparatos
    eléctricos.

¡Oh, no! ¡La falsedad, no!
Todo de verdad.
No importa que mi reloj de carne se calle siempre
y mienta un lejano pitido dos calles más arriba cuando
    yo estoy aquí hablando con vosotros.
Tampoco importa que un dulce zapato de cristal, besado por
    la Cenicienta, sirva diariamente para acarrear cadáveres de
    sombra o ternura.

    Todo está bien. Pero está mejor ser de verdad.
Ser de verdad lo que es, lo que es solo.
Por ejemplo, «esperanza».
Por ejemplo, «cuadrado».
Por ejemplo, «estepario».
Todo lo que realmente tiene un sentido.

    Buenas noches.
Con este abrigo hecho de palasan, de ternura o pelagra
—aunque no sé bien lo que es esta palabra—,
me voy a recorrer ahora las diferentes formaciones,
a ver si todo está en orden;
porque me han dicho que falta algún extremo:
ignoro si el que limita al Norte con las mesas de billar
o el que al Sur linda con las bandas de música.

FORMAS SOBRE EL MAR

Como una canción que se desprende
de una luna reciente
blandamente eclipsada por el brillo de una boca.
Como un papel ignorado
que resbala hacia túneles
precisamente en un sueño de nieves.
Como lo más blanco o más querido.
Así camina el vago clamor de sombra o amor.
Como la dicha.

Vagamente cabezas o humo,
ese abandonarse a la capacidad del sueño,
con flojedad aspira al cenit sin esfuerzo,
pretendiendo desconocer el valor de las contracciones.

Si me lamento,
si lloro como un traje blanco,
si me abandono al va y ven de un viento de dos metros,

es que indudablemente desconozco mi altura,
el vuelo de las aves
y esa piel desprendida que no puede ya besarse más que en
    pluma.

Oh, vida.
La luciérnaga muda,
ese medir la tierra paso a paso,
está lleno de conciencia,
de espiras, de anillos o de sueño
(es lo mismo),
está lleno de lo inmóvil para lo que está prohibido un
    corazón.

Clavos o arpones,
canciones de los polos,
hielos de Islandia o focas esperadas,
debajo por la piel que no duele y enfría,
no impide el sentir,
el ver dibujo,
el ver corales lentos transcurrir como sangre,
como respuesta,
como presentimiento de formas sobre el mar.

¿Son almas o son cuerpos?
Son lo que no se sabe.
Esas fronteras deshechas de tocarse las dos filas de dientes,
ese contacto de dos cercanías
que tan pronto es el mar

como es su sombra erguida,
como es sencillamente la mudez de dos labios.

  Así el mundo es entero,
el mundo es lo no partido,
lo que no puede separar ni el calor
(que ya es decir),
lo que es únicamente no atender a lo urgente,
conservar bajo cáscara cataratas de estancia,
de quietud o sentido,
mientras pasa ya el tiempo como nuez,
como lo que ha desalojado el mar súbito a besos,
como los dos labios a plomo
triste a luces o nácar bajo esteras.

LA DESTRUCCIÓN
O EL AMOR

[1932-1933]

LA SELVA Y EL MAR

ALLÁ por las remotas
luces o aceros aún no usados,
tigres del tamaño del odio,
leones como un corazón hirsuto,
sangre como la tristeza aplacada,
se baten como la hiena amarilla que toma la forma del po-
        niente insaciable.

Oh la blancura súbita,
las ojeras violáceas de unos ojos marchitos,
cuando las fieras muestran sus espadas o dientes
como latidos de un corazón que casi todo lo ignora,
menos el amor,
al descubierto en los cuellos allá donde la arteria golpea,
donde no se sabe si es el amor o el odio
lo que reluce en los blancos colmillos.

Acariciar la fosca melena
mientras se siente la poderosa garra en la tierra,
mientras las raíces de los árboles, temblorosas,
sienten las uñas profundas
como un amor que así invade.

Mirar esos ojos que sólo de noche fulgen,
donde todavía un cervatillo ya devorado
luce su diminuta imagen de oro nocturno,
un adiós que centellea de póstuma ternura.

El tigre, el león cazador, el elefante que en sus colmillos
        lleva algún suave collar,
la cobra que se parece al amor más ardiente,
el águila que acaricia a la roca como los sesos duros,
el pequeño escorpión que con sus pinzas sólo aspira a oprimir
        un instante la vida,

107

la menguada presencia de un cuerpo de hombre que jamás
    podrá ser confundido con una selva,
ese piso feliz por el que viborillas perspicaces hacen su nido
    en la axila del musgo,
mientras la pulcra coccinela
se evade de una hoja de magnolia sedosa...
Todo suena cuando el rumor del bosque siempre virgen
se levanta como dos alas de oro,
élitros, bronce o caracol rotundo,
frente a un mar que jamás confundirá sus espumas con las
    ramillas tiernas.

    La espera sosegada,
esa esperanza siempre verde,
pájaro, paraíso, fasto de plumas no tocadas,
inventa los ramajes más altos,
donde los colmillos de música,
donde las garras poderosas, el amor que se clava,
la sangre ardiente que brota de la herida,
no alcanzará, por más que el surtidor se prolongue,
por más que los pechos entreabiertos en tierra
proyecten su dolor o su avidez a los cielos azules.

    Pájaro de la dicha,
azul pájaro o pluma,·
sobre un sordo rumor de fieras solitarias,
del amor o castigo contra los troncos estériles,
frente al mar remotísimo que como la luz se retira.

DESPUÉS DE LA MUERTE

La realidad que vive
en el fondo de un beso dormido,
donde las mariposas no se atreven a volar
por no mover el aire tan quieto como el amor.

Esa feliz transparencia
donde respirar no es sentir un cristal en la boca,
no es respirar un bloque que no participa,
no es mover el pecho en el vacío
mientras la cara cárdena se dobla como la flor.

No.
La realidad vivida
bate unas alas inmensas,
pero lejos—no impidiendo el blando vaivén de las flores en
    que me muevo,
ni el transcurso de los gentiles pájaros
que un momento se detienen en mi hombro por si acaso...

El mar entero, lejos, único,
encerrado en un cuarto,
asoma unas largas lenguas por una ventana donde el cristal lo
    impide,
donde las espumas furiosas amontonan sus rostros
pegados contra el vidrio sin que nada se oiga.

El mar o una serpiente,
el mar o ese ladrón que roba los pechos,
el mar donde mi cuerpo
estuvo en vida a merced de las ondas.

La realidad que vivo,
la dichosa transparencia en que nunca al aire lo llamaré unas
    manos,
en que nunca a los montes llamaré besos
ni a las aguas del río doncella que se me escapa.
La realidad donde el bosque no puede confundirse
con ese tremendo pelo con que la ira se encrespa,
ni el rayo clamoroso es la voz que me llama
cuando—oculto mi rostro entre las manos—una roca a la vista
    del águila puede ser una roca.

La realidad que vivo,
dichosa tranparencia feliz en la que el sonido de una túnica,
de un ángel o de ese eólico sollozo de la carne,
llega como lluvia lavada,
como esa planta siempre verde,
como tierra que, no calcinada, fresca y olorosa,
puede sustentar unos pies que no agravan.

Todo pasa.
La realidad transcurre
como un pájaro alegre.
Me lleva entre sus alas
como pluma ligera.
Me arrebata a la sombra, a la luz, al divino contagio.
Me hace pluma ilusoria
que cuando pasa ignora el mar que al fin ha podido:
esas aguas espesas que como labios negros ya borran lo
     distinto.

NOCHE SINFÓNICA

LA música pone unos tristes guantes,
un velo por el rostro casi transparente,
o a veces, cuando la melodía es cálida,
se enreda en la cintura penosamente como una forma de
     hierro.

Acaso busca la forma de poner el corazón en la lengua,
de dar al sueño cierto sabor azul,
de modelar una mano que exactamente abarque el talle
y si es preciso nos seccione como tenues lombrices.

Las cabezas caerían sobre el césped vibrante,
donde la lengua se detiene en un dulce sabor a violines,
donde el cedro aromático canta
como perpetuos cabellos.

Los pechos por tierra tienen forma de arpa,
pero cuán mudamente ocultan su beso,
ese arpegio de agua que hacen unos labios
cuando se acercan a la corriente mientras cantan las liras.

Ese transcurrir íntimo,
la brevísima escala de las manos al rodar:
qué gravedad la suya cuando, partidas ya las muñecas,
dejan perderse su sangre como una nota tibia.

Entonces por los cuellos dulces melodías aún circulan,
hay un clamor de violas y estrellas
y una luna sin punta, roto el arco,
envía mudamente sus luces sin madera.

Qué tristeza un cuerpo deshecho de noche, qué silencio,
qué remoto gemir de inoíbles tañidos,
qué fuga de flautas blancas como el hueso
cuando la luna redonda se aleja sin oído.

UNIDAD EN ELLA

Cuerpo feliz que fluye entre mis manos,
rostro amado donde contemplo el mundo,
donde graciosos pájaros se copian fugitivos,
volando a la región donde nada se olvida.

Tu forma externa, diamante o rubí duro,
brillo de un sol que entre mis manos deslumbra,
cráter que me convoca con su música íntima,
con esa indescifrable llamada de tus dientes.

Muero porque me arrojo, porque quiero morir,
porque quiero vivir en el fuego, porque este aire de fuera
no es mío, sino el caliente aliento
que si me acerco quema y dora mis labios desde un fondo.

Deja, deja que mire, teñido del amor,
enrojecido el rostro por tu purpúrea vida,
deja que mire el hondo clamor de tus entrañas
donde muero y renuncio a vivir para siempre.

Quiero amor o la muerte, quiero morir del todo,
quiero ser tú, tu sangre, esa lava rugiente
que regando encerrada bellos miembros extremos
siente así los hermosos límites de .la vida.

Este beso en tus labios como una lenta espina,
como un mar que voló hecho un espejo,
como el brillo de un ala,
es todavía unas manos, un repasar de tu crujiente pelo,
un crepitar de la luz vengadora,
luz o espada mortal que sobre mi cuello amenaza,
pero que nunca podrá destruir la unidad de este mundo.

SIN LUZ

El pez espada, cuyo cansancio se atribuye ante todo a la
    imposibilidad de horadar a la sombra,
de sentir en su carne la frialdad del fondo de los mares donde
    el negror no ama,
donde faltan aquellas frescas algas amarillas
que el sol dora en las primeras aguas.

La tristeza gemebunda de ese inmóvil pez espada cuyo ojo
    no gira,
cuya fijeza quieta lastima su pupila,
cuya lágrima resbala entre las aguas mismas
sin que en ellas se note su amarillo tristísimo.

El fondo de ese mar donde el inmóvil pez respira con sus
    branquias un barro,
ese agua como un aire,

ese polvillo fino
que se alborota mintiendo la fantasía de un sueño,
que se aplaca monótono cubriendo el lecho quieto
donde gravita el monte altísimo, cuyas crestas se agitan
como penacho—sí—de un sueño oscuro.

Arriba las espumas, cabelleras difusas,
ignoran los profundos pies de fango,
esa imposibilidad de desarraigarse del abismo,
de alzarse con unas alas verdes sobre lo seco abisal
y escaparse ligero sin miedo al sol ardiente.

Las blancas cabelleras, las juveniles dichas,
pugnan hirvientes, pobladas por los peces
—por la creciente vida que ahora empieza—,
por elevar su voz al aire joven,
donde un sol fulgurante
hace plata el amor y oro los abrazos,
las pieles conjugadas,
ese unirse los pechos como las fortalezas que se aplacan fun-
    diéndose.

Pero el fondo palpita como un solo pez abandonado.
De nada sirve que una frente gozosa
se incruste en el azul como un sol que se da,
como amor que visita a humanas criaturas.

De nada sirve que un mar inmenso entero
sienta sus peces entre espumas como si fueran pájaros.

El calor que le roba el quieto fondo opaco,
la base inconmovible de la milenaria columna
que aplasta un ala de ruiseñor ahogado,
un pico que cantaba la evasión del amor,
gozoso entre unas plumas templadas a un sol nuevo.

Ese profundo oscuro donde no existe el llanto,
donde un ojo no gira en su cuévano seco,
pez espada que no puede horadar a la sombra,
donde aplacado el limo no imita un sueño agotado.

VEN SIEMPRE, VEN

No te acerques. Tu frente, tu ardiente frente, tu encendida
    frente,
las huellas de unos besos,
ese resplandor que aun de día se siente si te acercas,
ese resplandor contagioso que me queda en las manos,
ese río luminoso en que hundo mis brazos,
en el que casi no me atrevo a beber, por temor después a
    ya una dura vida de lucero.

No quiero que vivas en mí como vive la luz,
con ese ya aislamiento de estrella que se une con su luz,
a quien el amor se niega a través del espacio
duro y azul que separa y no une,
donde cada lucero inaccesible
es una soledad que, gemebunda, envía su tristeza.

La soledad destella en el mundo sin amor.
La vida es una vívida corteza,
una rugosa piel inmóvil
donde el hombre no puede encontrar su descanso,
por más que aplique su sueño contra un astro apagado.

Pero tú no te acerques. Tu frente destellante, carbón en-
    cendido que me arrebata a la propia conciencia,
duelo fulgúreo en que de pronto siento la tentación de morir,
de quemarme los labios con tu roce indeleble,
de sentir mi carne deshacerse contra tu diamante abrasador.

No te acerques, porque tu beso se prolonga como el choque
    imposible de las estrellas,
como el espacio que súbitamente se incendia,
éter propagador donde la destrucción de los mundos
es un único corazón que totalmente se abrasa.

Ven, ven, ven como el carbón extinto oscuro que encierra
    una muerte;
ven como la noche ciega que me acerca su rostro;
ven como los dos labios marcados por el rojo,
por esa línea larga que funde los metales.

Ven, ven, amor mío; ven, hermética frente, redondez casi
    rodante
que luces como una órbita que va a morir en mis brazos;
ven como dos ojos o dos profundas soledades,
dos imperiosas llamadas de una hondura que no conozco.

¡Ven, ven, muerte, amor: ven pronto, te destruyo;
ven, que quiero matar o amar o morir o darte todo;
ven, que ruedas como liviana piedra,
confundida como una luna que me pide mis rayos!

VIDA

Un pájaro de papel en el pecho
dice que el tiempo de los besos no ha llegado;
vivir, vivir, el sol cruje invisible,
besos o pájaros, tarde o pronto o nunca.
Para morir basta un ruidillo,
el de otro corazón al callarse,
o ese regazo ajeno que en la tierra
es un navío dorado para los pelos rubios.
Cabeza dolorida, sienes de oro, sol que va a ponerse;
aquí en la sombra sueño con un río,
juncos de verde sangre que ahora nace,
sueño apoyado en ti calor o vida.

VEN, VEN TÚ

ALLÁ donde el mar no golpea,
donde la tristeza sacude su melena de vidrio,
donde el aliento suavemente espirado
no es una mariposa de metal, sino un aire.

Un aire blando y suave
donde las palabras se murmuran como a un oído.
Donde resuenan unas débiles plumas
que en la oreja rosada son el amor que insiste.

¿Quién me quiere? ¿Quién dice que el amor es un hacha
    doblada,
un cansancio que parte por la cintura el cuerpo,
un arco doloroso por donde pasa la luz
ligeramente sin tocar nunca a nadie?

Los árboles del bosque cantan como si fueran aves.
Un brazo inmenso abarca la selva como una cintura.
Un pájaro dorado por la luz que no acaba
busca siempre unos labios por donde huir de su cárcel.

Pero el mar no golpea como un corazón,
ni el vidrio o cabellera de una lejana piedra
hace más que asumir todo el brillo del sol sin devolverlo.
Ni los peces innumerables que pueblan otros cielos
son más que las lentísimas aguas de una pupila remota.

Entonces este bosque, esta mota de sangre,
este pájaro que se escapa de un pecho,
este aliento que sale de unos labios entreabiertos,
esta pareja de mariposas que en algún punto va a amarse...

Esta oreja que próxima escucha mis palabras,
esta carne que amo con mis besos de aire,
este cuerpo que estrecho como si fuera un nombre,
esta lluvia que cae sobre mi cuerpo extenso,

este frescor de un cielo en el que unos dientes sonríen,
en el que unos brazos se alargan, en que un sol amanece,
en que una música total canta invadiéndolo todo,
mientras el cartón, las cuerdas, las falsas telas,
la dolorosa arpillera, el mundo rechazado,
se retira como un mar que muge sin destino.

JUVENTUD

Así acaricio una mejilla dispuesta.
¿Me amas? Me amas como los dulces animalitos
a su tristeza mansa inexplicable.
Ámame como el vestido de seda
a su quietud oscura de noche.
Cuerpo vacío, aire parado, vidrio que por fuera
llora lágrimas de frío sin deseo.

Dulce quietud, cuarto que en pie, templado,
no ignora la luna exterior, pero siente sus pechos
oscuros no besados sin saliva ni leche.

Cuerpo que solo por la mañana, dolido,
sin fiebre, tiene ojos de nieve tocada
y un rosa en los labios como limón teñido,
cuando sus manos quisieran ser flores casi entreabiertas

Pero no. ¡Juventud, ilusión, dicha, calor o luz,
piso de mármol donde la carne está tirada,
cuerpo, cuarto de ópalo que siente casi un párpado,
unos labios pegados mientras los muslos cantan!

A TI, VIVA

Es tocar el cielo, poner el dedo
sobre un cuerpo humano.

NOVALIS

CUANDO contemplo tu cuerpo extendido
como un río que nunca acaba de pasar,
como un claro espejo donde cantan las aves,
donde es un gozo sentir el día cómo amanece.

Cuando miro a tus ojos, profunda muerte o vida que me
llama,
canción de un fondo que solo sospecho;
cuando veo tu forma, tu frente serena,
piedra luciente en que mis besos destellan,
como esas rocas que reflejan un sol que nunca se hunde.

Cuando acerco mis labios a esa música incierta,
a ese rumor de lo siempre juvenil,
del ardor de la tierra que canta entre lo verde,
cuerpo que húmedo siempre resbalaría
como un amor feliz que escapa y vuelve...

Siento el mundo rodar bajo mis pies,
rodar ligero con siempre capacidad de estrella,
con esa alegre generosidad del lucero
que ni siquiera pide un mar en que doblarse.

Todo es sorpresa. El mundo destellando
siente que un mar de pronto está desnudo, trémulo,
que es ese pecho enfebrecido y ávido
que solo pide el brillo de la luz.

La creación riela. La dicha sosegada
transcurre como un placer que nunca llega al colmo,
como esa rápida ascensión del amor
donde el viento se ciñe a las frentes más ciegas.

Mirar tu cuerpo sin más luz que la tuya,
que esa cercana música que concierta a las aves,
a las aguas, al bosque, a ese ligado latido
de este mundo absoluto que siento ahora en los labios.

ORILLAS DEL MAR

DESPUÉS de todo lo mismo da el calor que el frío,
una dulce hormiguita color naranja,
una guitarra muda en la noche,
una mujer tendida como las conchas,
un mar como dos labios por la arena.

Un caracol como una sangre,
débil dedo que se arrastra sobre la piel mojada,
un cielo que sostienen unos hombros de nieve
y ese ahogo en el pecho de palabras redondas.

Las naranjas de fuego rodarían por el azul nocturno.
Lo mismo da un alma niña que su sombra derretida,
da lo mismo llorar unas lágrimas finas
que morder pedacitos de hielo que vive.

Tu corazón redondo como naipe
visto de perfil es un espejo,
de frente acaso es nata
y a vista de pájaro es un papel delgado.

Pero no tan delgado que no permita sangre,
y navíos azules,
y un adiós de un pañuelo que de pronto se para.
Todo lo que un pájaro esconde entre su pluma.

Oh maravilla mía,
oh dulce secreto de conversar con el mar,
de suavemente tener entre los dientes

un guijo blanco que no ha visto la luna.
Noche verde de océano que en la lengua no vuela
y se duerme deshecha como música o nido.

QUIERO SABER

DIME pronto el secreto de tu existencia;
quiero saber por qué la piedra no es pluma,
ni el corazón un árbol delicado,
ni por qué esa niña que muere entre dos venas ríos
no se va hacia la mar como todos los buques.

Quiero saber si el corazón es una lluvia o margen,
lo que se queda a un lado cuando dos se sonríen,
o es sólo la frontera entre dos manos nuevas
que estrechan una piel caliente que no separa.

Flor, risco o duda, o sed o sol o látigo:
el mundo todo es uno, la ribera y el párpado,
ese amarillo pájaro que duerme entre dos labios
cuando el alba penetra con esfuerzo en el día.

Quiero saber si un puente es hierro o es anhelo,
esa dificultad de unir dos carnes íntimas,
esa separación de los pechos tocados
por una flecha nueva surtida entre lo verde.

Musgo o luna es lo mismo, lo que a nadie sorprende,
esa caricia lenta que de noche a los cuerpos
recorre como pluma o labios que ahora llueven.
Quiero saber si el río se aleja de sí mismo
estrechando unas formas en silencio,
catarata de cuerpos que se aman como espuma,
hasta dar en la mar como el placer cedido.

Los gritos son estacas de silbo, son lo hincado,
desesperación viva de ver los brazos cortos
alzados hacia el cielo en súplicas de lunas,
cabezas doloridas que arriba duermen, bogan,
sin respirar aún como láminas turbias.

Quiero saber si la noche ve abajo
cuerpos blancos de tela echados sobre tierra,
rocas falsas, cartones, hilos, piel, agua quieta,
pájaros como láminas aplicadas al suelo,
o rumores de hierro, bosque virgen al hombre.

Quiero saber altura, mar vago o infinito;
si el mar es esa oculta duda que me embriaga
cuando el viento traspone crespones transparentes,
sombra, pesos, marfiles, tormentas alargadas,
lo morado cautivo que más allá invisible
se debate, o jauría de dulces asechanzas.

A LA MUERTA

VIENES y vas ligero como el mar,
cuerpo nunca dichoso,
sombra feliz que escapas como el aire
que sostiene a los pájaros casi entero de pluma.

Dichoso corazón encendido en esta noche de invierno,
en este generoso alto espacio en el que tienes alas,
en el que labios largos casi tocan opuestos horizontes
como larga sonrisa o súbita ave inmensa.

Vienes y vas como el manto sutil,
como el recuerdo de la noche que escapa,
como el rumor del día que ahora nace
aquí entre mis dos labios o en mis dientes.

Tu generoso cuerpo, agua rugiente,
agua que cae como cascada joven,
agua que es tan sencillo beber de madrugada
cuando en las manos vivas se sienten todas las estrellas.

Peinar así la espuma o la sombra,
peinar—no—la gozosa presencia,
el margen de delirio en el alba,
el rumor de tu vida que respira.

Amar, amar, ¿quién no ama si ha nacido?,
¿quién ignora que el corazón tiene bordes,
tiene forma, es tangible a las manos,
a los besos recónditos cuando nunca se llora?

Tu generoso cuerpo que me enlaza,
liana joven o luz creciente,
agua teñida del naciente confín,
beso que llega con su nombre de beso.

Tu generoso cuerpo que no huye,
que permanece quieto tendido como la sombra,
como esa mirada humilde de una carne
que casi toda es párpado vencido.

Todo es alfombra o césped, o el amor o el castigo.
Amarte así como el suelo casi verde
que dulcemente curva un viento cálido,
viento con forma de este pecho
que sobre ti respira cuando lloro.

LA LUZ

EL mar, la tierra, el cielo, el fuego, el viento,
el mundo permanente en que vivimos,
los astros remotísimos que casi nos suplican,
que casi a veces son una mano que acaricia los ojos.

Esa llegada de la luz que descansa en la frente.
¿De dónde llegas, de dónde vienes, amorosa forma que siento
    respirar,
que siento como un pecho que encerrara una música,
que siento como el rumor de unas arpas angélicas,
ya casi cristalinas como el rumor de los mundos?

¿De dónde vienes, celeste túnica que con forma de rayo
    luminoso
acaricias una frente que vive y sufre, que ama como lo vivo?;
¿de dónde tú, que tan pronto pareces el recuerdo de un fuego
    ardiente tal el hierro que señala,
como te aplacas sobre la cansada existencia de una cabeza que
    te comprende?

Tu roce sin gemido, tu sonriente llegada como unos labios
    de arriba,
el murmurar de tu secreto en el oído que espera,
lastima o hace soñar como la pronunciación de un nombre
que sólo pueden decir unos labios que brillan.

Contemplando ahora mismo estos tiernos animalitos que
    giran por tierra alrededor,
bañados por tu presencia o escala silenciosa,
revelados a su existencia, guardados por la mudez
en la que sólo se oye el batir de las sangres.

Mirando esta nuestra propia piel, nuestro cuerpo visible
porque tú lo revelas, luz que ignoro quién te envía,
luz que llegas todavía como dicha por unos labios,
con la forma de unos dientes o de un beso suplicado,
con todavía el calor de una piel que nos ama.

Dime, dime quién es, quién me llama, quién me dice, quién
    clama,
dime qué es este envío remotísimo que suplica,
qué llanto a veces escucho cuando eres sólo una lágrima.
Oh tú, celeste luz temblorosa o deseo,

fervorosa esperanza de un pecho que no se extingue,
de un pecho que se lamenta como dos brazos largos
capaces de enlazar una cintura en la tierra.

¡Ay amorosa cadencia de los mundos remotos,
de los amantes que nunca dicen sus sufrimientos,
de los cuerpos que existen, de las almas que existen,
de los cielos infinitos que nos llegan con su silencio!

HUMANA VOZ

Duele la cicatriz de la luz,
duele en el suelo la misma sombra de los dientes,
duele todo,
hasta el zapato triste que se lo llevó el río.

Duelen las plumas del gallo,
de tantos colores
que la frente no sabe qué postura tomar
ante el rojo cruel del poniente.

Duele el alma amarilla o una avellana lenta,
la que rodó mejilla abajo cuando estábamos dentro del agua
y las lágrimas no se sentían más que al tacto.

Duele la avispa fraudulenta
que a veces bajo la tetilla izquierda
imita un corazón o un latido,
amarilla como el azufre no tocado
o las manos del muerto a quien queríamos.

Duele la habitación como la caja del pecho,
donde palomas blancas como sangre
pasan bajo la piel sin pararse en los labios
a hundirse en las entrañas con sus alas cerradas.

Duele el día, la noche,
duele el viento gemido,
duele la ira o espada seca,
aquello que se besa cuando es de noche.

Tristeza. Duele el candor, la ciencia,
el hierro, la cintura,
los límites y esos brazos abiertos, horizonte
como corona contra las sienes.

Duele el dolor. Te amo.
Duele, duele. Te amo.
Duele la tierra o uña,
espejo en que estas letras se reflejan.

CANCIÓN
A UNA MUCHACHA MUERTA

DIME, dime el secreto de tu corazón virgen,
dime el secreto de tu cuerpo bajo tierra,
quiero saber por qué ahora eres un agua,
esas orillas frescas donde unos pies desnudos se bañan con
    espuma.

Dime por qué sobre tu pelo suelto,
sobre tu dulce hierba acariciada,
cae, resbala, acaricia, se va
un sol ardiente o reposado que te toca
como un viento que lleva sólo un pájaro o mano.

Dime por qué tu corazón como una selva diminuta
espera bajo tierra los imposibles pájaros,
esa canción total que por encima de los ojos
hacen los sueños cuando pasan sin ruido.

Oh tú, canción que a un cuerpo muerto o vivo,
que a un ser hermoso que bajo el suelo duerme,
cantas color de piedra, color de beso o labio,
cantas como si el nácar durmiera o respirara.

Esa cintura, ese débil volumen de un pecho triste,
ese rizo voluble que ignora el viento,
esos ojos por donde sólo boga el silencio,
esos dientes que son de marfil resguardado,
ese aire que no mueve unas hojas no verdes...

¡Oh tú, cielo riente que pasas como nube;
oh pájaro feliz que sobre un hombro ríes;
fuente que, chorro fresco, te enredas con la luna:
césped blando que pisan unos pies adorados!

TRISTEZA O PÁJARO

Esa tristeza pájaro carnívoro;
la tarde se presta a la soledad destructora;
en vano el río canta en los dedos o peina,
peina cabellos, peces, algún pecho gastado.

Esa tristeza de papel más bien basto;
una caña sostiene un molinillo cansado;
el color rosa se pone amarillo,
lo mismo que los ojos sin pestañas.

El brazo es largo como el futuro de un niño;
mas para qué crecer si el río canta
la tristeza de llegar a un agua más fuerte,
que no puede comprender lo que no es tiranía.

Llegar a la orilla como un brazo de arena,
como niño que ha crecido de pronto
sintiendo sobre el hombro de repente algún pájaro.
Llegar como unos labios salobres que se llagan.

Pájaro que picotea pedacitos de sangre,
sal marina o rosada para el pájaro amarillo,
para ese brazo largo de cera fina y dulce
que se estira en el agua salada al deshacerse.

CORAZÓN NEGRO

Corazón negro.
Enigma o sangre de otras vidas pasadas,
suprema interrogación que ante los ojos me habla,
signo que no comprendo a la luz de la luna.

Sangre negra, corazón dolorido que desde lejos la envías
a latidos inciertos, bocanadas calientes,
vaho pesado de estío, río en que no me hundo,
que sin luz pasa como silencio, sin perfume ni amor.

Triste historia de un cuerpo que existe como existe un
    planeta,
como existe la luna, la abandonada luna,
hueso que todavía tiene un claror de carne.

Aquí, aquí en la tierra echado entre unos juncos,
entre lo verde presente, entre lo siempre fresco,
veo esa pena o sombra, esa linfa o espectro,
esa sola sospecha de sangre que no pasa.

¡Corazón negro, origen del dolor o la luna,
corazón que algún día latiste entre unas manos,
beso que navegaste por unas venas rojas,
cuerpo que te ceñiste a una tapia vibrante!

ETERNO SECRETO

LA celeste marca del amor en un campo desierto
donde hace unos minutos lucharon dos deseos,
donde todavía por el cielo un último pájaro se escapa,
caliente pluma que unas manos han retenido.

  Espera, espera siempre.
Todavía llevas
el radiante temblor de una piel íntima,
de unas celestes manos mensajeras
que al cabo te enviaron para que te reflejases en el corazón
      vivo,
en ese oscuro hueco sin latido
del ciego y sordo y triste que en tierra duerme su opacidad
      sin lengua.

  Oh tú, tristísimo minuto en que el ave misteriosa,
la que no sé, la que nadie sabrá de dónde llega,
se refugia en el pecho de ese cartón besado,
besado por la luna que pasa sin sonido,
como un largo vestido o un perfume invisible.

  Ay tú, corazón que no tiene forma de corazón;
caja mísera, cartón que sin destino quiere latir mientras
      duerme,
mientras el color verde de los árboles próximos
se estira como ramas enlazándose sordas.

  ¡Luna cuajante fría que a los cuerpos darías calidad de
      cristal!
Que a las almas darías apariencia de besos;
en un bosque de palmas, de palomas dobladas,
de picos que se traman como las piedras inmóviles.

  ¡Luna, luna, sonido, metal duro o temblor:
ala, pavoroso plumaje que rozas un oído,
que musitas la dura cerrazón de los cielos,
mientras mientes un agua que parece la sangre!

LA VENTANA

CUÁNTA tristeza en una hoja del otoño,
dudosa siempre en último término si presentarse como
  cuchillo.
Cuánta vacilación en el color de los ojos
antes de quedar frío como una gota amarilla.

  Tu tristeza, minutos antes de morirte,
sólo comparable con la lentitud de una rosa cuando acaba,
esa sed con espinas que suplica a lo que no puede,
gesto de un cuello, dulce carne que tiembla.

  Eras hermosa como la dificultad de respirar en un cuarto
  cerrado.
Transparente como la repugnancia a un sol libérrimo,
tibia como ese suelo donde nadie ha pisado,
lenta como el cansancio que rinde al aire quieto.

  Tu mano, bajo la cual se veían las cosas,
cristal finísimo que no acarició nunca otra mano,
flor o vidrio que, nunca deshojado,
era verde al reflejo de una luna de hierro.

  Tu carne, en que la sangre detenida apenas consentía
una triste burbuja rompiendo entre los dientes,
como la débil palabra que casi ya es redonda
detenida en la lengua dulcemente de noche.

  Tu sangre, en que ese limo donde no entra la luz
es como el beso falso de unos polvos o un talco,
un rostro en que destella tenuemente la muerte,
beso dulce que da una cera enfriada.

  Oh tú, amoroso poniente que te despides como dos brazos
  largos
cuando por una ventana ahora abierta a ese frío
una fresca mariposa penetra,

alas, nombre o dolor, pena contra la vida
que se marcha volando con el último rayo.

Oh tú, calor, rubí o ardiente pluma,
pájaros encendidos que son nuncio de la noche,
plumaje con forma de corazón colorado
que en lo negro se extiende como dos alas grandes.

Barcos lejanos, silbo amoroso, velas que no suenan,
silencio como mano que acaricia lo quieto,
beso inmenso del mundo como una boca sola,
como dos bocas fijas que nunca se separan.

¡Oh verdad, oh morir una noche de otoño,
cuerpo largo que viaja hacia la luz del fondo,
agua dulce que sostienes un cuerpo concedido,
verde o frío palor que vistes un desnudo!

LA DICHA

No. ¡Basta!
Basta siempre.
Escapad, escapad; sólo quiero,
sólo quiero tu muerte cotidiana.

El busto erguido, la terrible columna,
el cuello febricente, la convocación de los robles,
las manos que son piedra, luna de piedra sorda
y el vientre que es el sol, el único extinto sol.

¡Hierba seas! Hierba reseca, apretadas raíces,
follaje entre los muslos donde ni gusanos ya viven,
porque la tierra no puede ni ser grata a los labios,
a esos que fueron, sí, caracoles de lo húmedo.

Matarte a ti, pie inmenso, yeso escupido,
pie masticado días y días cuando los ojos sueñan,
cuando hacen un paisaje azul cálido y nuevo
donde una niña entera se baña sin espuma.

Matarte a ti, cuajarón redondo, forma o montículo,
materia vil, vomitadura o escarnio,
palabra que pendiente de unos labios morados
ha colgado en la muerte putrefacta o el beso.

No. ¡No!
Tenerte aquí, corazón que latiste entre mis dientes larguísimos,
en mis dientes o clavos amorosos o dardos,
o temblor de tu carne cuando yacía inerte
como el vivaz lagarto que se besa y se besa.

Tu mentira catarata de números,
catarata de manos de mujer con sortijas,
catarata de dijes donde pelos se guardan,
donde ópalos u ojos están en terciopelos,
donde las mismas uñas se guardan con encajes.

Muere, muere como el clamor de la tierra estéril,
como la tortuga machacada por un pie desnudo,
pie herido cuya sangre, sangre fresca y novísima,
quiere correr y ser como un río naciente.

Canto el cielo feliz, el azul que despunta,
canto la dicha de amar dulces criaturas,
de amar a lo que nace bajo las piedras limpias,
agua, flor, hoja, sed, lámina, río o viento,
amorosa presencia de un día que sé existe.

TRIUNFO DEL AMOR

BRILLA la luna entre el viento de otoño,
en el cielo luciendo como un dolor largamente sufrido.
Pero no será, no, el poeta quien diga
los móviles ocultos, indescifrable signo
de un cielo líquido de ardiente fuego que anegara las almas,
si las almas supieran su destino en la tierra.

La luna como una mano,
reparte con la injusticia que la belleza usa,
sus dones sobre el mundo.
Miro unos rostros pálidos.
Miro rostros amados.
No seré yo quien bese ese dolor que en cada rostro asoma.
Sólo la luna puede cerrar, besando,
unos párpados dulces fatigados de vida.
Unos labios lucientes, labios de luna pálida,
labios hermanos para los tristes hombres,
son un signo de amor en la vida vacía,
son el cóncavo espacio donde el hombre respira
mientras vuela en la tierra ciegamente girando.

El signo del amor, a veces en los rostros queridos
es sólo la blancura brillante,
la rasgada blancura de unos dientes riendo.

Entonces sí que arriba palidece la luna,
los luceros se extinguen
y hay un eco lejano, resplandor en oriente,
vago clamor de soles por irrumpir pugnando.
¡Qué dicha alegre entonces cuando la risa fulge!
Cuando un cuerpo adorado,
erguido en su desnudo, brilla como la piedra,
como la dura piedra que los besos encienden.
Mirad la boca. Arriba relámpagos diurnos
cruzan un rostro bello, un cielo en que los ojos
no son sombra, pestañas, rumorosos engaños,

sino brisa de un aire que recorre mi cuerpo
como un eco de juncos espigados cantando
contra las aguas vivas, azuladas de besos.

El puro corazón adorado, la verdad de la vida,
la certeza presente de un amor irradiante,
su luz sobre los ríos, su desnudo mojado,
todo vive, pervive, sobrevive y asciende
como un ascua luciente de deseo en los cielos.

Es sólo ya el desnudo. Es la risa en los dientes.
Es la luz o su gema fulgurante: los labios.
Es el agua que besa unos pies adorados,
como un misterio oculto a la noche vencida.

¡Ah maravilla lúcida de estrechar en los brazos
un desnudo fragante, ceñido de los bosques!
¡Ah soledad del mundo bajo los pies girando,
ciegamente buscando su destino de besos!
Yo sé quién ama y vive, quien muere y gira y vuela.
Sé que lunas se extinguen, renacen, viven, lloran.
Sé que dos cuerpos aman, dos almas se confunden.

SOBRE LA MISMA TIERRA

La severidad del mundo, estameña,
el traje de la mujer amada,
el camino de las hormigas por un cuerpo hermosísimo,
no impiden esa tos en el polvo besado,
mientras bajo las nubes bogan aves ligeras.

La memoria como el hilo o saliva,
la miel ingrata que se enreda al tobillo,
esa levísima serpiente que te incrusta su amor
como dos letras sobre la piel odiada.
Esa subida lenta del crepúsculo más rosado,

crecimiento de escamas en que la frialdad es viscosa,
es el roce de un labio independiente
sobre la tierra húmeda,
cuando la sierpecilla mira,
mira, mira a los ojos,
a esa paloma núbil que aletea en la frente.

La noche sólo es un traje.
No sirve rechazar juncos alegando que se trata de dientes,
o de pesares cuya falta de raíz es lo blanco,
o que el fango son palabras deshechas,
las masticadas después del amor,
cuando por fin los cuerpos se separan.

No sirve pretender que la luna equivale al brillo de un ro-
       paje algo inútil,
o que es mejor aquella desnudez ardiente,
—si la rana cantando dice que el verde es verde
y que las uñas se ablandan en el barro
por más que el mundo entero intente una seriedad córnea.

Basta entonces sentarse en un ribazo.

O basta acaso, apoyando ese codo que sólo poseemos
       desde ayer,
escuchar mano en mejilla
la promesa de dicha que canta un pez regalado,
esa voz, no de junco,
que por una botella
emite un alga triste—algo que se parece a un espejo cansado.

Escuchando esa música
se comprende que el bosque cambie de sitio,
que de pronto el corazón se trueque por un monte
o que sencillamente se alargue un brazo para repiquetear sobre
       el cristal del crepúsculo.

Todo es fácil.
Es fácil amenizar la hora siniestra
tomando la forma de una harmónica,
de ese inútil juguete que en el borde de un río
jamás conseguirá imitar su canción,
o de ese peine inusado
que entre la hierba fresca
no pretende confundirse con la Primavera,
por saber que es inútil.

Mejor sería entonces levantarse y, abandonando brazos como
    dos flores largas,
emprender el camino del poniente,
a ver si allá se comprueba lo que ya es tan sabido,
que la noche y el día no son lo negro o lo blanco,
sino la boca misma que duerme entre las rocas,
cuyo alterno respiro
no es el beso o el no beso,
sino el polvo que llueve sobre la tierra mísera.

EL FRÍO

VIENTO negro secreto que sopla entre los huesos,
sangre del mar que tengo entre mis venas cerradas,
océano absoluto que soy cuando, dormido,
irradio verde o fría una ardiente pregunta.

Viento de mar que ensalza mi cuerpo hasta sus cúmulos,
hasta el ápice aéreo de sus claras espumas,
donde ya la materia cabrillea, o lucero,
cuerpo que aspira a un cielo, a una luz propia y fija.

Cuántas veces de noche rodando entre las nubes, o acaso
    bajo tierra,
o bogando con forma de pez vivo,
o rugiendo en el bosque como fauce o marfil;

cuántas veces arena, gota de agua o voz sólo,
cuántas, inmensa mano que oprime un mundo alterno.

Soy tu sombra, camino que me lleva a ese límite,
a ese abismo sobre el que el pie osaría,
sobre el que acaso quisiera volar como cabeza,
como sólo una idea o una gota de sangre.

Sangre o sol que se funden en el feroz encuentro,
cuando el amor destella a un choque silencioso,
cuando amar es luchar con una forma impura,
un duro acero vivo que nos refleja siempre.

Matar la limpia superficie sobre la cual golpeamos,
bruñido aliento que empañan los besos, no los pájaros,
superficie que copia un cielo estremecido,
como ese duro estanque donde no calan piedras.

Látigo de los hombres que se asoma a un espejo,
a ese bárbaro amor de lo impasible o entero,
donde los dedos mueren como láminas siempre,
suplicando, gastados, un volumen perdido.

¡Ah maravilla loca de hollar el frío presente,
de colocar los pies desnudos sobre el fuego,
de sentir en los huesos el hielo que nos sube
hasta notar ya blanco el corazón inmóvil!

Todavía encendida una lengua de nieve
surte por una boca, como árbol o unas ramas.
Todavía las luces, las estrellas, el viso,
mandan luz, mandan aire, mandan amor o carne.

SOY EL DESTINO

Sí, te he querido como nunca.

¿Por qué besar tus labios, si se sabe que la muerte está
    próxima,
si se sabe que amar es sólo olvidar la vida,
cerrar los ojos a lo oscuro presente
para abrirlos a los radiantes límites de un cuerpo?

Yo no quiero leer en los libros una verdad que poco a poco
    sube como un agua,
renuncio a ese espejo que dondequiera las montañas ofrecen,
pelada roca donde se refleja mi frente
cruzada por unos pájaros cuyo sentido ignoro.

No quiero asomarme a los ríos donde los peces colorados
    con el rubor de vivir,
embisten a las orillas límites de su anhelo,
ríos de los que unas voces inefables se alzan,
signos que no comprendo echado entre los juncos.

No quiero, no; renuncio a tragar ese polvo, esa tierra do-
    lorosa, esa arena mordida,
esa seguridad de vivir con que la carne comulga
cuando comprende que el mundo y este cuerpo
ruedan como ese signo que el celeste ojo no entiende.

No quiero, no, clamar, alzar la lengua,
proyectarla como esa piedra que se estrella en la altura,
que quiebra los cristales de esos inmensos cielos
tras los que nadie escucha el rumor de la vida.

Quiero vivir, vivir como la hierba dura,
como el cierzo o la nieve, como el carbón vigilante,
como el futuro de un niño que todavía no nace,
como el contacto de los amantes cuando la luna los ignora.

Soy la música que bajo tantos cabellos
hace el mundo en su vuelo misterioso,
pájaro de inocencia que con sangre en las alas
va a morir en un pecho oprimido.

Soy el destino que convoca a todos los que aman,
mar único al que vendrán todos los radios amantes
que buscan a su centro, rizados por el círculo
que gira como la rosa rumorosa y total.

Soy el caballo que enciende su crin contra el pelado viento,
soy el león torturado por su propia melena,
la gacela que teme al río indiferente,
el avasallador tigre que despuebla la selva,
el diminuto escarabajo que también brilla en el día.

Nadie puede ignorar la presencia del que vive,
del que en pie en medio de las flechas gritadas,
muestra su pecho transparente que no impide mirar,
que nunca será cristal a pesar de su claridad,
porque si acercáis vuestras manos, podréis sentir la sangre.

VERBENA

Vasos o besos, luces o escaleras,
todo sin música asciende cautamente
a esa región serena donde aprisa
se retiran los bordes de la carne.

Un carrusel de topes, un límite o verbena,
una velocidad hecha de gritos,
un color, un color hecho de estopa,
por donde una voz bronca escupe esparto.

Espérame, muchacha conocida,
fuerte raso crujiente con zapatos,
con un tierno charol que casi gime
cuando roza mi rostro sin pesarme.

Un columpio de sangre emancipada,
una felicidad que no es de cobre,
una moneda lírica o la luna
resbalando en los hombros como leche.

Un laberinto o mármol sin sonido,
un hilo de saliva entre los árboles
un beso silencioso que se enreda
olvidando sus alas como espejos.

Un alimento o roce en la garganta,
blanco o maná de tímidos deseos
que sobre lengua de calor callado
se deshace por fin como la nieve.

Polvo o claror, la feria gitana cauta
bajo fiebre de lunas o pescados,
sintiendo la humedad de la caricia
cuando el alba desnuda avanza un muslo.

Los senos de cartón abren sus cajas,
pececillos innúmeros palpitan,
de los labios se escapan flores verdes
que en los vientres arraigan como dichas.

Un clamor o sollozo de alegría,
frenesí de las músicas y el cuerpo,
un rumor de clamores asesinos
mientras cuchillos aman corazones.

Flores-papel girantes como ojos
sueñan párpados, sangres, albahacas;
ese clamor caliente ciñe faldas
del tamaño de labios apretados.

Agua o túnica, ritmo o crecimiento,
algo baja del monte de la dicha,
algo inunda las piernas sin metralla
y asciende hasta el axila como aroma.

Cuerpos flotan, no presos, no arañados,
no vestidos de espinas o caricias,
no abandonados, no, sobre la luna,
que—en tierra ya—se ha abierto como un cuerpo.

MAR EN LA TIERRA

No, no clames por esa dicha presurosa
que está latente cuando la oscura música no modula,
cuando el oscuro chorro pasa indescifrable
como un río que desprecia el paisaje.

La felicidad no consiste en estrujar unas manos
mientras el mundo sobre sus ejes vacila,
mientras la luna convertida en papel
siente que un viento la riza sonriendo.

Quizá el clamoroso mar que en un zapato intentara una
      noche acomodarse,
el infinito mar que quiso ser rocío,
que pretendió descansar sobre una flor durmiente,
que quiso amanecer como la fresca lágrima.

El resonante mar convertido en una lanza
yace en lo seco como un pez que se ahoga,
clama por ese agua que puede ser el beso,
que puede ser un pecho que se rasgue y anegue.

Pero la seca luna no responde al reflejo de las escamas
      pálidas.
La muerte es una contracción de una pupila vidriada,
es esa imposibilidad de agitar unos brazos,
de alzar un grito hasta un cielo al que herir.

La muerte es el silencio entre el polvo, entre la memoria,
es agitar torvamente una lengua no de hombre,
es sentir que la sal se cuaja en las venas
fríamente como un árbol blanquísimo en un pez.

Entonces la dicha, la oscura dicha de morir,
de comprender que el mundo es un grano que se deshará,
el que nació para un agua divina,
para ese mar inmenso que yace sobre el polvo.

La dicha consistirá en deshacerse como lo minúsculo,
en transformarse en la severa espina,
resto de un océano que como la luz se marchó,
gota de arena que fue un pecho gigante
y que salida por la garganta como un sollozo aquí yace.

LA LUNA ES UNA AUSENCIA

> *La luna es una ausencia.*
> CAROLINA CORONADO

LA luna es ausencia.
Se espera siempre.
Las hojas son murmullos de la carne.
Se espera todo menos caballos pálidos.

Y, sin embargo, esos cascos de acero
(mientras la luna en las pestañas),
esos cascos de acero sobre el pecho
(mientras la luna o vaga geometría)...

Se espera siempre que al fin el pecho no sea cóncavo.
Y la luna es ausencia,
doloroso vacío de la noche redonda,
que no llega a ser cera, pero que no es mejilla.

Los remotos caballos, el mar remoto, las cadenas golpeando,
esa arena tendida que sufre siempre,
esa playa marchita, donde es de noche
al filo de los ojos amarillos y secos.

Se espera siempre.
Luna, maravilla o ausencia,
celeste pergamino color de manos fuera,
del otro lado donde el vacío es luna.

SOLO MORIR DE DÍA

EL mundo glorifica sus alas.

Bosque inmenso, selva o león o nube;
pupila lentísima que casi no se mueve:
dolorosa lágrima donde brilla un lucero,
un dolor como un pájaro, iris fugaz en lluvia.

Tu corazón gemelo del mío,
aquel alto cantil desde el cual una figura diminuta
mueve sus brazos que yo casi no veo, pero que sí que escucho;
aquel punto invisible adonde una tos o un pecho que aún
    respira,
llega como la sombra de los brazos ausentes.

Tu corazón gemelo como un pájaro en tierra,
como esa bola huida que ha plegado las alas,
como dos labios solos que ayer se sonreían...

Una mágica luna del color del basalto
sale tras la montaña como un hombro desnudo
El aire era de pluma, y a la piel se la oía
como una superficie que un solo esquife hiere.

¡Oh corazón o luna, oh tierra seca a todo,
oh esa arena sedienta que se empapa de un aire
cuando sólo las ondas amarillas son agua!

Agua o luna es lo mismo: lo impalpable a las manos,
linfa que goteando sobre la frente fría
finge pronto unos labios o una muerte escuchada.

Quiero morir de día, cuando la luna blanca,
blanca como ese velo que oculta sólo un aire,
boga sin apoyarse, sin rayos, como lámina,
como una dulce rueda que no puede quejarse,
aniñada y castísima ante un sol clamoroso.

Quiero morir de día, cuando aman los leones,
cuando las mariposas vuelan sobre los lagos,
cuando el nenúfar surte de un agua verde o fría,
soñoliento y extraño bajo la luz rosada.

Quiero morir al límite de los bosques tendidos,
de los bosques que alzan los brazos.
Cuando canta la selva en alto y el sol quema
las melenas, las pieles o un amor que destruye.

COBRA

La cobra toda ojos,
bulto echado la tarde (baja, nube),
bulto entre hojas secas,
rodeada de corazones de súbito parados.

Relojes como pulsos
en los árboles quietos son pájaros cuyas gargantas cuelgan,
besos amables a la cobra baja
cuya piel es sedosa o fría o estéril.

Cobra sobre cristal,
chirriante como navaja fresca que deshace a una virgen,
fruta de la mañana,
cuyo terciopelo aún está por el aire en forma de ave.

Niñas como lagunas,
ojos como esperanzas,
desnudos como hojas
cobra pasa lasciva mirando a su otro cielo.

Pasa y repasa el mundo,
cadena de cuerpos o sangres que se tocan,
cuando la piel entera ha huido como un águila
que oculta el sol. ¡Oh, cobra, ama, ama!

Ama bultos o naves o quejidos,
ama todo despacio, cuerpo a cuerpo,
entre muslos de frío o entre pechos
del tamaño de hielos apretados.

Labios, dientes o flores, nieves largas;
tierra debajo convulsa derivando.
Ama el fondo con sangre donde brilla
el carbunclo logrado.
                    El mundo vibra.

EL ESCARABAJO

He aquí que por fin llega al verbo también el pequeño esca-
    rabajo,
tristísimo minuto,
lento rodar del día miserable,
diminuto captor de lo que nunca puede aspirar al vuelo.

Un día como alguno
se detiene la vida al borde de la arena,
como las hierbecillas sueltas que flotan en un agua no limpia,
donde a merced de la tierra
briznas que no suspiran se abandonan
a ese minuto en que el amor afluye.

El amor como un número
tan pronto es agua que sale de una boca tirada,
como es el secreto de lo verde en el oído que lo oprime,
como es la cuneta pasiva que todo lo contiene,
hasta el odio que afloja para convertirse en el sueño.

Por eso,
cuando en la mitad del camino un triste escarabajo que fue
    de oro
siente próximo el cielo como una inmensa bola
y, sin embargo, con sus patitas nunca pétalos
arrastra la memoria opaca con amor,
con amor al sollozo sobre lo que fue y ya no es,
arriba entre las flores altas cuyos estambres casi cosquillean
    el limpio azul
vaga un aroma a anteayer,
a flores derribadas,
a ese polen pisado que tiñe de amarillo constante la planta pa-
    sajera,
la caricia involuntaria,
ese pie que fue rosa, que fue espina,
que fue corola o dulce contacto de las flores.

Un viento arriba orea
otras memorias donde circula el viento,
donde estambres emergen tan altos, donde pistilos o cabellos,
donde tallos vacilan
por recibir el sol tan amarillo envío de un amor.

El suave escarabajo,
más negro que el silencio que transcurre después de alguna
    muerte,
pasa borrando apenas las huellas de los carros,
de los hierros violentos que fueron dientes siempre,
que fueron boca para morder el polvo.

El dulce escarabajo bajo su duro caparazón que imita a
    veces algún ala,
nunca pretende ser confundido con una mariposa,
pero su sangre gime
(caliente término de la memoria muerta)
encerrada en un pecho con no forma de olvido,
descendiendo a unos brazos que un diminuto mundo oscuro
    crean.

LAS ÁGUILAS

EL mundo encierra la verdad de la vida,
aunque la sangre mienta melancólicamente
cuando como mar sereno en la tarde
siente arriba el batir de las águilas libres.

Las plumas de metal,
las garras poderosas,
ese afán del amor o la muerte,
ese deseo de beber en los ojos con un pico de hierro,
de poder al fin besar lo exterior de la tierra,
vuela como el deseo,
como las nubes que a nada se oponen,
como el azul radiante, corazón ya de afuera
en que la libertad se ha abierto para el mundo.

Las águilas serenas
no serán nunca esquifes,
no serán sueño o pájaro,
no serán caja donde olvidar lo triste,
donde tener guardado esmeraldas u ópalos.

El sol que cuaja en las pupilas,
que a las pupilas mira libremente,
es ave immarcesible, vencedor de los pechos
donde hundir su furor contra un cuerpo amarrado.

Las violentas alas
que azotan rostros como eclipses,
que parten venas de zafiro muerto,
que seccionan la sangre coagulada,
rompen el viento en mil pedazos,
mármol o espacio impenetrable
donde una mano muerta detenida
es el claror que en la noche fulgura.

Águilas como abismos,
como montes altísimos,
derriban majestades, troncos polvorientos,
esa verde hiedra que en los muslos
finge la lengua vegetal casi viva.

Se aproxima el momento en que la dicha consista
en desvestir de piel a los cuerpos humanos,
en que el celeste ojo victorioso
vea sólo a la tierra como sangre que gira.

Águilas de metal sonorísimo,
arpas furiosas con su voz casi humana,
cantan la ira de amar los corazones,
amarlos con las garras estrujando su muerte.

SE QUERÍAN

SE querían.
Sufrían por la luz, labios azules en la madrugada,
labios saliendo de la noche dura,
labios partidos, sangre, ¿sangre dónde?
Se querían en un lecho navío, mitad noche, mitad luz.

Se querían como las flores a las espinas hondas,
a esa amorosa gema del amarillo nuevo,
cuando los rostros giran melancólicamente,
giralunas que brillan recibiendo aquel beso.

Se querían de noche, cuando los perros hondos
laten bajo la tierra y los valles se estiran
como lomos arcaicos que se sienten repasados:
caricia, seda, mano, luna que llega y toca.

Se querían de amor entre la madrugada,
entre las duras piedras cerradas de la noche,
duras como los cuerpos helados por las horas,
duras como los besos de diente a diente solo.

Se querían de día, playa que va creciendo,
ondas que por los pies acarician los muslos,
cuerpos que se levantan de la tierra y flotando...
Se querían de día, sobre el mar, bajo el cielo.

Mediodía perfecto, se querían tan íntimos,
mar altísimo y joven, intimidad extensa,
soledad de lo vivo, horizontes remotos
ligados como cuerpos en soledad cantando.

Amando. Se querían como la luna lúcida,
como ese mar redondo que se aplica a ese rostro,
dulce eclipse de agua, mejilla oscurecida,
donde los peces rojos van y vienen sin música.

Día, noche, ponientes, madrugadaas, espacios,
ondas nuevas, antiguas, fugitivas, perpetuas,
mar o tierra, navío, lecho, pluma, cristal,
metal, música, labio, silencio, vegetal,
mundo, quietud, su forma. Se querían, sabedlo.

LA MUERTE

¡A h ! Eres tú, eres tú, eterno nombre sin fecha,
bravía lucha del mar con la sed,
cantil todo de agua que amenazas hundirte
sobre mi forma lisa, lámina sin recuerdo.

Eres tú, sombra del mar poderoso,
genial rencor verde donde todos los peces son como piedras
    por el aire,
abatimiento o pesadumbre que amenazas mi vida
como un amor que con la muerte acaba.

Mátame si tú quieres, mar de plomo impiadoso,
gota inmensa que contiene la tierra,
fuego destructor de mi vida sin numen
aquí en la playa donde la luz se arrastra.

Mátame como si un puñal, un sol dorado o lúcido,
una mirada buida de un inviolable ojo,
un brazo prepotente en que la desnudez fuese el frío,
un relámpago que buscase mi pecho o su destino...

¡Ah, pronto, pronto; quiero morir frente a ti, mar,
frente a ti, mar vertical cuyas espumas tocan los cielos,
a ti cuyos celestes peces entre nubes
son como pájaros olvidados del hondo!

Vengan a mí tus espumas rompientes, cristalinas,
vengan los brazos verdes desplomándose,
venga la asfixia cuando el cuerpo se crispa
sumido bajo los labios negros que se derrumban.

Luzca el morado sol sobre la muerte uniforme.
Venga la muerte total en la playa que sostengo,
en esta terrena playa que en mi pecho gravita,
por la que unos pies ligeros parece que se escapan.

Quiero el color rosa o la vida,
quiero el rojo o su amarillo frenético,
quiero ese túnel donde el color se disuelve
en el negro falaz con que la muerte ríe en la boca.

Quiero besar el marfil de la mudez penúltima,
cuando el mar se retira apresurándose,
cuando sobre la arena quedan sólo unas conchas,
unas frías escamas de unos peces amándose.

Muerte como el puñado de arena,
como el agua que en el hoyo queda solitaria,
como la gaviota que en medio de la noche
tiene un color de sangre sobre el mar que no existe.

MUNDO A SOLAS

[1934-1936]

NO EXISTE EL HOMBRE

Sólo la luna sospecha la verdad.
Y es que el hombre no existe.

La luna tantea por los llanos, atraviesa los ríos,
penetra por los bosques.
Modela las aún tibias montañas.
Encuentra el calor de las ciudades erguidas.
Fragua una sombra, mata una oscura esquina,
inunda de fulgurantes rosas
el misterio de las cuevas donde no huele a nada.

La luna pasa, sabe, canta, avanza y avanza sin descanso.
Un mar no es un lecho donde el cuerpo de un hombre puede
    tenderse a solas.
Un mar no es un sudario para una muerte lúcida.
La luna sigue, cala, ahonda, raya las profundas arenas.
Mueve fantástica los verdes rumores aplacados.
Un cadáver en pie un instante se mece,
duda, ya avanza, verde queda inmóvil.
La luna miente sus brazos rotos,
su imponente mirada donde unos peces anidan.
Enciende las ciudades hundidas donde todavía se pueden oír
(qué dulces) las campanas vividas;
donde las ondas postreras aún repercuten sobre los pechos
    neutros,
sobre los pechos blandos que algún pulpo ha adorado.

Pero la luna es pura y seca siempre.
Sale de un mar que es una caja siempre,
que es un bloque con límites que nadie, nadie estrecha,
que no es una piedra sobre un monte irradiando.
Sale y persigue lo que fuera los huesos,
lo que fuera las venas de un hombre,
lo que fuera su sangre sonada, su melodiosa cárcel,

153

su cintura visible que a la vida divide,
o su cabeza ligera sobre un aire hacia oriente.

Pero el hombre no existe.
Nunca ha existido, nunca.
Pero el hombre no vive, como no vive el día.
Pero la luna inventa sus metales furiosos.

EL ÁRBOL

El árbol jamás duerme.
Dura pierna de roble, a veces tan desnuda quiere un sol muy
    oscuro.
Es un muslo piafante que un momento se para,
mientras todo el horizonte se retira con miedo.

Un árbol es un muslo que en la tierra se yergue como la
    erecta vida.
No quiere ser ni blanco ni rosado,
y es verde, verde siempre como los duros ojos.

Rodilla inmensa donde los besos no imitarán jamás falsas
    hormigas.
Donde la luna no pretenderá ser un sutil encaje.
Porque la espuma que una noche osara hasta rozarlo
a la mañana es roca, dura roca sin musgo.

Venas donde a veces los labios que las besan
sienten el brío del acero que cumple,
sienten ese calor que hace la sangre brillante
cuando escapa apretada entre los sabios músculos.

Sí. Una flor quiere a veces ser un brazo potente.
Pero nunca veréis que un árbol quiera ser otra cosa.
Un corazón de un hombre a veces resuena golpeando.
Pero un árbol es sabio, y plantado domina.

Todo un cielo o un rubor sobre sus ramas descansa.
Cestos de pájaros niños no osan colgar de sus yemas.
Y la tierra está quieta toda ante vuestros ojos;
pero yo sé que ella se alzaría como un mar por tocarle.

En lo sumo, gigante, sintiendo las estrellas todas rizadas sin
    un viento,
resonando misteriosamente sin ningún viento dorado,
un árbol vive y puede pero no clama nunca,
ni a los hombres mortales arroja nunca su sombra.

BULTO SIN AMOR

BASTA, tristeza, basta, basta, basta.

No pienses más en esos ojos que te duelen,
en esa frente pura encerrada en sus muros,
en ese pelo rubio, que una noche ondulara.

¡Una noche! Una vida, todo un pesar, todo un amor, toda
    una dulce sangre.
Toda una luz que bebí de unas venas,
en medio de la noche y en los días radiantes.

Te amé... No sé. No sé qué es el amor.
Te padecí gloriosamente como a la sangre misma,
como el doloroso mantillo que hace vivir y mata.

Sentí diariamente que la vida es la muerte.
Supe lo que es amar porque morí a diario.

Pero no morí nunca. No se muere. Se muere...
Se muere sobre un aire, sobre un hombro no amante.
Sobre una tierra indiferente para los mismos besos.

Eras tan tierna; eras allí, remotamente, hace mucho,
eras tan dulce como el viento en las hojas,
como un montón de rosas para los labios fijos.

Después, un rayo vengativo, no sé qué destino enigmático,
qué luz maldita de un cielo de tormenta,
descargó su morado relámpago sobre tu frente pura,
sobre tus ojos dulces,
sobre aquellos labios tempranos.

Y tus ojos de fósforo lucieron sin espera,
lucieron sobre un monte pelado sin amores,
y se encendieron rojos para siempre en la aurora,
cielo que me cubriera tan bajo como el odio.

¿Quién eres tú? ¿Qué rostro es ese, qué dureza diaman-
    tina?
¿Qué mármol enrojecido por la tormenta
que los besos no aplacan, ni la dulce memoria?
Beso tu bulto, pétrea rosa sin sangre.
Tu pecho silencioso donde resbala el agua.
Tu rostro donde nunca brilla la luz azul,
aquella senda pura de las blandas miradas.
Beso tus manos que no vuelan a labios.
Beso su gotear de un cielo entristecido.
Pero quizá no beso sino mis puras lágrimas.

Esta piedra que estrecho como se estrecha un ave,
ave inmensa de pluma donde enterrar un rostro,
no es un ave, es la roca, es la dura montaña,
cuerpo humano sin vida a quien pido la muerte.

BAJO LA TIERRA

No. No. Nunca. Jamás.
Mi corazón no existe.
Será inútil que vosotros, uno a uno, como árboles desnudos,
paséis cuando la tierra gira.
Inútil que la luz suene en las hojas como un viento querido
e imite dulcemente un corazón que llama.

No. Yo soy la sombra oscura que en las raíces de los ár-
    boles
se curva como serpiente emitiendo una música.
Serpiente gruesa que como tronco de árbol
bajo tierra respira sin sospechar un césped.

Yo sé que existe un cielo. Acaso un Dios que sueña.
Sé que ese azul radiante que lleváis en los ojos
es un cielo pequeño con un oro dormido.

Bajo tierra se vive. La humedad es la sangre.
Hay lombrices pequeñas como niños no nacidos.
Hay tubérculos que hacia dentro crecen como las flores.
Ignoran que en lo sumo y en libertad los pétalos
son rosas, amarillos, carmines o inocentes.

Hay piedras que nunca serán ojos. Hay hierbas que son sa-
    liva triste.
Hay dientes en la tierra que en medio de los sueños
se mueven y mastican lo que nunca es el beso.

Debajo de la tierra hay, más honda, la roca,
la desnuda, la purísima roca donde sólo podrían vivir seres
    humanos.
donde el calor es posible a las carnes desnudas
que allí aplicadas serían flores soberbias, límpidas.

Hay agua bajo la tierra. Agua oscura, ¿sabéis?
Agua sin cielo.
Agua que muda espera por milenios el rostro,
el puro o cristalino rostro que se refleje,
o ese plumón de pájaro que rasga un cielo abierto.

Más hondo, más, el fuego purifica.
Es el fuego desierto donde nunca descienden.
Destierro prohibido a las almas, a las sombras.
Entrañas que se abrasan de soledad sin numen.

No sois vosotros, los que vivís en el mundo,
los que pasáis o dormís entre blancas cadenas,
los que voláis acaso con nombre de poniènte,
o de aurora o de cènit,
no sois los que sabréis el destino de un hombre.

YA NO ES POSIBLE

No digas tu nombre emitiendo tu música
como una yerta lumbre que se derrama,
como esa luna que en invierno reparte
su polvo pensativo sobre el hueso.

Deja que la noche estruje la ausencia de la carne,
la postrera desnudez que alguien pide;
deja que la luna ruede por las piedras del cielo
como un brazo ya muerto sin una rosa encendida.

Alguna luz ha tiempo olía a flores.
Pero no huele a nada.
No digáis que la muerte huele a nada,
que la ausencia del amor huele a nada,
que la ausencia del aire, de la sombra huelen a nada.

La luna desalojaba entonces, allá, remotamente, hace mucho,
desalojaba sombras e inundaba de fulgurantes rosas
esa región donde un seno latía.

Pero la luna es un hueso pelado sin acento.
No es una voz, no es un grito celeste.
Es su dura oquedad, pared donde sonaban,
muros donde el rumor de los besos rompía.

Un hueso todavía por un cielo de piedra
quiere rodar, quiere vencer su quietud extinguida.
Quiere empuñar aún una rosa de fuego
y acercarla a unos labios de carne que la abrasen.

EL SOL VICTORIOSO

No pronuncies mi nombre
imitando a los árboles que sacuden su triste cabellera,
empapada de luna en las noches de agosto
bajo un cielo morado donde nadie ha vivido.

No me llames
como llama a la tierra su viento que no la toca,
su triste viento u oro que rozándola pasa,
sospechando el carbón que vigilante encierra.

Nunca me digas que tu sombra es tan dura
como un bloque con límites que en la sombra reposa,
bloque que se dibuja contra un cielo parado,
junto a un lago sin aire, bajo una luna vacía.

El sol, el fuerte, el duro y brusco sol que deseca pan-
        tanos,
que atiranta los labios, que cruje como hojas secas entre los
        labios mismos,
que redondea rocas peladas como montes de carne,

como redonda carne que pesadamente aguanta la caricia tre-
    menda,
la mano poderosa que estruja masas grandes,
que ciñe las caderas de esos tremendos cuerpos
que los ríos aprietan como montes tumbados.

El sol despeja siempre noches de luna larga,
interminables noches donde los filos verdes,
donde los ojos verdes,
donde las manos verdes
son sólo verdes túnicas, telas mojadas verdes,
son sólo pechos verdes,
son sólo besos verdes entre moscas ya verdes.

El sol o mano dura,
o mano roja, o furia, o ira naciente.
El sol que hace a la tierra una escoria sin muerte.

No, no digas mi nombre como luna encerrada,
como luna que entre los barrotes de una jaula nocturna
bate como los pájaros, como quizá los ángeles,
como los verdes ángeles que en un agua han vivido.

Huye, como huiría el pantano que un hombre ha visto for-
    marse sobre su pecho,
crecer sobre su pecho,
y ha visto que su sangre como nenúfar surte,
mientras su corazón bulle como oculta burbuja.

Las mojadas raíces
que un hombre siente en su pecho, bajo la noche apagada,
no son vida ni muerte, sino quietud o limo,
sino pesadas formas de culebras de agua
que entre la carne viven sin un musgo horadado.

No, no digas mi nombre,
noche horrenda de agosto, de un imposible enero;
no, no digas mi nombre,
pero mátame, oh sol, con tu justa cuchilla.

MUNDO INHUMANO

Una mar. Una luna.
Un vacío sin horas bajo un cielo volado.
Un clamor que se escapa desoyendo la sangre.
Una luz al poniente ligera como el aire.

Todo vuela sin términos camino del oriente,
camino de los aires veloces para el seno.
Allí donde no hay pájaros, pero ruedan las nubes
aleves como espuma de un total océano.

Allí, allí, entre las claras dichas
de ese azul ignorado de los hombres mortales,
bate un mar que no es sangre,
un agua que no es yunque,
un verde o desvarío
de lo que se alza al cabo con sus alas extensas.

Allí no existe el hombre.
Altas águilas rozan su límite inhumano.
Plumas tibias se escapan de unas garras vacías,
y un sol que bate sólo lejanamente envía
unas ondas doradas, pero nunca a los pulsos.

La luz, el oro, el carmen de matices palpita.
Un ramo o fuego se alza como un brazo de rosas.
Una mano no existe, pero ciñera el cielo
buscando ciegamente la turgencia rosada.

Inmensidad del aire. No hay una voz que clama.
Profundidad sin noche donde la vida es vida.
Donde la muerte escapa como muerte finita,
con un puño clamando contra los secos muros.

¡No!
El hombre está muy lejos. Alta pared de sangre.
El hombre grita sordo su corazón de bosque.

Su gotear de sangre, su pesada tristeza.
Cubierto por las telas de un cielo derrumbado
lejanamente el hombre contra un muro se seca.

TORMENTO DEL AMOR

Te amé, te amé, por tus ojos, tus labios, tu garganta, tu voz,
tu corazón encendido en violencia.
Te amé como a mi furia, mi destino furioso,
mi cerrazón sin alba, mi luna machacada.

Eras hermosa. Tenías ojos grandes.
Palomas grandes, veloces garras, altas águilas potentísimas...
Tenías esa plenitud por un cielo rutilante
donde el fragor de los mundos no es un beso en tu boca.

Pero te amé como la luna ama la sangre,
como la luna busca la sangre de las venas,
como la luna suplanta a la sangre y recorre furiosa
las venas encendidas de amarillas pasiones.

No sé lo que es la muerte, si se besa la boca.
No sé lo que es morir. Yo no muero. Yo canto.
Canto muerto y podrido como un hueso brillante,
radiante ante la luna como un cristal purísimo.

Canto como la carne, como la dura piedra.
Canto tus dientes feroces sin palabras.
Canto su sola sombra, su tristísima sombra
sobre la dulce tierra donde un césped se amansa.

Nadie llora. No mires este rostro
donde las lágrimas no viven, no respiran.
No mires esta piedra, esta llama de hierro,
este cuerpo que resuena como una torre metálica.

Tenías cabellera, dulces rizos, miradas y mejillas.
Tenías brazos, y no ríos sin límite.
Tenías tu forma, tu frontera preciosa, tu dulce margen de car-
ne estremecida.
Era tu corazón como alada bandera.

Pero ¡tu sangre no, tu vida no, tu maldad no!
¿Quién soy yo que suplica a la luna mi muerte?
¿Quién soy yo que resiste los vientos, que siente las heridas
de sus frenéticos cuchillos,
que deja que le mojen su dibujo de mármol
como una dura estatua ensangrentada por la tormenta?

¿Quién soy yo que no escucho mi voz entre los truenos,
ni mi brazo de hueso con signo de relámpago,
ni la lluvia sangrienta que tiñe la hierba que ha nacido
entre mis pies mordidos por un río de dientes?

¿Quién soy, quién eres, quién te sabe?
¿A quién amo, oh tú, hermosura mortal,
amante reluciente, pecho radiante;
a quién, a quién amo, a qué sombra, a qué carne,
a qué podridos huesos que como flores me embriagan?

GUITARRA O LUNA

Guitarra como luna.
¿Es la luna o su sangre?
Es un mínimo corazón que ha escapado
y que sobre los bosques va dejando su azul música insomne.

Una voz o su sangre,
una pasión o su horror,
una pez o luna seca
que colea en la noche salpicando los valles.

Mano profunda o ira amenazada.
¿La luna es roja o amarilla?
No, no es un ojo inyectado en la furia
de presenciar los límites de la tierra pequeña.

Mano que por los cielos busca la misma vida,
busca los pulsos de un cielo desangrándose,
busca en las entrañas entre los viejos planetas
que extrañan la guitarra que se alumbra en la noche.

Pena, pena de un pecho que nadie define,
cuando las fieras sienten sus pelos erizados,
cuando se sienten empapadas en la luz fría
que les busca la piel como una mano quimérica.

EL AMOR IRACUNDO

¡Te amé, te amé!
Tenías ojos claros.
¿Por qué te amé?
Tenías grandes ojos.
Te amé como se ama a la luz furiosa del mediodía vibrante,
un estío que duele como un látigo rojo.

Te amé por tu cabello estéril,
por tus manos de piedra,
por tu cuerpo de hierba peinada por el viento,
por tu huella de lágrima sobre un barro reciente.

Te amé como a la sombra,
como a la luz, como a los golpes que dan las puertas movidas
    por el trueno.
Como al duro relámpago que entre las manos duda
y alcanza nuestro pecho como un rudo destino.

Te amé, te amé, hermosísima, como a la inaccesible montaña
que alza su masa cruda contra un cielo perdido.
Allá no llegan pájaros, ni las nubes alcanzan
su muda cumbre fría que un volcán ha ignorado.

Te amé quizá más que nada como se ama al mar,
como a una playa toda viva ofrecida,
como a todas las arenas que palpitantemente
se alzan arrebatadas por un huracán sediento.

Te amé como al lecho calcáreo que deja el mar al huir,
como al profundo abismo donde se pudren los peces,
roca pelada donde sueña la muerte
un velo aliviador como un verde marino.

La luz eras tú; la ira, la sangre, la crueldad, la mentira
    eras tú.
Tú, la vida que cruje entre los huesos,
las flores que envían a puñados su aroma.
Las aves que penetran por los ojos y ciegan
al hombre que, desnudo sobre la tierra, mira.

Tú, la manada de gacelas, su sombra.
Tú el río meditabundo o su nombre y espuma.
Tú el león rugidor y su melena estéril,
su piafante garra que una carne ha adorado.

¡Te amo; te amé, te amé!
Te he amado.
Te amaré como el cuerpo que sin piel se desangra,
como la pura y última desollación de la carne
que alimenta los ríos que una ira enrojece.

NADIE

Pero yo sé que pueden confundirse
un pecho y una música, un corazón o un árbol en invierno.
Sé que el dulce ruido de la tierra crujiente,
el inoíble aullido de la noche,
lame los pies como la lengua seca
y dibuja un pesar sobre la piel dichosa.

¿Quién marcha? ¿Quién camina?

Atravesando ríos como panteras dormidas en la sombra:
atravesando follajes, hojas, céspedes vestidos,
divisando barcas perezosas o besos,
o limos o crujientes estrellas;
divisando peces estupefactos entre dos brillos últimos,
calamidades con forma de tristeza sellada,
labios mudos, extremos, veleidades de la sangre,
corazones marchitos como mujeres sucias,
como laberintos donde nadie encuentra su postrer ilusión,
su soledad sin aire,
su volada palabra;

atravesando los bosques, las ciudades, las penas,
la desesperación de tropezar siempre en el mar,
de beber de esa lágrima, de esa tremenda lágrima
en que un pie se humedece, pero que nunca acaricia:

rompiendo con la frente los ramajes nervudos,
la prohibición de seguir en nombre de la ley,
los torrentes de risa, de dientes o de ramos de cieno,
de palabras machacadas por unas muelas rotas;

limando con el cuerpo el límite del aire,
sintiendo sobre la carne las ramas tropicales,
los abrazos, las yedras, los millones de labios,
esas ventosas últimas que hace el mundo besando,

un hombre brilla o rueda, un hombre yace o se yergue,
un hombre siente su pesada cabeza como azul enturbiado,
sus lágrimas ausentes como fuego rutilante,
y contempla los cielos como su mismo rostro,
como su sola altura que una palabra rechaza:
Nadie.

LOS CIELOS

En medio de los mares y en las altas esferas,
bajo los cauces hondos de la mar poderosa,
buscad la vida acaso como brillo inestable,
oscuridad profunda para un único pecho.

Acaso late el mundo bajo las aguas duras,
acaso hay sangre, acaso un débil corazón no las mueve.
Ellas pesan altísimas sobre un pecho con vida
que sueña azules cielos desfallecidamente.

Robusto el mar se eleva sin alas por amarte,
oh cielo gradual donde nadie ha vivido.
Robusto el mar despide sus espumas nerviosas
y proyecta sus claros, sus vibrantes luceros.
Robusto, enajenado, como un titán sostiene
todo un cielo o un pecho de un amor en los brazos.

Pero no. Claramente, altísimos, los cielos
no se mueven, no penden, no pesan, no gravitan.
Luminosos, sin tasa, como una mar no baten;
pero nunca sonríen ni resbalan. No vuelan.

Cielos para los ojos son alas con sus márgenes.
Son besos con sus labios, o pozos beso a beso.
Son masa para manos que repasan la vida,
dura como horizontes que palpitan con sangre.

Son ese triste oído donde remotamente
gime el mundo encerrado en aire, en puro aire.
Pero los dulces vidrios que otros labios repasan,
dan su frío de vida, de muerte entre los soles.

Lo sé. Para los fuegos inhumanos, cristales
encierran sólo músculos, corazones sin nadie.
Son soles o son lunas. Su nombre nada importa.
Son luz o nieve o muerte para los yertos hombres.

SOMBRA DEL PARAÍSO

[1939-1943]

EL POETA

Para ti, que conoces cómo la piedra canta,
y cuya delicada pupila sabe ya del peso de una montaña sobre
    un ojo dulce,
y cómo el resonante clamor de los bosques se aduerme suave
    un día en nuestras venas;

   para ti, poeta, que sentiste en tu aliento
la embestida brutal de las aves celestes,
y en cuyas palabras tan pronto vuelan las poderosas alas de
    las águilas
como se ve brillar el lomo de los calientes peces sin sonido:

   oye este libro que a tus manos envío
con ademán de selva,
pero donde de repente una gota fresquísima de rocío brilla so-
    bre una rosa,
o se ve batir el deseo del mundo,
la tristeza que como párpado doloroso
cierra el poniente y oculta el sol como una lágrima oscurecida,
mientras la inmensa frente fatigada
siente un beso sin luz, un beso largo,
unas palabras mudas que habla el mundo finando.

   Sí, poeta: el amor y el dolor son tu reino.
Carne mortal la tuya, que, arrebatada por el espíritu,
arde en la noche o se eleva en el mediodía poderoso,
inmensa lengua profética que lamiendo los cielos
ilumina palabras que dan muerte a los hombres.

   La juventud de tu corazón no es una playa
donde la mar embiste con sus espumas rotas,
dientes de amor que mordiendo los bordes de la tierra,
braman dulce a los seres.

171

No es ese rayo velador que súbitamente te amenaza,
iluminando un instante tu frente desnuda,
para hundirse en tus ojos e incendiarte, abrasando
los espacios con tu vida que de amor se consume.

No. Esa luz que en el mundo
no es ceniza última,
luz que nunca se abate como polvo en los labios,
eres tú, poeta, cuya mano y no luna
yo vi en los cielos una noche brillando.

Un pecho robusto que reposa atravesado por el mar
respira como la inmensa marea celeste
y abre sus brazos yacentes y toca, acaricia
los extremos límites de la tierra.

¿Entonces?
Sí, poeta: arroja este libro que pretende encerrar en sus pági-
    nas un destello del sol,
y mira a la luz cara a cara, apoyada la cabeza en la roca,
mientras tus pies remotísimos sienten el beso postrero del po-
    niente
y tus manos alzadas tocan dulce la luna,
y tu cabellera colgante deja estela en los astros.

CRIATURAS EN LA AURORA

VOSOTROS conocisteis la generosa luz de la inocencia.

Entre las flores silvestres recogisteis cada mañana
el último, el pálido eco de la postrer estrella.
Bebisteis ese cristalino fulgor,
que con una mano purísima
dice adiós a los hombres detrás de la fantástica presencia mon-
    tañosa.
Bajo el azul naciente,

entre las luces nuevas, entre los puros céfiros primeros,
que vencían a fuerza de candor a la noche,
amanecisteis cada día, porque cada día la túnica casi húmeda
se desgarraba virginalmente para amaros,
desnuda, pura, inviolada.

Aparecisteis entre la suavidad de las laderas,
donde la hierba apacible ha recibido eternamente el beso ins-
    tantáneo de la luna.
Ojo dulce, mirada repentina para un mundo estremecido
que se tiende inefable más allá de su misma apariencia.

La música de los ríos, la quietud de las alas,
esas plumas que todavía con el recuerdo del día se plegaron
para el amor, como para el sueño,
entonaban su quietísimo éxtasis
bajo el mágico soplo de la luz,
luna ferviente que aparecida en el cielo
parece ignorar su efímero destino transparente.

La melancólica inclinación de los montes
no significaba el arrepentimiento terreno
ante la inevitable mutación de las horas:
era más bien la tersura, la mórbida superficie del mundo
que ofrecía su curva como un seno hechizado.

Allí vivisteis. Allí cada día presenciasteis la tierra,
la luz, el calor, el sondear lentísimo
de los rayos celestes que adivinaban las formas,
que palpaban tiernamente las laderas, los valles,
los ríos con su ya casi brillante espada solar,
acero vívido que guarda aún, sin lágrima, la amarillez tan
    íntima,
la plateada faz de la luna retenida en sus ondas.

Allí nacían cada mañana los pájaros,
sorprendentes, novísimos, vividores, celestes.
Las lenguas de la inocencia

no decían palabras:
entre las ramas de los altos álamos blancos
sonaban casi también vegetales, como el soplo en las frondas.
¡Pájaros de la dicha inicial, que se abrían
estrenando sus alas, sin perder la gota virginal del rocío!

Las flores salpicadas, las apenas brillantes florecillas del
      soto,
eran blandas, sin grito, a vuestras plantas desnudas.
Yo os vi, os presentí cuando el perfume invisible
besaba vuestros pies, insensibles al beso.

¡No crueles: dichosos! En las cabezas desnudas
brillaban acaso las hojas iluminadas del alba.
Vuestra frente se hería, ella misma, contra los rayos dorados,
      recientes, de la vida,
del sol, del amor, del silencio bellísimo.

No había lluvia, pero unos dulces brazos
parecían presidir a los aires,
y vuestros cuellos sentían su hechicera presencia,
mientras decíais palabras a las que el sol naciente daba magia
      de plumas.

No, no es ahora cuando la noche va cayendo,
también con la misma dulzura, pero con un levísimo vapor de
      ceniza,
cuando yo correré tras vuestras sombras amadas.
Lejos están las inmarchitas horas matinales,
imagen feliz de la aurora impaciente,
tierno nacimiento de la dicha en los labios,
en los seres vivísimos que yo amé en vuestras márgenes.

El placer no tomaba el temeroso nombre de placer,
ni el turbio espesor de los bosques hendidos,
sino la embriagadora nitidez de las cañadas abiertas
donde la luz se desliza con sencillez de pájaro.

Por eso os amo, inocentes, amorosos seres mortales
de un mundo virginal que diariamente se repetía
cuando la vida sonaba en las gargantas felices
de las aves, los ríos, los aires y los hombres.

DESTINO TRÁGICO

CONFUNDES ese mar silencioso que adoro
con la espuma instantánea del viento entre los árboles.

Pero el mar es distinto.
No es viento, no es su imagen.
No es el resplandor de un beso pasajero,
ni es siquiera el gemido de unas alas brillantes.

No confundáis sus plumas, sus alisadas plumas,
con el torso de una paloma.
No penséis en el pujante acero del águila.
Por el cielo las garras poderosas detienen el sol.
Las águilas oprimen a la noche que nace,
la estrujan—todo un río de último resplandor va a los mares—
y la arrojan remota, despedida, apagada,
allí donde el sol de mañana duerme niño sin vida.

Pero el mar, no. No es piedra,
esa esmeralda que todos amasteis en las tardes sedientas.
No es piedra rutilante toda labios tendiéndose,
aunque el calor tropical haga a la playa latir,
sintiendo el rumoroso corazón que la invade.

Muchas veces pensasteis en el bosque.
Duros mástiles altos,
árboles infinitos
bajo las ondas adivinasteis poblados de unos pájaros de espu-
    mosa blancura.
Visteis los vientos verdes

inspirados moverlos
y escuchasteis los trinos de unas gargantas dulces:
ruiseñor de los mares, noche tenue sin luna,
fulgor bajo las ondas donde pechos heridos
cantan tibios en ramos de coral con perfume.

Ah, sí, yo sé lo que adorasteis.
Vosotros pensativos en la orilla,
con vuestra mejilla en la mano aún mojada,
mirasteis esas ondas, mientras acaso pensabais en un cuerpo:
un solo cuerpo dulce de un animal tranquilo.
Tendisteis vuestra mano y aplicasteis su calor
a la tibia tersura de una piel aplacada.
¡Oh suave tigre a vuestros pies dormido!

Sus dientes blancos visibles en las fauces doradas,
brillaban ahora en paz. Sus ojos amarillos,
minúsculas guijas casi de nácar al poniente,
cerrados, eran todo silencio ya marino.
Y el cuerpo derramado, veteado sabiamente de una onda po-
      derosa,
era bulto entregado, caliente, dulce solo.

Pero de pronto os levantasteis.
Habíais sentido las alas oscuras,
envío mágico del fondo que llama a los corazones.
Mirasteis fijamente el empezado rumor de los abismos.
¿Qué formas contemplasteis? ¿Qué signos, inviolados,
qué precisas palabras que la espuma decía,
dulce saliva de unos labios secretos
que se entreabren, invocan, someten, arrebatan?
El mensaje decía...

Yo os vi agitar los brazos. Un viento huracanado
movió vuestros vestidos iluminados por el poniente trágico.
Vi vuestra cabellera alzarse traspasada de luces,
y desde lo alto de una roca instantánea
presencié vuestro cuerpo hendir los aires

y caer espumante en los senos del agua;
vi dos brazos largos surtir de la negra presencia
y vi vuestra blancura, oí el último grito,
cubierto rápidamente por los trinos alegres de los ruiseñores
    del fondo.

SIERPE DE AMOR

PERO ¿a quién amas, dime?
Tendida en la espesura,
entre los pájaros silvestres, entre las frondas vivas,
rameado tu cuerpo de luces deslumbrantes,
dime a quién amas, indiferente, hermosa,
bañada en vientos amarillos del día.

Si a tu lado deslizo
mi oscura sombra larga que te desea:
si sobre las hojas en que reposas yo me arrastro, crujiendo
levemente tentador y te espío,
no amenazan tu oído mis sibilantes voces,
porque perdí el hechizo que mis besos tuvieran.

El lóbulo rosado donde con diente pérfido
mi marfil incrustara tropical en tu siesta,
no mataría nunca, aunque diera mi vida
al morder dulcemente solo un sueño de carne.

Unas palabras blandas de amor, no mi saliva,
no mi verde veneno de la selva, en tu oído
vertería, desnuda imagen, diosa que regalas tu cuerpo
a la luz, a la gloria fulgurante del bosque.

Entre tus pechos vivos levemente mi forma
deslizaría su beso sin fin, como una lengua,
cuerpo mío infinito de amor que día a día
mi vida entera en tu piel consumara.

Erguido levemente sobre tu seno mismo,
mecido, ebrio en la música secreta de tu aliento,
yo miraría tu boca luciente en la espesura,
tu mejilla solar que vida ofrece
y el secreto tan leve de tu pupila oculta
en la luz, en la sombra, en tu párpado intacto.

Yo no sé qué amenaza de lumbre hay en la frente,
cruje en tu cabellera rompiente de resoles,
y vibra y aun restalla en los aires, como un eco
de ti toda hermosísima, halo de luz que mata.

Si pico aquí, si hiendo mi deseo, si en tus labios
penetro, una gota caliente
brotará en su tersura, y mi sangre agolpada en mi boca,
querrá beber, brillar de rubí duro,
bañada en ti, sangre hermosísima, sangre de flor turgente.
fuego que me consume centelleante y me aplaca
la dura sed de tus brillos gloriosos.

Boca con boca dudo si la vida es el aire
o es la sangre. Boca con boca muero,
respirando tu llama que me destruye.
Boca con boca siento que hecho luz me deshago,
hecho lumbre que en el aire fulgura.

EL RÍO

Tú eres, ligero río,
el que miro de lejos, en ese continente que rompió con la
    tierra.
Desde esta inmensa llanura donde el cielo aboveda
a la frente y cerrado brilla puro, sin amor, yo diviso
aquel cielo ligero, viajador, que bogaba
sobre ti, río tranquilo que arrojabas hermosas
a las nubes en el mar, desde un seno encendido.

Desde esta lisa tierra esteparia veo la curva
de los dulces naranjos. Allí libre la palma,
el albérchigo, allí la vid madura,
allí el limonero que sorbe al sol su jugo agraz en la mañana
    virgen;
allí el árbol celoso que al humano rehúsa su flor, carne sólo,
magnolio dulce, que te delatas siempre por el sentido que de
    ti se enajena.

Allí el río corría, no azul, no verde o rosa, no amarillo,
    río ebrio,
río que matinal atravesaste mi ciudad inocente,
ciñéndola con una guirnalda temprana, para acabar desci-
    ñéndola,
dejándola desnuda y tan confusa al borde de la verde mon-
    taña,
donde siempre virginal ahora fulge, inmarchita en el eterno
    día.

Tú, río hermoso que luego, más liviano que nunca, entre
    bosques felices
corrías hacia valles no pisados por la planta del hombre.
Río que nunca fuiste suma de tristes lágrimas,
sino acaso rocío milagroso que una mano reúne.
Yo te veo gozoso todavía allá en la tierra que nunca fue del
    todo separada de estos límites en que habito.

Mira a los hombres, perseguidos no por tus aves,
no por el cántico de que el humano olvidóse por siempre.
Escuchándoos estoy, pájaros imperiosos,
que exigís al desnudo una planta ligera,
desde vuestras reales ramas estremecidas,
mientras el sol melodioso templa dulce las ondas
como rubias espaldas, de ese río extasiado.

Ligeros árboles, maravillosos céspedes silenciosos,
blandos lechos tremendos en el país sin noche,
crepusculares velos que dulcemente afligidos
desde el poniente envían un adiós sin tristeza.

Oyendo estoy a la espuma como garganta quejarse.
Volved, sonad, guijas que al agua en lira convertís.
Cantad eternamente sin nunca hallar el mar.
Y oigan los hombres con menguada tristeza
el son divino. ¡Oh río que como luz hoy veo,
que como brazo hoy veo de amor que a mí me llama!

NACIMIENTO DEL AMOR

¿CóMO nació el amor? Fue ya en otoño.
Maduro el mundo,
no te aguardaba ya. Llegaste alegre,
ligeramente rubia, resbalando en lo blando
del tiempo. Y te miré. ¡Qué hermosa
me pareciste aún, sonriente, vívida,
frente a la luna aún niña, prematura en la tarde,
sin luz, graciosa en aires dorados; como tú,
que llegabas sobre el azul, sin beso,
pero con dientes claros, con impaciente amor!

Te miré. La tristeza
se encogía a lo lejos, llena de paños largos,
como un poniente graso que sus ondas retira.
Casi una lluvia fina—¡el cielo, azul!—mojaba
tu frente nueva. ¡Amante, amante era el destino
de la luz! Tan dorada te miré que los soles
apenas se atrevían a insistir, a encenderse
por ti, de ti, a darte siempre
su pasión luminosa, ronda tierna
de soles que giraban en torno a ti, astro dulce,
en torno a un cuerpo casi transparente, gozoso,
que empapa luces húmedas, finales, de la tarde
y vierte, todavía matinal, sus auroras.

Eras tú, amor, destino, final amor luciente,
nacimiento penúltimo hacia la muerte acaso.

Pero no. Tú asomaste. ¿Eras ave, eras cuerpo,
alma sólo? Ah, tu carne traslúcida
besaba como dos alas tibias,
como el aire que mueve un pecho respirando,
y sentí tus palabras, tu perfume,
y en el alma profunda, clarividente
diste fondo. Calado de ti hasta el tuétano de la luz,
sentí tristeza, tristeza del amor: amor es triste.
En mi alma nacía el día. Brillando
estaba de ti; tu alma en mí estaba.
Sentí dentro, en mi boca, el sabor a la aurora.
Mis ojos dieron su dorada verdad. Sentí a los pájaros
en mi frente piar, ensordeciendo
mi corazón. Miré por dentro
los ramos, las cañadas luminosas, las alas variantes,
y un vuelo de plumajes de color, de encendidos
presentes me embriagó, mientras todo mi ser a un mediodía,
raudo, loco, creciente se incendiaba
y mi sangre ruidosa se despeñaba en gozos
de amor, de luz, de plenitud, de espuma.

ARCÁNGEL DE LAS TINIEBLAS

Me miras con tus ojos azules,
nacido del abismo.
Me miras bajo tu crespa cabellera nocturna,
helado cielo fulgurante que adoro.
Bajo tu frente nívea
dos arcos duros amenazan mi vida.
No me fulmines, cede, oh, cede amante y canta.
Naciste de un abismo entreabierto
en el nocturno insomnio de mi pavor solitario.
Humo abisal cuajante te formó, te precisó hermosísimo.
Adelantaste tu planta, todavía brillante de la roca pelada,
y subterráneamente me convocaste al mundo,
al infierno celeste, oh arcángel de la tiniebla.

Tu cuerpo resonaba remotamente, allí en el horizonte,
humoso mar espeso de deslumbrantes bordes,
labios de muerte bajo nocturnas aves
que graznaban deseo con pegajosas plumas.

Tu frente altiva rozaba estrellas
que afligidamente se apagaban sin vida,
y en la altura metálica, lisa, dura, tus ojos
eran las luminarias de un cielo condenado.

Respirabas sin viento, pero en mi pecho daba
aletazos sombríos un latido conjunto.
Oh, no, no me toquéis, brisas frías,
labios larguísimos, membranosos avances
de un amor, de una sombra, de una muerte besada.

A la mañana siguiente algo amanecía
apenas entrevisto tras el monte azul, leve,
quizá ilusión, aurora, ¡oh matinal deseo!,
quizá destino cándido bajo la luz del día.

Pero la noche al cabo cayó pesadamente.
Oh labios turbios, oh carbunclo encendido,
oh torso que te erguiste, tachonado de fuego,
duro cuerpo de lumbre tenebrosa, pujante,
que incrustaste tu testa en los cielos helados.

Por eso yo te miro. Porque la noche reina.
Desnudo ángel de luz muerta, dueño mío.
Por eso miro tu frente, donde dos arcos impasibles
gobiernan mi vida sobre un mundo apagado.

PODERÍO DE LA NOCHE

El sol cansado de vibrar en los cielos
resbala lentamente en los bordes de la tierra,
mientras su gran ala fugitiva
se arrastra todavía con el delirio de la luz,
iluminando la vacía prematura tristeza.

Labios volantes, aves que suplican al día
su perduración frente a la vasta noche amenazante,
surcan un cielo que pálidamente se irisa
borrándose ligero hacia lo oscuro.

Un mar, pareja de aquella larguísima ala de la luz,
bate su color azulado
abiertamente, cálidamente aún,
con todas sus vivas plumas extendidas.

¿Qué coyuntura, qué vena, qué plumón estirado
como un pecho tendido a la postrera caricia del sol
alza sus espumas besadas,
su amontonado corazón espumoso,
sus ondas levantadas
que invadirán la tierra en una última búsqueda de la luz
     escapándose?

Yo sé cuán vasta soledad en las playas,
qué vacía presencia de un cielo aún no estrellado,
vela cóncavamente sobre el titánico esfuerzo,
sobre la estéril lucha de la espuma y la sombra.

El lejano horizonte, tan infinitamente solo
como un hombre en la muerte,
envía su vacío, resonancia de un cielo
donde la luna anuncia su nada ensordecida.

Un claror lívido invade un mundo donde nadie
alza su voz gimiente,

donde los peces huidos a los profundos senos misteriosos
apagan sus ojos lucientes de fósforo,
y donde los verdes aplacados,
los silenciosos azules
suprimen sus espumas enlutadas de noche.

¿Qué inmenso pájaro nocturno,
qué silenciosa pluma total y neutra
enciende fantasmas de luceros en su piel sibilina,
piel única sobre la cabeza de un hombre
que en una roca duerme su estrellado transcurso?

El rumor de la vida
sobre el gran mar oculto
no es el viento, aplacado,
no es el rumor de una brisa ligera que en otros días felices
rizara los luceros,
acariciando las pestañas amables,
los dulces besos que mis labios os dieran,
oh estrellas en la noche,
estrellas fijas enlazadas
por mis vivos deseos.

Entonces la juventud, la ilusión, el amor encantado
rizaban un cabello gentil que el azul confundía
diariamente con el resplandor estrellado del sol sobre la arena.
Emergido de la espuma con la candidez de la Creación re-
        ciente,
mi planta imprimía su huella en las playas
con la misma rapidez de las barcas,
ligeros envíos de un mar benévolo bajo el gran brazo del aire,
continuamente aplacado por una mano dichosa acariciando sus
        espumas, vivientes.

Pero lejos están los remotos días
en que el amor se confundía con la pujanza de la naturaleza
        radiante
y en que un mediodía feliz y poderoso
henchía un pecho con un mundo a sus plantas

Esta noche, cóncava y desligada,
no existe más que como existen las horas,
como el tiempo, que pliega
lentamente sus silenciosas capas de ceniza,
borrando la dicha de los ojos, los pechos y las manos,
y hasta aquel silencioso calor
que dejara en los labios el rumor de los besos.

Por eso yo no veo, como no mira nadie,
esa presente bóveda nocturna,
vacío reparador de la muerte no esquiva,
inmensa, invasora realidad intangible
que ha deslizado cautelosa
su hermético oleaje de plomo ajustadísimo.

Otro mar muerto, bello,
abajo acaba de asfixiarse. Unos labios
inmensos cesaron de latir, y en sus bordes
aún se ve deshacerse un aliento, una espuma.

LA VERDAD

¿Qué sonríe en la sombra sin muros que ensordece
mi corazón? ¿Qué soledad levanta
sus torturados brazos sin luna y grita herida
a la noche? ¿Quién canta sordamente en las ramas?

Pájaros no: memoria de pájaros. Sois eco,
sólo eco, pluma vil, turbia escoria, muerta materia **sorda**
aquí en mis manos. Besar una ceniza
no es besar el amor. Morder una seca rama
no es poner estos labios brillantes sobre un seno
cuya turgencia tibia dé lumbre a estos marfiles
rutilantes. ¡El sol, el sol deslumbra!

Separar un vestido crujiente, resto inútil
de una ciudad. Poner desnudo
el manantial, el cuerpo luminoso, fluyente,
donde sentir la vida ferviente entre los ramos
tropicales, quemantes, que un ecuador empuja.

Bebed, bebed la rota pasión de un mediodía
que en el cenit revienta sus luces y os abrasa
volcadamente entero, y os funde. ¡Muerte hermosa vital,
ascua del día! ¡Selva virgen que en llamas te destruyes!

EL CUERPO Y EL ALMA

PERO es más triste todavía, mucho más triste.
Triste como la rama que deja caer su fruto para nadie.
Más triste, más. Como ese vaho
que de la tierra exhala después la pulpa muerta.
Como esa mano que del cuerpo tendido
se eleva y quiere solamente acariciar las luces,
la sonrisa doliente, la noche aterciopelada y muda.
Luz de la noche sobre el cuerpo tendido sin alma.
Alma fuera, alma fuera del cuerpo, planeando
tan delicadamente sobre la triste forma abandonada.
Alma de niebla dulce, suspendida
sobre su ayer amante, cuerpo inerme
que pálido se enfría con las nocturnas horas
y queda quieto, solo, dulcemente vacío.

Alma de amor que vela y se separa
vacilando, y al fin se aleja tiernamente fría.

LA ROSA

Yo sé que aquí en mi mano
te tengo, rosa fría.
Desnudo el rayo débil
del sol te alcanza. Hueles,
emanas. ¿Desde dónde,
trasunto helado que hoy
me mientes? ¿Desde un reino
secreto de hermosura,
donde tu aroma esparces
para invadir un cielo
total en que dichosos
tus solos aires, fuegos,
perfumes se respiran?
¡Ah, sólo allí celestes
criaturas tú embriagas!

Pero aquí, rosa fría,
secreta estás, inmóvil;
menuda rosa pálida
que en esta mano finges
tu imagen en la tierra.

LAS MANOS

Mira tu mano, que despacio se mueve,
transparente, tangible, atravesada por la luz,
hermosa, viva, casi humana en la noche.
Con reflejo de luna, con dolor de mejilla, con vaguedad de
     sueño
mírala así crecer, mientras alzas el brazo,
búsqueda inútil de una noche perdida,
ala de luz que cruzando en silencio
toca carnal esa bóveda oscura.

No fosforece tu pesar, no ha atrapado
ese caliente palpitar de otro vuelo.
Mano volante perseguida: pareja.
Dulces, oscuras, apagadas, cruzáis.

Sois las amantes vocaciones, los signos
que en la tiniebla sin sonido se apelan.
Cielo extinguido de luceros que, tibio,
campo a los vuelos silenciosos te brindas.

Manos de amantes que murieron, recientes,
manos con vida que volantes se buscan
y cuando chocan y se estrechan encienden
sobre los hombres una luna instantánea.

PRIMAVERA EN LA TIERRA

Vosotros fuisteis,
espíritus de un alto cielo,
poderes benévolos que presidisteis mi vida,
iluminando mi frente en los feraces días de la alegría juvenil.

Amé, amé la dichosa Primavera
bajo el signo divino de vuestras alas levísimas,
oh poderosos, oh extensos dueños de la tierra.
Desde un alto cielo de gloria,
espíritus celestes, vivificadores del hombre,
iluminasteis mi frente con los rayos vitales de un sol que lle-
    naba la tierra de sus totales cánticos.

Todo el mundo creado
resonaba con la amarilla gloria
de la luz cambiante.
Pájaros de colores,
con azules y rojas y verdes y amatistas,
coloreadas alas con plumas como el beso,

saturaban la bóveda palpitante de dicha,
batiente como seno, como plumaje o seno,
como la piel turgente que los besos tiñeran.

Los árboles saturados colgaban
densamente cargados de una savia encendida.

Flores pujantes, hálito repentino de una tierra gozosa,
abrían su misterio, su boca suspirante,
labios rojos que el sol dulcemente quemaba.

Todo abría su cáliz bajo la luz caliente.

Las grandes rocas, casi de piedra o carne,
se amontonaban sobre dulces montañas,
que reposaban cálidas como cuerpos cansados
de gozar una hermosa sensualidad luciente.
Las aguas vivas, espumas del amor en los cuerpos,
huían, se atrevían, se rozaban, cantaban.
Risas frescas los bosques enviaban, ya mágicos;
atravesados sólo de un atrevido viento.

Pero vosotros, dueños fáciles de la vida,
presidisteis mi juventud primera.
Un muchacho desnudo, cubierto de vegetal alegría,
huía por las arenas vívidas del amor
hacia el gran mar extenso,
hacia la vasta inmensidad derramada
que melodiosamente pide un amor consumado.

La gran playa marina,
no abanico, no rosa, no vara de nardo,
pero concha de un nácar irisado de ardores,
se extendía vibrante, resonando, cantando,
poblada de unos pájaros de virginal blancura.

Un rosa cándido por las nubes remotas
evocaba mejillas recientes donde un beso

ha teñido purezas de magnolia mojada,
ojos húmedos, frente salina y alba
y un rubio pelo que en el ocaso ondea.

Pero el mar irisaba. Sus verdes cambiantes,
sus azules lucientes, su resonante gloria
clamaba erguidamente hasta los puros cielos,
emergiendo entre espumas su vasta voz amante.

En ese mar alzado, gemidor, que dolía
como una piedra toda de luz que a mí me amase,
mojé mis pies, herí con mi cuerpo sus ondas,
y dominé insinuando mi bulto afiladísimo,
como un delfín que goza las espumas tendidas.

Gocé, sufrí, encendí los agoniosos mares,
los abrasados mares,
y sentí la pujanza de la vida cantando,
ensalzado en el ápice del placer a los cielos.

Siempre fuisteis, oh dueños poderosos,
los dispensadores de todas las gracias,
tutelares hados eternos que presidisteis la fiesta de la vida
que yo viví como criatura entre todas.

Los árboles, las espumas, las flores, los abismos,
como las rocas y aves y las aguas fugaces,
todo supo de vuestra presencia invisible
en el mundo que yo viví en los alegres días juveniles.

Hoy que la nieve también existe bajo vuestra presencia,
miro los cielos de plomo pesaroso
y diviso los hierros de las torres que elevaron los hombres
como espectros de todos los deseos efímeros.

Y miro las vagas telas que los hombres ofrecen,
máscaras que no lloran sobre las ciudades cansadas,
mientras siento lejana la música de los sueños
en que escapan las flautas de la Primavera apagándose.

CASI ME AMABAS

Alma celeste para amar nacida.
ESPRONCEDA

CASI me amabas.
Sonreías, con tu gran pelo rubio donde la luz resbala hermo-
samente.
Ante tus manos el resplandor del día se aplacaba continuo,
dando distancia a tu cuerpo perfecto.
La transparencia alegre de la luz no ofendía,
pero doraba dulce tu claridad indemne.
Casi..., casi me amabas.

Yo llegaba de allí, de más allá, de esa oscura conciencia
de tierra, de un verdear sombrío de selvas fatigadas,
donde el viento caducó para las rojas músicas;
donde las flores no se abrían cada mañana celestemente
ni donde el vuelo de las aves hallaba al amanecer virgen el
día.

Un fondo marino te rodeaba.
Una concha de nácar intacta bajo tu pie, te ofrece
a ti como la última gota de una espuma marina.
Casi..., casi me amabas.

¿Por qué viraste los ojos, virgen de las entrañas del mundo
que esta tarde de primavera
pones frialdad de luna sobre la luz del día
y como un disco de castidad sin noche,
huyes rosada por un azul virgíneo?

Tu escorzo dulce de pensativa rosa sin destino
mira hacia el mar. ¿Por qué, por qué ensordeces
y ondeante al viento tu cabellera, intentas
mentir los rayos de tu lunar belleza?

¡Si tú me amabas como la luz!... No escapes,
mate, insensible, crepuscular, sellada.
Casi, casi me amaste. Sobre las ondas puras
del mar sentí tu cuerpo como estelar espuma,
caliente, vivo, propagador. El beso
no, no, no fue de luz: palabras
nobles sonaron: me prometiste el mundo
recóndito, besé tu aliento, mientras la crespa ola
quebró en mis labios, y como playa tuve
todo el calor de tu hermosura en brazos.

Sí, sí, me amaste sobre los brillos, fija,
final, extática. El mar inmóvil
detuvo entonces su permanente aliento,
y vi en los cielos resplandecer la luna,
feliz, besada, y revelarme el mundo.

LUNA DEL PARAÍSO

Símbolo de la luz tú fuiste,
oh luna, en las nocturnas horas coronadas.
Tu pálido destello,
con el mismo fulgor que una muda inocencia,
aparecía cada noche presidiendo mi dicha,
callando tiernamente sobre mis frescas horas.

Un azul grave, pleno, serenísimo,
te ofrecía su seno generoso
para tu alegre luz, oh luna joven,
y tú tranquila, esbelta, resbalabas
con un apenas insinuado ademán de silencio.

¡Plenitud de tu estancia en los cielos completos!
No partida por la tristeza,
sino suavemente rotunda, liminar, perfectísima,
yo te sentía en breve como dos labios dulces

y sobre mi frente oreada de los vientos clementes
sentía tu llamamiento juvenil, tu posada ternura.

No era dura la tierra. Mis pasos resbalaban
como mudas palabras sobre un césped amoroso.
Y en la noche estelar, por los aires, tus ondas
volaban, convocaban, musitaban, querían.

¡Cuánto te amé en las sombras! Cuando aparecías en el
    monte,
en aquel monte tibio, carnal bajo tu celo,
tu ojo lleno de sapiencia velaba
sobre mi ingenua sangre tendida en las laderas.
Y cuando de mi aliento ascendía el más gozoso cántico
hasta mí el río encendido me acercaba tus gracias.

Entre las frondas de los pinos oscuros
mudamente vertías tu tibieza invisible,
y el ruiseñor silencioso sentía su garganta desatarse de amor
si en sus plumas un beso de tus labios dejabas.

Tendido sobre el césped vibrante,
¡cuántas noches cerré mis ojos bajo tus dedos blandos,
mientras en mis oídos el mágico pájaro nocturno
se derretía en el más dulce frenesí musical!

Toda tu luz velaba sobre aquella cálida bola de pluma
que te cantaba a ti, luna bellísima,
enterneciendo a la noche con su ardiente entusiasmo,
mientras tú siempre dulce, siempre viva, enviabas
pálidamente tus luces sin sonido.

En otras noches, cuando el amor presidía mi dicha,
un bulto claro de una muchacha apacible,
desnudo sobre el césped era hermoso paisaje.
Y sobre su carne celeste, sobre su fulgor rameado
besé tu luz, blanca luna ciñéndola.

   Mis labios en su garganta bebían tu brillo, agua pura, luz
      pura;
en su cintura estreché tu espuma fugitiva,
y en sus senos sentí tu nacimiento tras el monte incendiado,
pulidamente bella sobre su piel erguida.

   Besé sobre su cuerpo tu rubor, y en los labios,
roja luna, naciste, redonda, iluminada,
luna estrellada, por mi beso, luna húmeda
que una secreta luz interior me cediste.

   Yo no tuve palabras para el amor. Los cabellos
acogieron mi boca como los rayos tuyos.
En ellos yo me hundí, yo me hundí preguntando
si eras tú ya mi amor, si me oías besándote.

   Cerré los ojos una vez más y tu luz límpida,
tu luz inmaculada me penetró nocturna.
Besando el puro rostro, yo te oí ardientes voces,
dulces palabras que tus rayos cedían,
y sentí que mi sangre, en tu luz convertida,
recorría mis venas destellando en la noche.

   Noches tuyas, luna total: ¡oh luna, luna entera!
Yo te amé en los felices días coronados.
Y tú, secreta luna, luna mía,
fuiste presente en la tierra, en mis brazos humanos.

COMO SERPIENTE

MIRÉ tus ojos sombríos bajo el cielo apagado.
Tu frente mate con palidez de escama.
Tu boca, donde un borde morado me estremece.
Tu corazón inmóvil como una piedra oscura.

Te estreché la cintura, fría culebra gruesa que en mis dedos
    resbala.
Contra mi pecho cálido sentí tu paso lento.
Viscosamente fuiste sólo un instante mía,
y pasaste, pasaste, inexorable y larga.

Te vi después, tus dos ojos brillando
tercamente, tendida sobre el arroyo puro,
beber un cielo inerme, tranquilo, que ofrecía
para tu lengua bífida su virginal destello.

Aún recuerdo ese brillo de tu testa sombría,
negra magia que oculta bajo su crespo acero
la luz nefasta y fría de tus pupilas hondas,
donde un hielo en abismos sin luz subyuga a nadie.

¡A nadie! Sola, aguardas un rostro, otra pupila,
azul, verde, en colores felices que rielen
claramente amorosos bajo la luz del día,
o que revelen dulces la boca para un beso.

Pero no. En ese monte pelado, en esa cumbre
pelada, están los árboles pelados que tú ciñes.
¿Silba tu boca cruda, o silba el viento roto?
¿Ese rayo es la ira de la maldad, o es sólo
el cielo que desposa su fuego con la cima?

¿Esa sombra es tu cuerpo que en la tormenta escapa,
herido de la cólera nocturna, en el relámpago,
o es el grito pelado de la montaña libre,
libre sin ti y ya monda, que fulminada exulta?

MAR DEL PARAÍSO

HEME aquí frente a ti, mar, todavía...
Con el polvo de la tierra en mis hombros,
impregnado todavía del efímero deseo apagado del hombre,
heme, aquí, luz eterna,
vasto mar sin cansancio,
última expresión de un amor que no acaba,
rosa del mundo ardiente.

Eras tú, cuando niño,
la sandalia fresquísima para mi pie desnudo.
Un albo crecimiento de espumas por mi pierna
me engañara en aquella remota infancia de delicias.
Un sol, una promesa
de dicha, una felicidad humana, una cándida correlación de luz
con mis ojos nativos, de ti, mar, de ti, cielo,
imperaba generosa sobre mi frente deslumbrada
y extendía sobre mis ojos su inmaterial palma alcanzable,
abanico de amor o resplandor continuo
que imitaba unos labios para mi piel sin nubes.

Lejos el rumor pedregoso de los caminos oscuros
donde hombres ignoraban su fulgor aún virgíneo.
Niño grácil, para mí la sombra de la nube en la playa
no era el torvo presentimiento de mi vida en su polvo,
no era el contorno bien preciso donde la sangre un día
acabaría coagulada, sin destello y sin numen.
Más bien, como mi dedo pequeño, mientras la nube detenía
    su paso,
yo tracé sobre la fina arena dorada su perfil estremecido,
y apliqué mi mejilla sobre su tierna luz transitoria,
mientras mis labios decían los primeros nombres amorosos:
cielo, arena, mar...

El lejano crujir de los aceros, el eco al fondo de los bosques
partidos por los hombres,
era allí para mí un monte oscuro, pero también hermoso.

Y mis oídos confundían el contacto heridor del labio crudo
del hacha en las encinas
con un beso implacable, cierto de amor, en ramas.

La presencia de peces por las orillas, su plata núbil,
el oro no manchado por los dedos de nadie,
la resbalosa escama de la luz, era un brillo en los míos.
No apresé nunca esa forma huidiza de un pez en su hermosura,
la esplendente libertad de los seres,
ni amenacé una vida, porque amé mucho: amaba
sin conocer el amor; sólo vivía...

Las barcas que a lo lejos
confundían sus velas con las crujientes alas
de las gaviotas o dejaban espuma como suspiros leves,
hallaban en mi pecho confiado un envío,
un grito, un nombre de amor, un deseo para mis labios
húmedos,
y si las vi pasar, mis manos menudas se alzaron
y gimieron de dicha a su secreta presencia,
ante el azul telón que mis ojos adivinaron,
viaje hacia un mundo prometido, entrevisto,
al que mi destino me convocaba con muy dulce certeza.

Por mis labios de niño cantó la tierra; el mar
cantaba dulcemente azotado por mis manos inocentes.
La luz, tenuemente mordida por mis dientes blanquísimos,
cantó; cantó la sangre de la aurora en mi lengua.

Tiernamente en mi boca, la luz del mundo me iluminaba
por dentro.
Toda la asunción de la vida embriagó mis sentidos.
Y los rumorosos bosques me desearon entre sus verdes frondas,
porque la luz rosada era en mi cuerpo dicha.

Por eso hoy, mar,
con el polvo de la tierra en mis hombros,

impregnado todavía del efímero deseo apagado del hombre,
heme aquí, luz eterna,
vasto mar sin cansancio,
rosa del mundo ardiente.
Heme aquí frente a ti, mar, todavía...

PLENITUD DEL AMOR

¿Qué fresco y nuevo encanto,
qué dulce perfil rubio emerge
de la tarde sin nieblas?
Cuando creí que la esperanza, la ilusión, la vida,
derivaba hacia oriente
en triste y vana busca del placer.
Cuando yo había visto bogar por los cielos
imágenes sonrientes, dulces corazones cansados,
espinas que atravesaban bellos labios,
y un humo casi doliente
donde palabras amantes se deshacían como el aliento del amor
    sin destino...

Apareciste tú ligera como el árbol,
como la brisa cálida que un olejae envía del mediodía, envuelta
en las sales febriles, como en las frescas aguas del azul.

Un árbol joven, sobre un limitado horizonte,
horizonte tangible para besos amantes;
un árbol nuevo y verde que melodiosamente mueve sus hojas
    altaneras
alabando la dicha de su viento en los brazos.

Un pecho alegre, un corazón sencillo como la pleamar remota
que hereda sangre, espuma, de otras regiones vivas.
Un oleaje lúcido bajo el gran sol abierto,
desplegando las plumas de una mar inspirada;
plumas, aves, espumas, mares verdes o cálidas:
todo el mensaje vivo de un pecho rumoroso.

Yo sé que tu perfil sobre el azul tierno del crepúsculo entero,
no finge vaga nube que un ensueño ha creado.
¡Qué dura frente dulce, qué piedra hermosa y viva,
encendida de besos bajo el sol melodioso,
es tu frente besada por unos labios libres,
rama joven bellísima que un ocaso arrebata!

¡Ah, la verdad tangible de un cuerpo estremecido
entre los brazos vivos de tu amante furioso,
que besa vivos labios, blancos dientes, ardores
y un cuello como un agua cálidamente alerta!

Por un torso desnudo tibios hilillos ruedan.
¡Qué gran risa de lluvia sobre tu pecho ardiente!
¡Qué fresco vientre terso, donde su curva oculta
leve musgo de sombra rumoroso de peces!

Muslos de tierra, barcas donde bogar un día
por el músico mar del amor enturbiado,
donde escapar libérrimos rumbo a los cielos altos
en que la espuma nace de dos cuerpos volantes.

¡Ah, maravilla lúcida de tu cuerpo cantando,
destellando de besos sobre tu piel despierta:
bóveda centelleante, nocturnamente hermosa,
que humedece mi pecho de estrellas o de espumas!

Lejos ya la agonía, la soledad gimiente,
las torpes aves bajas que gravemente rozaron mi frente en los
      oscuros días del dolor.

Lejos los mares ocultos que enviaban sus aguas,
pesadas, gruesas, lentas, bajo la extinguida zona de la luz.

Ahora, vuelto a tu claridad no es difícil
reconocer a los pájaros matinales que pían,
ni percibir en las mejillas los impalpables velos de la Aurora,
como es posible sobre los suaves pliegues de la tierra

divisar el duro, vivo, generoso desnudo del día,
que hunde sus pies largos en unas aguas transparentes.

Dejadme entonces, vagas preocupaciones de ayer,
abandonar mis lentos trajes sin música,
como un árbol que depone su luto rumoroso,
su mate adiós a la tristeza,
para exhalar feliz sus hojas verdes, sus azules campánulas
y esa gozosa espuma que cabrillea en su copa
cuando por primera vez le invade la riente Primavera.

Después del amor, de la felicidad, activa del amor, reposado,
tendido, imitando descuidadamente un arroyo,
yo reflejo las nubes, los pájaros, las futuras estrellas,
a tu lado, oh reciente, oh viva, oh entregada;
y me miro en tu cuerpo, en forma blanda, dulcísima, apagada,
como se contempla la tarde que colmadamente termina.

LOS DORMIDOS

¿QUÉ voz entre los pájaros de esta noche de ensueño
dulcemente modula los nombres en el aire?
¡Despertad! Una luna redonda gime o canta
entre velos, sin sombra, sin destino, invocándoos.
Un cielo herido a luces, a hachazos, llueve el oro
sin estrellas, con sangre, que en un torso resbala:
revelador envío de un destino llamando
a los dormidos siempre bajo los cielos vívidos.

¡Despertad! Es el mundo, es su música. ¡Oídla!
La tierra vuela alerta, embriagada de visos,
de deseos, desnuda, sin túnica, radiante,
bacante en los espacios que un seno muestra hermoso,
azulado de venas, de brillos, de turgencia.

¡Mirad! ¿No veis un muslo deslumbrador que avanza?
¿Un bulto victorioso, un ropaje estrellado
que retrasadamente revuela, cruje, azota
los siderales vientos azules, empapados?

¿No sentís en la noche un clamor? ¡Ah dormidos,
sordos sois a los cánticos! Dulces copas se alzan:
¡Oh estrellas mías, vino celeste, dadme toda
vuestra locura, dadme vuestros bordes lucientes!
Mis labios saben siempre sorberos, mi garganta
se enciende de sapiencia, mis ojos brillan dulces.
Toda la noche en mí destellando, ilumina
vuestro sueño, oh dormidos, oh muertos, oh acabados.

Pero no: muertamente callados, como lunas
de piedra, en tierra, sordos permanecéis, sin tumba.
Una noche de velos, de plumas, de miradas,
vuela por los espacios llevándoos, insepultos.

MUERTE EN EL PARAÍSO

¿ERA acaso a mis ojos el clamor de la selva,
selva de amor resonando en los fuegos
del crepúsculo
lo que a mí se dolía con su voz casi humana?

¡Ah, no! ¿Qué pecho desnudo, qué tibia carne casi celeste,
qué luz herida por la sangre emitía
su cristalino arrullo de una boca entreabierta,
trémula todavía de un gran beso intocado?

Un suave resplandor entre las ramas latía
como perdiendo luz, y sus dulces quejidos
tenuamente surtían de un pecho transparente.
¿Qué leve forma agotada, qué ardido calor humano

me dio su turbia confusión de colores
para mis ojos, en un póstumo resplandor intangible,
gema de luz perdiendo sus palabras de dicha?

Inclinado sobre aquel cuerpo desnudo,
sin osar adorar con mi boca su esencia,
cerré mis ojos deslumbrados por un ocaso de sangre,
de luz, de amor, de soledad, de fuego.

Rendidamente tenté su frente de mármol
coloreado, como un cielo extinguiéndose.
Apliqué mis dedos sobre sus ojos abatidos
y aún acerqué a su rostro mi boca, porque acaso
de unos labios brillantes aún otra luz bebiese.

Sólo un sueño de vida sentí contra los labios
ya ponientes, un sueño de luz crepitante,
un amor que, aún caliente,
en mi boca abrasaba mi sed, sin darme vida.

Bebí, chupé, clamé. Un pecho exhausto,
quieto cofre de sol, desvariaba
interiormente sólo de resplandores dulces.
Y puesto mi pecho sobre el suyo, grité, llamé, deliré,
agité mi cuerpo, estrechando en mi seno sólo un cielo es-
    trellado.

¡Oh dura noche fría! El cuerpo de mi amante,
tendido, parpadeaba, titilaba en mis brazos.
Avaramente contra mí ceñido todo,
sentí la gran bóveda oscura de su forma luciente,
y si, besé su muerto azul, su esquivo amor,
sentí su cabeza estrellada sobre mi hombro aún fulgir
y darme su reciente, encendida soledad de la noche.

LOS INMORTALES

I

LA LLUVIA

La cintura no es rosa.
No es ave. No son plumas.
La cintura es la lluvia,
fragilidad, gemido
que a ti se entrega. Ciñe,
mortal, tú con tu brazo
un agua dulce, queja
de amor. Estrecha, estréchala.
Toda la lluvia un junco
parece. ¡Cómo ondula,
si hay viento, si hay tu brazo,
mortal que, hoy sí, la adoras!

II

EL SOL

Leve, ingrávida, apenas,
la sandalia. Pisadas
sin carne. Diosa sola,
demanda a un mundo planta
para su cuerpo, arriba
solar. No cabellera
digáis; cabello ardiente.
Decid sandalia, leve
pisada; decid solo,
no tierra, grama dulce
que cruje a ese destello,
tan suave que la adora
cuando la pisa. ¡Oh, siente

tu luz, tu grave tacto
solar! Aquí, sintiéndote,
la tierra es cielo. Y brilla.

III

LA PALABRA

La palabra fue un día
calor: un labio humano.
Era la luz como mañana joven; más: relámpago
en esta eternidad desnuda. Amaba
alguien. Sin antes ni después. Y el verbo
brotó. ¡Palabra sola y pura
por siempre—Amor—en el espacio bello!

IV

LA TIERRA

La tierra conmovida
exhala vegetal
su gozo. ¡Hela: ha nacido!
Verde rubor, hoy boga
por un espacio aún nuevo.
¿Qué encierra? Sola, pura
de sí, nadie la habita.
Sólo la gracia muda,
primigenia, del mundo
va en astros, leve, virgen,
entre la luz dorada.

V

EL FUEGO

Todo el fuego suspende
la pasión. ¡Luz es sola!
Mirad cuán puro se alza
hasta lamer los cielos,
mientras las aves todas
por él vuelan. ¡No abrasa!
¿Y el hombre? Nunca. Libre
todavía de ti,
humano, está ese fuego.
Luz es, luz inocente.
¡Humano: nunca nazcas!

VI

EL AIRE

Aún más que el mar, el aire,
más inmenso que el mar, está tranquilo.
Alto velar de lucidez sin nadie.
Acaso la corteza pudo un día,
de la tierra, sentirte, humano. Invicto,
el aire ignora que habitó en tu pecho.
Sin memoria, inmortal, el aire esplende.

VII

EL MAR

¿Quién dijo acaso que la mar suspira,
labio de amor hacia las playas, triste?
Dejad que envuelta por la luz campee.
¡Gloria, gloria en la altura, y en la mar, el oro!

¡Ah soberana luz que envuelve, canta
la inmarcesible edad del mar gozante!
Allá, reverberando
sin tiempo, el mar existe.
¡Un corazón de dios sin muerte, late!

NOCHE CERRADA

A H, triste, äh inmensamente triste
que en la noche oscurísima buscas ojos oscuros,
ve sólo el terciopelo de la sombra
donde resbalan leves las silenciosas aves.
Apenas si una pluma espectral rozará tu frente,
como un presagio del vacío inmediato.

Inmensamente triste tú miras la impenetrable sombra en
    que respiras.
Álzala con tu pecho penoso; un oleaje
de negror invencible, como columna altísima
gravita en el esclavo corazón oprimido.
Ah, cuán hermosas allá arriba en los cielos
sobre la columnaria noche arden las luces,
los libertados luceros que ligeros circulan,
mientras tú los sostienes con tu pequeño pecho,
donde un árbol de piedra nocturna te somete.

CUERPO DE AMOR

VOLCADO sobre ti,
volcado sobre tu imagen derramada bajo los altos álamos
    inocentes,
tu desnudez se ofrece como un río escapando,
espuma dulce de tu cuerpo crujiente,
frío y fuego de amor que en mis brazos salpica.

Por eso, si acerco mi boca a tu corriente prodigiosa,
o miro tu azul soledad, donde un cielo aún me teme,
veo una nube que arrebata mis besos
y huye y clama mi nombre, y en mis brazos se esfuma.

Por eso, si beso tu pecho solitario,
si al poner mis labios tristísimos sobre tu piel incendiada
siento en la mejilla el labio dulce del poniente apagándose,
oigo una voz que gime, un corazón brillando,
un bulto hermoso que en mi boca palpita,
seno de amor, rotunda morbidez de la tarde.

Sobre tu piel palabras o besos cubren, ciegan,
apagan su rosado resplandor erguidísimo,
y allí mis labios oscuros celan, dan, hacen noche,
avaramente ardientes: ¡pecho hermoso de estrellas!

Tu vientre níveo no teme el frío de esos primeros vientos,
helados, duros como manos ingratas,
que rozan y estremecen esa tibia magnolia,
pálida luz que en la noche fulgura.

Déjame así, sobre tu cuerpo libre,
bajo la luz castísima de la luna intocada,
aposentar los rayos de otra luz que te besa,
boca de amor que crepita en las sombras
y recorre tu virgen revelación de espuma.

Apenas río, apenas labio, apenas seda azul eres tú, margen
    dulce,
que te entregas riendo, amarilla en la noche,
mientras mi sombra finge el claroscuro de plata
de unas hojas felices que en la brisa cantasen.

Abierta, penetrada de la noche, el silencio
de la tierra eres tú: ¡oh mía, como un mundo en los brazos!
No pronuncies mi nombre: brilla sólo en lo oscuro,

y ámame, poseída de mí, cuerpo a cuerpo en la dicha,
beso puro que estela deja eterna en los aires.

PADRE MÍO

A mi hermana

LEJOS estás, padre mío, allá en tu reino de las sombras.
Mira a tu hijo, oscuro en esta tiniebla huérfana,
lejos de la benévola luz de tus ojos continuos.
Allí nací, crecí; de aquella luz pura
tomé vida, y aquel fulgor sereno
se embebió en esta forma, que todavía despide,
como un eco apagado, tu luz resplandeciente.

Bajo la frente poderosa, mundo entero de vida,
mente completa que un humano alcanzara,
sentí la sombra que protegió mi infancia. Leve, leve,
resbaló así la niñez como alígero pie sobre una hierba noble,
y si besé a los pájaros, si pude posar mis labios
sobre tantas alas fugaces que una aurora empujara,
fue por ti, por tus benévolos ojos que presidieron mi naci-
        miento
y fueron como brazos que por encima de mi testa cernían
la luz, la luz tranquila, no heridora a mis ojos de niño.

Alto, padre, como una montaña que pudiera inclinarse,
que pudiera vencerse sobre mi propia frente descuidada
y besarme tan luminosamente, tan silenciosa y puramente
como la luz que pasa por las crestas radiantes
donde reina el azul de los cielos purísimos.

Por tu pecho bajaba una cascada luminosa de bondad, que
        tocaba
luego mi rostro y bañaba mi cuerpo aún infantil, que emergía
de tu fuerza tranquila como desnudo, reciente,

nacido cada día de ti, porque tú fuiste padre
diario, y cada día yo nací de tu pecho, exhalado
de tu amor, como acaso mensaje de tu seno purísimo.
Porque yo nací entero cada día, entero y tierno siempre,
y débil y gozoso cada día hollé naciendo
la hierba misma intacta: pisé leve, estrené brisas,
henchí también mi seno, y miré el mundo
y lo vi bueno. Bueno tú, padre mío, mundo mío, tú solo.

Hasta la orilla del mar condujiste mi mano.
Benévolo y potente tú como un bosque en la orilla,
yo sentí mis espaldas guardadas contra el viento estrellado.
Pude sumergir mi cuerpo reciente cada aurora en la espuma,
y besar a la mar candorosa en el día,
siempre olvidada, siempre, de su noche de lutos.

Padre, tú me besaste con labios de azul sereno.
Limpios de nubes veía yo tus ojos,
aunque a veces un velo de tristeza eclipsaba a mi frente
esa luz que sin duda de los cielos tomabas.
Oh padre altísimo, oh tierno padre gigantesco
que así, en los brazos, desvalido, me hubiste.

Huérfano de ti, menudo como entonces, caído sobre una
    hierba triste,
heme hoy aquí, padre, sobre el mundo en tu ausencia,
mientras pienso en tu forma sagrada, habitadora acaso de una
    sombra amorosa,
por la que nunca, nunca tu corazón me olvida.

Oh, padre mío, seguro estoy que en la tiniebla fuerte
tú vives y me amas. Que un vigor poderoso,
un latir, aún revienta en la tierra.
Y que unas ondas de pronto, desde un fondo, sacuden
a la tierra y la ondulan, y a mis pies se estremece.

Pero yo soy de carne todavía. Y mi vida
es de carne, padre, padre mío. Y aquí estoy,

solo, sobre la tierra quieta, menudo como entonces, sin verte,
derribado sobre los inmensos brazos que horriblemente te
    imitan.

AL HOMBRE

¿Por qué protestas, hijo de la luz,
humano que transitorio en la tierra,
redimes por un instante tu materia sin vida?
¿De dónde vienes, mortal, que del barro has llegado
para un momento brillar y regresar después a tu apagada
    patria?
Si un soplo, arcilla finita, erige tu vacilante forma y calidad
    de dios tomas en préstamo,
no, no desafíes cara a cara a ese sol poderoso que fulge
y compasivo te presta cabellera de fuego.
Por un soplo celeste redimido un instante,
alzas tu incandescencia temporal a los seres.
Hete aquí luminoso, juvenil, perennal a los aires.
Tu planta pisa el barro del que ya eres distinto.
¡Oh, cuán engañoso, hermoso humano que con testa de oro
el sol piadoso coronado ha tu frente!
¡Cuán soberbia tu masa corporal, diferente sobre la tierra
    madre,
que cual perla te brinda!
Mas mira, mira que hoy, ahora mismo, el sol declina triste-
    mente en los montes.
Míralo rematar ya de pálidas luces,
de tristes besos cenizosos de ocaso
tu frente oscura. Mira tu cuerpo extinto cómo acaba en la
    noche.
Regresa tú, mortal, humilde, pura arcilla apagada,
a tu certera patria que tu pie sometía.
He aquí la inmensa madre que de ti no es distinta.
Y, barro tú en el barro, totalmente perdura.

DESTINO DE LA CARNE

No, no es eso. No miro
del otro lado del horizonte un cielo.
No contemplo unos ojos tranquilos, poderosos,
que aquietan a las aguas feroces que aquí braman.
No miro esa cascada de luces que descienden
de una boca hasta un pecho, hasta unas manos blandas,
finitas, que a este mundo contienen, atesoran.

Por todas partes veo cuerpos desnudos, fieles
al cansancio del mundo. Carne fugaz que acaso
nació para ser chispa de luz, para abrasarse
de amor y ser la nada sin memoria, la hermosa
redondez de la luz.
Y que aquí está, aquí está, marchitamente eterna,
sucesiva, constante, siempre, siempre cansada.

Es inútil que un viento remoto, con forma vegetal, o una
    lengua,
lama despacio y largo su volumen, lo afile,
lo pula, lo acaricie, lo exalte.
Cuerpos humanos, rocas cansadas, grises bultos
que a la orilla del mar conciencia siempre
tenéis de que la vida no acaba, no, heredándose.
Cuerpos que mañana repetidos, infinitos, rodáis
como una espuma lenta, desengañada, siempre.
¡Siempre carne del hombre, sin luz! Siempre rodados
desde allá, de un océano sin origen que envía
ondas, ondas, espumas, cuerpos cansados, bordes
de un mar que no se acaba y que siempre jadea en sus
    orillas.

Todos, multiplicados, repetidos, sucesivos, amontonáis la
    carne,
la vida, sin esperanza, monótonamente iguales bajo los cielos
    hoscos que impasibles se heredan.

Sobre ese mar de cuerpos que aquí vierten sin tregua, que
    aquí rompen
redondamente y quedan mortales en las playas,
no se ve, no, ese rápido esquife, ágil velero
que con quilla de acero, rasgue, sesgue,
abra sangre de luz y raudo escape
hacia el hondo horizonte, hacia el origen
último de la vida, al confín del océano eterno
que humanos desparrama
sus grises cuerpos. Hacia la luz, hacia esa escala ascendente
    de brillos
que de un pecho benigno hacia una boca sube,
hacia unos ojos grandes, totales que contemplan,
hacia unas manos mudas, finitas, que aprisionan,
donde cansados siempre, vitales, aún nacemos.

CIUDAD DEL PARAÍSO

A mi ciudad de Málaga

Siempre te ven mis ojos, ciudad de mis días marinos.
Colgada del imponente monte, apenas detenida
en tu vertical caída a las ondas azules,
pareces reinar bajo el cielo, sobre las aguas,
intermedia en los aires, como si una mano dichosa
te hubiera retenido, un momento de gloria, antes de hundirte
    para siempre en las olas amantes.

Pero tú duras, nunca desciendes, y el mar suspira
o brama por ti, ciudad de mis días alegres,
ciudad madre y blanquísima donde viví y recuerdo,
angélica ciudad que, más alta que el mar, presides sus
    espumas.

Calles apenas, leves, musicales. Jardines
donde flores tropicales elevan sus juveniles palmas gruesas.

Palmas de luz que sobre las cabezas, aladas,
mecen el brillo de la brisa y suspenden
por un instante labios celestiales que cruzan
con destino a las islas remotísimas, mágicas,
que allá en el azul índigo, libertadas, navegan.

Allí también viví, allí, ciudad graciosa, ciudad honda.
Allí, donde los jóvenes resbalan sobre la piedra amable,
y donde las rutilantes paredes besan siempre
a quienes siempre cruzan, hervidores, en brillos.

Allí fui conducido por una mano materna.
Acaso de una reja florida una guitarra triste
cantaba la súbita canción suspendida en el tiempo;
quieta la noche, más quieto el amante,
bajo la luna eterna que instantánea transcurre.

Un soplo de eternidad pudo destruirte,
ciudad prodigiosa, momento que en la mente de un Dios
    emergiste.
Los hombres por un sueño vivieron, no vivieron,
eternamente fúlgidos como un soplo divino.

Jardines, flores. Mar alentando como un brazo que anhela
a la ciudad voladora entre monte y abismo,
blanca en los aires, con calidad de pájaro suspenso
que nunca arriba. ¡Oh ciudad no en la tierra!

Por aquella mano materna fui llevado ligero
por tus calles ingrávidas. Pie desnudo en el día.
Pie desnudo en la noche. Luna grande. Sol puro.
Allí el cielo eras tú, ciudad que en él morabas.
Ciudad que en él volabas con tus alas abiertas.

ÚLTIMO AMOR

¿Quien eres, dime? ¿Amarga sombra
o imagen de la luz? ¿Brilla en tus ojos
una espada nocturna,
cuchilla temerosa donde está mi destino,
o miro dulce en tu mirada el claro
azul del agua en las montañas puras,
lago feliz sin nubes en el seno
que un águila solar copia extendida?

¿Quién eres, quién? Te amé, te amé naciendo.
Para tu lumbre estoy, para ti vivo.
Miro tu frente sosegada, excelsa.
Abre tus ojos, dame, dame vida.
Sorba en su llama tenebrosa el sino
que me devora, el hambre de tus venas.
Sorba su fuego derretido y sufra,
sufra por ti, por tu carbón prendiéndome.
Sólo soy tuyo si en mis venas corre
tu lumbre sola, si en mis pulsos late
un ascua, otra ascua: sucesión de besos.
Amor, amor, tu ciega pesadumbre,
tu fulgurante gloria me destruye,
lucero solo, cuerpo inscrito arriba,
que ardiendo puro se consume a solas.

Pero besarte, niña mía, ¿es muerte?
¿Es sólo muerte tu mirada? ¿Es ángel?
¿O es una espada larga que me clava
contra los cielos, mientras fuljo sangres
y acabo en luz, en titilante estrella?

Niña de amor, tus rayos inocentes,
tu pelo terso, tus paganos brillos,
tu carne dulce que a mi lado vive,
no sé, no sé, no sabré nunca, nunca,
si es sólo amor, si es crimen, si es mi muerte.

Golfo sombrío, vórtice, te supe,
te supe siempre. En lágrimas te beso,
paloma niña, cándida tibieza,
pluma feliz: tus ojos me aseguran
que el cielo sigue azul, que existe el agua,
y en tus labios la pura luz crepita
toda contra mi boca amaneciendo.

¿Entonces? Hoy frente a tus ojos miro,
miro mi enigma. Acerco ahora a tus labios
estos labios pasados por el mundo,
y temo, y sufro, y beso. Tibios se abren
los tuyos, y su brillo sabe a soles
jóvenes, a reciente luz, a auroras.

¿Entonces? Negro brilla aquí tu pelo,
onda de noche. En él hundo mi boca.
¡Qué sabor a tristeza, qué presagio
infinito de soledad! Lo sé: algún día
estaré solo. Su perfume embriaga
de sombría certeza, lumbre pura,
tenebrosa belleza inmarcesible,
noche cerrada y tensa en que mis labios
fulgen como una luna ensangrentada.

¡Pero no importa! Gire el mundo y dame,
dame tu amor, y muera yo en la ciencia
fútil, mientras besándote rodamos
por el espacio y una estrella se alza.

AL CIELO

El puro azul ennoblece
mi corazón. Sólo tú, ámbito altísimo
inaccesible a mis labios, das paz y calma plenas
al agitado corazón con que estos años vivo.

Reciente la historia de mi juventud, alegre todavía
y dolorosa ya, mi sangre se agita, recorre su cárcel
y, roja de oscura hermosura, asalta el muro
débil del pecho, pidiendo tu vista,
cielo feliz que en la mañana rutilas,
que asciendes entero y majestuoso presides
mi frente clara, donde mis ojos te besan.
Luego declinas, oh sereno, oh puro don de la altura,
cielo intocable que siempre me pides, sin cansancio, mis
        besos,
como de cada mortal, virginal, solicitas.
Sólo por ti mi frente pervive al sucio embate de la sangre.
Interiormente combatido de la presencia dolorida y feroz,
recuerdo impío de tanto amor y de tanta belleza,
una larga espada tendida como sangre recorre
mis venas, y sólo tú, cielo agreste, intocado,
das calma a este acero sin tregua que me yergue en el mundo.

     Baja, baja dulce para mí y da paz a mi vida.
Hazte blando a mi frente como una mano tangible
y oiga yo como un trueno que sea dulce una voz
que, azul, sin celajes, clame largamente en mi cabellera.
Hundido en ti, besado del azul poderoso y materno,
mis labios sumidos en tu celeste luz apurada
sientan tu roce meridiano, y mis ojos
ebrios de tu estelar pensamiento te amen,
mientras así peinado suavemente por el soplo de los astros,
mis oídos escuchan al único amor que no muere.

LA ISLA

ISLA gozosa que lentamente posada
sobre la mar instable
navegas silenciosa por un mundo ofrecido.
En tu seno me llevas, ¿rumbo al amor? No hay sombras.
¿En qué entrevista playa un fantasma querido

me espera siempre a solas, tenaz, tenaz, sin dueño?
Olas sin paz que eternamente jóvenes
aquí rodáis hasta mis pies intactos.
Miradme vuestro, mientras gritáis hermosas
con espumosa lengua que eterna resucita.
Yo os amo. Allá una vela no es un suspiro leve.
Oh, no mintáis, dejadme en vuestros gozos.
Alzad un cuerpo riente, una amenaza
de amor, que se deshaga rompiente entre mis brazos.
Cantad tendidamente sobre la arena vívida
y ofrezca el sol su duro beso ardiente
sobre los cuerpos jóvenes, continuos, derramados.

Mi cuerpo está desnudo entre desnudos. Grito
con vuestra desnudez no humana entre mis labios.
Recorra yo la espuma con insaciable boca,
mientras las rocas duran, hermosas allá al fondo.
No son barcos humanos los humos pensativos
que una sospecha triste del hombre allá descubren.
¡Oh, no!: ¡el cielo te acepta, trazo ligero y bueno
que un ave nunca herida sobre el azul dejara!

Fantasma, dueño mío, si un viento hinche tus sábanas,
tu nube en la rompiente febril, sabe que existen
cuerpos de amor que eternos irrumpen..., se deshacen,
acaban..., resucitan. Yo canto con sus lenguas.

NO BASTA

PERO no basta, no, no basta
la luz del sol, ni su cálido aliento.
No basta el misterio oscuro de una mirada.
Apenas bastó un día el rumoroso fuego de los bosques.
Supe del mar. Pero tampoco basta.

En medio de la vida, al filo de las mismas estrellas,
mordientes, siempre dulces en sus bordes inquietos,
sentí iluminarse mi frente.
No era tristeza, no. Triste es el mundo;
pero la inmensa alegría invasora del universo
reinó también en los pálidos días.

No era tristeza. Un mensaje remoto
de una invisible luz modulaba unos labios
aéreamente, sobre pálidas ondas,
ondas de un mar intangible a mis manos.

Una nube con peso, nube cargada acaso de pensamiento
    estelar,
se detenía sobre las aguas, pasajera en la tierra,
quizá envío celeste de universos lejanos
que un momento detiene su paso por el éter.

Yo vi dibujarse una frente,
frente divina: hendida de una arruga luminosa,
atravesó un instante preñada de un pensamiento sombrío.
Vi por ella cruzar un relámpago morado, vi unos ojos
cargados de infinita pesadumbre brillar,
y vi a la nube alejarse, densa, oscura, cerrada,
silenciosa, hacia el meditabundo ocaso sin barreras.

El cielo alto quedó como vacío.
Mi grito resonó en la oquedad sin bóveda
y se perdió, como mi pensamiento que voló deshaciéndose,
como un llanto hacia arriba, al vacío desolador, al hueco.

Sobre la tierra mi bulto cayó. Los cielos eran
sólo conciencia mía, soledad absoluta.
Un vacío de Dios sentí sobre mi carne,
y sin mirar arriba nunca, nunca, hundí mi frente en la arena
y besé solo a la tierra, a la oscura, sola,
desesperada tierra que me acogía.

Así sollocé sobre el mundo.
¿Qué luz lívida, qué espectral vacío velador,
qué ausencia de Dios sobre mi cabeza derribada
vigilaba sin límites mi cuerpo convulso?
Oh, madre, madre, sólo en tus brazos siento
mi miseria! Sólo en tu seno martirizado por mi llanto
rindo mi bulto, sólo en ti me deshago.

Estos límites que me oprimen,
esta arcilla que de la mar naciera,
que aquí quedó en tus playas,
hija tuya, obra tuya, luz tuya,
extinguida te pide su confusión gloriosa,
te pide sólo a ti, madre inviolada,
madre mía de tinieblas calientes,
seno sólo donde el vacío reina,
mi amor, mi amor, hecho ya tú, hecho tú solo.

Todavía quisiera, madre,
con mi cabeza apoyada en tu regazo,
volver mi frente hacia el cielo
y mirar hacia arriba, hacia la luz, hacia la luz pura,
y sintiendo tu calor, echado dulcemente sobre tu falda,
contemplar el azul, la esperanza risueña,
la promesa de Dios, la presentida frente amorosa.
¡Qué bien desde ti, sobre tu caliente carne robusta,
mirar las ondas puras de la divinidad bienhechora!
¡Ver la luz amanecer por oriente, y entre la aborrascada nube
    preñada
contemplar un instante la purísima frente divina destellar,
y esos inmensos ojos bienhechores
donde el mundo alzado quiere entero copiarse
y mecerse en un vaivén de mar, de estelar mar entero,
compendiador de estrellas, de luceros, de soles,
mientras suena la música universal, hecha ya frente pura,
radioso amor, luz bella, felicidad sin bordes!

Así, madre querida,
tú puedes saber bien—lo sabes, siento tu beso secreto de sa·
    biduría—
que el mar no baste, que no basten los bosques,
que una mirada oscura llena de humano misterio,
no baste; que no baste, madre, el amor,
como no baste el mundo.

Madre, madre, sobre tu seno hermoso
echado tiernamente, déjame así decirte
mi secreto; mira mi lágrima
besarte; madre que todavía me sustentas,
madre cuya profunda sabiduría me sostiene ofrecido.

NACIMIENTO ÚLTIMO

[1927-1952]

EL MORIBUNDO

A Alfonso Costafreda

I

PALABRAS

É! decía palabras.
Quiero decir palabras, todavía palabras.
Esperanza. El Amor. La Tristeza. Los Ojos.
Y decía palabras,
mientras su mano ligeramente débil sobre el lienzo aún vivía.
Palabras que fueron alegres, que fueron tristes, que fueron
    soberanas.
Decía moviendo los labios, quería decir el signo aquel;
el olvidado, ese que saben decir mejor dos labios,
no, dos bocas que fundidas en soledad pronuncian.
Decía apenas un signo leve como un suspiro, decía un aliento,
una burbuja; decía un gemido y enmudecían los labios,
mientras las letras teñidas de un carmín en su boca
destellaban muy débiles, hasta que al fin cesaban.

   Entonces alguien, no sé, alguien no humano,
alguien puso unos labios en los suyos.
Y alzó una boca donde sólo quedó el calor prestado,
las letras tristes de un beso nunca dicho.

II

EL SILENCIO

Miró, miró por último y quiso hablar.
Unas borrosas letras sobre sus labios aparecieron.
Amor. Sí, amé. He amado. Amé, amé mucho.

Alzó su mano débil, su mano sagaz, y un pájaro
voló súbito en la alcoba. Amé mucho, el aliento aún decía.
Por la ventana negra de la noche las luces daban su oscuridad
sobre una boca, que no bebía ya de un sentido agotado.
Abrió los ojos. Llevó su mano al pecho y dijo:
Oídme.
Nadie oyó nada. Una sonrisa oscura veladamente puso su dulce
    máscara
sobre el rostro, borrándolo.
Un soplo sonó. Oídme. Todos, todos pusieron su delicado oído.
Oídme. Y se oyó puro, cristalino, el silencio.

LA ESTAMPA ANTIGUA

VAGAMENTE cansado el día insiste.
La misma flor, la misma fuente,
la misma, la misma sombra del cerezo.
¿Qué preguntas? El mar tan lejos gesticula
inútilmente. Sus espumas ruedan,
ansia de amor proclaman sin sonido,
lejos, lejos, lejísimos, sin bulto,
vago telón de sedas amarillas.

ACABA

A Eugenio de Nora

No son tus ojos esas dos rosas que, tranquilas,
me están cediendo en calma su perfume.
La tarde muere. Acaban los soles, lunas duras
bajo la tierra pugnan, piafantes. Cielo raso
donde nunca una luna tranquila se inscribiera.
Cielo de piedra dura, nefando ojo completo
que sobre el mundo, fiero, vigila sin velarse.

Nunca una lluvia blanda (oh, lágrima) ha mojado
desde tu altura infame mi frente trastornada
—dulce pasión, neblina, húmedo ensueño
que descendiera acaso como piedad, al hombre.

Mas no. Sobre esta roca luciente—tierra, tierra—
presento miro inmóvil ese ojo siempre en seco.
Ciclo de luz, acaba, destruye al hombre solo
que dura eternamente para tu sola vista.

LA SIMA

A Carlos R. Spiteri

A LA orilla el abismo sin figura ensordece
mis voces. No, no llamo a nadie.
Mis ojos no penetran sordamente esas sombras.
¡Oh el abisal silencio que me absorbe! ¿Quién llama?
¿Quién me pide mi vida? Una vida sin amor sólo ofrezco.
¿Qué tristes poderosos aullidos deletrean
mi humano nombre? ¿Quién me quiere en las sombras?
Heladas aguas crudas, pesadamente negras,
o un vapor, un aliento fuliginoso y largo.
¿Quién sois? No sois ojos hermosos fulgurando un deseo,
una pasión hondísima desde el fondo insondable;
no sois sed de mi vida, llama, lengua que alcanza
con su cúspide cierta mi desnudo anhelante.

Inmensa boca oscura, abismático enigma,
fondo del mundo, cierto torcedor de mi vida.

LAS BARANDAS

Homenaje a Julio Herrera y Reissig,
poeta «modernista».

Un hombre largo, enlevitado y solo
mira brillar su anillo complicado.
Su mano exangüe pende en las barandas,
mano que amaron vírgenes dormidas.

Miradle, sí. Los lagos brillan yertos.
Pero los astros, sí, ruedan sin música.
Constelaciones en la frente mueren,
mueren mintiendo su palor cansado.
Casi no alumbran unos labios fríos,
labios que amaron cajas musicales.
Pero las lunas, lunas de oro, envían
«supramundanamente» sus encantos
y hay un batir de besos gemebundos
que entre jacintos mueren como pluma.

Un fantasma azulenco no se inclina.
Fósforos lucen. Polvos fatuos, trémulos.
Suena un violín de hueso y una rosa.
Un proyecto de sombra se deshace.

Una garganta silenciosa emite
un clamor de azucenas deshojándose,
y un vals, un giro o vals toma, arrebata
esa ilusión de sábanas vacías.

Lejos un mar encerrado entre dardos
suspira o canta como un pecho oprimido,
y unos labios de seda besan, y alzan
una sonrisa pálida de sangre.

Dulces mujeres como barcas huyen.
Largos adioses suenan como llamas.

Mar encerrado, corazón o urna,
lágrima que no asumen las arenas.

Duramente vestido el hombre mira
por las barandas una lluvia mágica.
Suena una selva, un huracán, un cosmos.
Pálido lleva su mano hasta el pecho.

[1936]

EN LA MUERTE
DE MIGUEL HERNÁNDEZ

I

No lo sé. Fue sin música.
Tus grandes ojos azules
abiertos se quedaron bajo el vacío ignorante,
cielo de la losa oscura,
masa total que lenta desciende y te aboveda,
cuerpo tú solo, inmenso,
único hoy en la Tierra,
que contigo apretado por los soles escapa.

Tumba estelar que los espacios ruedas
con sólo él, con su cuerpo acabado.
Tierra caliente que con sus solos huesos
vuelas así, desdeñando a los hombres.
¡Huye! ¡Escapa! No hay nadie;
sólo hoy su inmensa pesantez de sentido,
Tierra, a tu giro por los astros amantes.
Sólo esa Luna que en la noche aún insiste
contemplará la montaña de vida.
Loca, amorosa, en tu seno le llevas,
Tierra, oh Piedad, que sin mantos le ofreces.

Oh soledad de los cielos. Las luces
sólo su cuerpo funeral hoy alumbran.

II

No, ni una sola mirada de un hombre
ponga su vidrio sobre el mármol celeste.
No le toquéis. No podríais. Él supo,
sólo él supo. Hombre tú, sólo tú, padre todo
de dolor. Carne sólo para amor. Vida sólo
por amor. Sí. Que los ríos
apresuren su curso: que el agua
se haga sangre: que la orilla
su verdor acumule: que el empuje
hacia el mar sea hacia ti, cuerpo augusto,
cuerpo noble de luz que te diste crujiendo
con amor, como tierra, como roca, cual grito
de fusión, como rayo repentino que a un pecho
total único del vivir acertase.

Nadie, nadie. Ni un hombre. Esas manos
apretaron día a día su garganta estelar. Sofocaron
ese caño de luz que a los hombres bañaba.
Esa gloria rompiente, generosa que un día
revelara a los hombres su destino; que habló
como flor, como mar, como pluma, cual astro.
Sí, esconded, esconded la cabeza. Ahora hundidla
entre tierra, una tumba para el negro pensamiento cavaos,
y morded entre tierra las manos, las uñas, los dedos
con que todos ahogasteis su fragante vivir.

III

Nadie gemirá nunca bastante.
Tu hermoso corazón nacido para amar
murió, fue muerto, muerto, acabado, cruelmente acuchillado
de odio.

¡Ah! ¿Quién dijo que el hombre ama?
¿Quién hizo esperar un día amor sobre la tierra?
¿Quién dijo que las almas esperan el amor y a su sombra
    florecen?
¿Que su melodioso canto existe para los oídos de los hom-
    bres?

   Tierra ligera, ¡vuela!
Vuela tú sola y huye.
Huye así de los hombres, despeñados, perdidos,
ciegos restos del odio, catarata de cuerpos
crueles que tú, bella, desdeñando hoy arrojas.

Huye hermosa, lograda,
por el celeste espacio con tu tesoro a solas.
Su pesantez, al seno de tu vivir sidéreo
da sentido, y sus bellos miembros lúcidos para siempre
inmortales sostienes para la luz sin hombres.

AL SUEÑO

A Gerardo Diego

I

IMAGEN dulce de la esperanza,
centella perdurable de la eterna alegría,
diosa tranquila que como luz combates
con el oscuro dolor del hombre.

   Te conozco. Eres blanca y propagas
entre los brazos de tu dueño instantáneo
la eternidad, tan breve,
tan infinitamente hermosa bajo tus alas dulces.

II

La noche comba enteramente
su sima sinuosa sobre los ojos grandes,
abiertos, sin estrellas, que un mundo oscuro imitan.
¿Quién contempla, en los ojos del despierto, presentes
sombras, aves volando con sordas plumas y ecos
de unos remotos ayes que largamente gimen,
que oscuramente gimen por ese cielo inmóvil?
¿Qué grito último, qué cuchillo final rasga esa altura,
chorro de sangre de qué mundo o destino,
de qué perdido crisma remotísimo que se alza
y estrella su torrente sobre la frente en vela?

   El cuerpo del insomne deriva
por las oscuras aguas veladoras,
espesas ondas dulces que lastiman los bordes
de este vaso doliente de vigilante grito.

   Yo sé quién canta oscuro ribereño del sueño,
intacta margen límpida donde flores inmensas
abren labios y envían silenciosas canciones,
mientras la luna apunta su magia ensordecida.

   Decidme, ebrios mortales de un sueño vaporoso
que os finge nube sobre las frentes claras,
describidme ese pájaro volador que os conduce
sobre las plumas blandas, entre las alas puras.

   Imaginadme ese tacto vivísimo,
esa faz de lucero que al pasar os contempla,
ese beso de luna, de pasión, de quietud,
que entre un sordo murmullo de estrellas os consagra.

   ¡Amantes sois! La luz generosa se os rinde.
Cántico son los cielos, y una mano reparte
una promesa lúcida, constelación reciente
para los ojos dulces cerrados por el sueño.

Ebrios quizá de vino, de ciencia, de universo,
sois dueños de un secreto que el velador anhela.
Un firmamento vibra, hermético en la frente,
con todas sus estrellas pujantes encendidas.

Qué deleznables suenan los murmullos del mundo,
allá residuos tristes, residuos aún despiertos.
¡Todo es sueño! Todo es pájaro. ¡Todo, oh, ya todo es cielo!

III

Pero tú, blanca diosa propicia,
tersa imagen de vida perdurable,
inmenso y dulce cuerpo que entre los brazos clamas
por mis besos. ¡Beleño, alegría!

Tú, generosa de una verdad instantánea
que robas el corazón del hombre
para hundirlo en la luz tenebrosa donde sólo se escuchan
tus palabras, que nadie recordamos despiertos.

Tú, imagen del amor que destruye a la muerte,
tú, reluciente nácar de mis mares continuos;
bella esposa del aire, de la luz, de la sombra;
tú, efímera espuma.

Cede, oh, cede un instante
en tus bellos jardines la misteriosa flor que tu brazo me alarga.
Adelanta tu planta, donde el desnudo muslo todo luz me des-
      lumbra,
y ofrece ese perfume robador de tu cuerpo
que enhechiza a los hombres fatigados del día.

Bebe, bebe del amor que propagas;
dame, dame tu sueño, soñadora que velas.
Yace junto a mí en ese lecho, no de espinas, de cánticos,
y fundido en tu·seno sea yo el mundo en la noche.

JUNIO DEL PARAÍSO

A José Suárez Carreño

Sois los mismos que cantasteis
cogidos de la mano, hombres alegres, niños,
mujeres hermosas, leves muchachas.
Los mismos que en el mediodía de Junio,
dorada plenitud de una primavera estallada,
corristeis, arrasasteis de vuestra hermosura los silenciosos
        prados,
los festivales bosques
y las umbrías florestas donde el sol se aplastaba con un fre-
        nético beso prematuro de estío.

Toda la superficie del planeta se henchía
precisamente allí bajo vuestras plantas desnudas.
Hombres plenos, muchachas de insinuado escorzo lúcido, niños
        como vilanos leves,
mujeres cuya hermosa rotundidad solar
pesaba gravemente sobre la tarde augusta.

Las muchachas más jóvenes, bajo las hojas de los álamos
        agitados,
sentían la planta vegetal como risa impaciente,
ramas gayas y frescas de un amor que oreaba
su ternura a la brisa de los ríos cantantes.

Los niños, oro rubio, creciente hacia el puro carmín de la
        aurora,
tendían sus brazos a los primeros rayos solares.
Y unos pájaros leves instantáneos brotaban,
hacia el aire hechizado, desde sus manos tiernas.

¡Inocencia del día! Cuerpos robustos, cálidos,
se amaban plenamente bajo los cielos libres.
Todo el azul vibraba de estremecida espuma
y la tierra se alzaba con esperanza hermosa.

El mar... No es que naciese el mar. Intacto, eterno,
el mar sólo era el mar. Cada mañana, estaba.
Hijo del mar, el mundo nacía siempre arrojado
nocturnamente de su brillante espuma.

Ebrios de luz los seres mojaban sus pies
en aquel hirviente resplandor, y sentían sus cuerpos des-
    tellar,
y tendidos se amaban sobre las playas vívidas.

Hasta la orilla misma descendían los tigres,
que llevaban en su pupila el fuego elástico de los bosques,
y con su lengua bebían luz, y su larga cola arrastraba
sobre un pecho desnudo de mujer que dormía.

Esa corza esbeltísima sobre la que todavía ninguna mano
    puso su amor tranquilo,
miraba el mar, radiosa de estremecidas fugas,
y de un salto se deshacía en la blanda floresta,
y en el aire había sólo un bramido de dicha.

Si brotaba la noche, los hombres, sobre las lomas estreme-
    cidas,
bajo el súbito beso lunar, derramaban sus cuerpos
y alzaban a los cielos sus encendidos brazos,
hijos también de la dulce sorpresa.

Vosotras, trémulas apariencias del amor, mujeres lúcidas
que brillabais amontonadas bajo la suave lumbre,
embriagabais a la tierra con vuestra carne agolpada,
cúmulo del amor, muda pirámide de temblor hacia el cielo.

¿Qué rayo súbito, qué grito celeste descendía a la tierra
desde los cielos mágicos, donde un brazo desnudo
ceñía repentino vuestras cinturas ardientes,
mientras el mundo se deshacía como en un beso del amor en-
    tregándose?

El nacimiento de la aurora era el imperio del niño.
Su pura mano extendía sagradamente su palma
y allí todo el fuego nocturno se vertía en sosiego,
en fervor, en mudas luces límpidas
de otros labios rientes que la vida aclarasen.

Todavía os contemplo, hálito permanente de la tierra be-
        llísima,
os diviso en el aliento de las muchachas fugaces,
en el brillo menudo de los inocentes bucles ligeros
y en la sombra tangible de las mujeres que aman como
        montes tranquilos.

Y puedo tocar la invicta onda, brillo inestable de un eterno
        pie fugitivo,
y acercar mis labios pasados por la vida
y sentir el fuego sin edad de lo que nunca naciera,
a cuya orilla vida y muerte son un beso, una espuma.

PRIMERA APARICIÓN

ALLÍ surtiendo de lo oscuro,
rompiendo de lo oscuro,
serena, pero casi cruel, como una leve diosa recobrada,
hete aquí que ella emerge, sagradamente su ademán exten-
        diendo,
para que la luz del día, la ya gozosa luz que la asalta,
se vierta doradamente viva sobre su palma núbil.

¿Es la sombra o la luz lo que su luciente cabello
arroja a los hombres, cuando cruza mortal un instante,
como un íntimo favor que la vida dejara?

¿O es sólo su graciosa cintura, donde la luz se acumula,
se agolpa, se enreda, como la largamente desterrada
que, devuelta a su reino, jubilar se amontona?

No sé si es ella o su sueño. Pájaros inocentes
todavía se escapan de sus crespos cabellos,
prolongando ese mundo sin edad de que emerge,
chorreando de sus luces secretas, sonriente, clemente,
bajo ese cielo propio que su frente imitase.

Oh tú, delicada muchacha que desnuda en el día,
que vestida en el día de las luces primeras,
detuviste un momento tu graciosa figura
para mirarme largo como un viento encendido
que al pasar arrastrase dulcemente mi vida.

Si pasaste te quedas. Hoy te veo. Tú pasas.
Tú te alejas. Tú quedas... Como luz en los labios.
Como fiel resplandor en los labios. Miradme.
Otros brillos me duran en la voz que ahora canta.

BAJO LA LUZ PRIMERA

A Leopoldo de Luis

PORQUE naciste en la aurora
y porque con tu mano mortal acariciaste suavemente la tenaz
        piel del tigre,
y porque no sabes si las aves cruzan hoy por los cielos o
        vuelan solamente en el azul de tus ojos,
tú, no más ligero que el aire,
pero tan fugaz en la tierra,
naces, mortal, y miras
y entre solares luces pisando hacia un soto desciendes.

Aposentado estás en el valle. Dichoso
miras la casi imagen de ti que, más blanda, encontraste.
Ámala prontamente. Todo el azul es suyo,
cuando en sus ojos brilla el envío dorado

de un sol de amor que vuela con alas en el fondo
de sus pupilas. Bebe, bebe amor. ¡Es el día!

¡Oh instante supremo del vivir! ¡Mediodía completo!
Enlazando una cintura rosada, cazando con tus manos
el palpitar de unas aves calientes en el seno,
sorprendes entre labios amantes el fugitivo soplo de la vida.
Y mientras sientes sobre tu nuca lentamente girar la bóveda
     celeste
tú estrechas un universo que de ti no es distinto.

Apoyado suavemente sobre el soto ligero,
ese cuerpo es mortal, pero acaso lo ignoras.
Roba al día su céfiro: no es visible, mas mira
cómo vuela el cabello de esa testa adorada.

Si sobre un tigre hermoso, apoyada, te contempla,
y una leve gacela más allá devora el luminoso césped,
tú derramado también, como remanso bordeas
esa carne celeste que algún dios te otorgara.

Águilas libres, cóndores soberanos,
altos cielos sin dueño que en plenitud deslumbran,
brillad, batid sobre la fértil tierra sin malicia.
¿Quién eres tú, mortal, humano, que desnudo en el día
amas serenamente sobre la hierba noble?
Olvida esa futura soledad, muerte sola,
cuando una mano divina cubra con nube gris el mundo nuevo.

HISTORIA DEL CORAZÓN

[1945-1953]

MANO ENTREGADA

PERO otro día toco tu mano. Mano tibia.
Tu delicada mano silente. A veces cierro
mis ojos y toco leve tu mano, leve toque
que comprueba su forma, que tienta
su estructura, sintiendo bajo la piel alada el duro hueso
insobornable, el triste hueso adonde no llega nunca
el amor. Oh carne dulce, que sí se empapa del amor hermoso.

Es por la piel secreta, secretamente abierta, invisiblemente
    entreabierta
por donde el calor tibio propaga su voz, su afán dulce:
por donde mi voz penetra hasta tus venas tibias,
para rodar por ellas en tu escondida sangre,
como otra sangre que sonara oscura, que dulcemente oscura
    te besara
por dentro, recorriendo despacio como sonido puro
ese cuerpo, que ahora resuena mío, mío poblado de unas vo-
    ces profundas,
oh resonado cuerpo de mi amor, oh poseído cuerpo, oh cuerpo
    sólo sonido de mi voz poseyéndole.

Por eso, cuando acaricio tu mano, sé que sólo el hueso
    rehúsa
mi amor—el nunca incandescente hueso del hombre.
Y que una zona triste de tu ser se rehúsa,
mientras tu carne entera llega un instante lúcido
en que total flamea, por virtud de ese lento contacto de tu
    mano,
de tu porosa mano suavísima que gime,
tu delicada mano silente, por donde entro
despacio, despacísimo, secretamente en tu vida,
hasta tus venas hondas totales donde bogo,
donde te pueblo y canto completo entre tu carne.

OTRA NO AMO

Tú, en cambio, sí que podrías quererme:
tú, a quien no amo.
A veces me quedo mirando tus ojos, ojos grandes, oscuros:
tu frente pálida, tu cabello sombrío,
tu espigada presencia que delicadamente se acerca en la tarde,
    sonríe,
se aquieta y espera con humildad que mi palabra le aliente.
Desde mi cansancio de otro amor padecido
te miro, oh pura muchacha pálida que yo podría amar y no
    amo.
Me asomo entonces a tu fina piel, al secreto visible de tu
    frente donde yo sé que habito,
y espío muy levemente, muy continuadamente, el brillo rehu-
    sado de tus ojos,
adivinando la diminuta imagen palpitante que de mí sé que
    llevan.
Hablo entonces de ti, de la vida, de tristeza, de tiempo
mientras mi pensamiento vaga lejos, penando allá donde vive
la otra descuidada existencia por quien sufro a tu lado.

   Al lado de esta muchacha veo la injusticia del amor.
A veces, con estos labios fríos te beso en la frente, en sú-
    plica
helada, que tú ignoras, a tu amor: que me encienda.
Labios fríos en la tarde apagada. Labios convulsos, yertos, que
    tenazmente ahondan
la frente cálida, pidiéndole entero su cabal fuego perdido.
Labios que se hunden en tu cabellera negrísima,
mientras cierro los ojos,
mientras siento a mis besos como un resplandeciente cabello
    rubio donde quemo mi boca.
Un gemido, y despierto, heladamente cálido, febril, sobre el
    brusco negror que, de pronto, en tristeza a mis labios sor-
    prende.

Otras veces, cerrados los ojos, desciende mi boca triste so-
    bre la frente tersa,
oh pálido campo de besos sin destino,
anónima piel donde ofrendo mis labios como un aire sin vida,
mientras gimo, mientras secretamente gimo de otra piel que
    quemara.

Oh pálida joven sin amor de mi vida,
joven tenaz para amarme sin súplica,
recorren mis labios tu mejilla sin flor,
sin aroma, tu boca sin luz,
tu apagado cuello que dulce se inclina,
mientras yo me separo, oh inmediata que yo no pido,
oh cuerpo que no deseo,
oh cintura quebrada, pero nunca en mi abrazo.

Échate aquí y descansa de tu pálida fiebre.
Desnudo el pecho, un momento te miro.
Pálidamente hermosa, con ojos oscuros,
semidesnuda y quieta, muda y mirándome.
¡Cómo te olvido mientras te beso! El pecho
tuyo mi labio acepta, con amor, con tristeza.
Oh, tú no sabes... Y doliente sonríes.
Oh, cuánto pido que otra luz me alcanzase.

DESPUÉS DEL AMOR

Tendida tú aquí, en la penumbra del cuarto,
como el silencio que queda después del amor,
yo asciendo levemente desde el fondo de mi reposo
hasta tus bordes, tenues, apagados, que dulces existen.
Y con mi mano repaso las lindes delicadas de tu vivir retraído
y siento la musical, callada verdad de tu cuerpo, que hace un
    instante, en desorden, como lumbre cantaba.
El reposo consiente a la masa que perdió por el amor su forma
    continua,

para despegar hacia arriba con la voraz irregularidad de la
    llama,
convertirse otra vez en el cuerpo veraz que en sus límites se
    rehace.

  Tocando esos bordes, sedosos, indemnes, tibios, delicadamen-
    te desnudos,
se sabe que la amada persiste en su vida.
Momentánea destrucción el amor, combustión que amenaza
al puro ser que amamos, al que nuestro fuego vulnera,
sólo cuando desprendidos de sus lumbres deshechas
la miramos, reconocemos perfecta, cuajada, reciente la vida,
la silenciosa y cálida vida que desde su dulce exterioridad nos
    llamaba.
He aquí el perfecto vaso del amor que, colmado,
opulento de su sangre serena, dorado reluce.
He aquí los senos, el vientre, su redondo muslo, su acabado
    pie,
y arriba los hombros, el cuello de suave pluma reciente,
la mejilla no quemada, no ardida, cándida en su rosa nacido,
y la frente donde habita el pensamiento diario de nuestro
    amor, que allí lúcido vela.
En medio, sellando el rostro nítido que la tarde amarilla caldea
    sin celo,
está la boca fina, rasgada, pura en las luces.
Oh temerosa llave del recinto del fuego.
Rozo tu delicada piel con estos dedos que temen y saben,
mientras pongo mi boca sobre tu cabellera apagada.

NOMBRE

MÍA eres. Pero otro
es aparentemente tu dueño. Por eso,
cuando digo tu nombre,
algo oculto se agita en mi alma.
Tu nombre suave, apenas pasado delicadamente por mi labio.

Pasa, se detiene, en el borde un instante se queda,
y luego vuela ligero, ¿quién lo creyera?: hecho puro sonido.
Me duele tu nombre como tu misma dolorosa carne en mis
    labios.
No sé si él emerge de mi pecho. Allí estaba
dormido, celeste, acaso luminoso. Recorría mi sangre
su sabido dominio, pero llegaba un instante
en que pasaba por la secreta yema donde tú residías,
secreto nombre, nunca sabido, por nadie aprendido,
doradamente quieto, cubierto sólo, sin ruido, por mi leve
    sangre.
Ella luego te traía a mis labios. Mi sangre pasaba
con su luz todavía por mi boca. Y yo entonces estaba hablando
    con alguien
y arribaba el momento en que tu nombre con mi sangre pasaba
    por mi labio.
Un instante mi labio por virtud de su sangre sabía
a ti, y se ponía dorado, luminoso: brillaba de tu sabor sin que
    nadie lo viera.
Oh, cuán dulce era callar entonces, un momento. Tu nombre,
¿decirlo? ¿Dejarlo que brillara, secreto, revelado a los otros?
Oh, callarlo, más secretamente que nunca, tenerlo en la boca,
    sentirlo
continuo, dulce, lento, sensible sobre la lengua, y luego, ce-
    rrando los ojos,
dejarlo pasar al pecho
de nuevo, en su paz querida, en la visita callada
que se alberga, se aposenta y delicadamente se efunde.

Hoy tu nombre está aquí. No decirlo, no decirlo jamás, como
    un beso
que nadie daría, como nadie daría los labios a otro amor sino
    al suyo.

EL ÚLTIMO AMOR

I

AMOR mío, amor mío.
Y la palabra suena en el vacío. Y se está solo.
Y acaba de irse aquella que nos quería. Acaba de salir. Aca-
    bamos de oír cerrarse la puerta.
Todavía nuestros brazos están tendidos. Y la voz se queja en
    la garganta.
Amor mío...

  Cállate. Vuelve sobre tus pasos. Cierra despacio la puerta,
    si es que no quedó bien cerrada.
Regrésate.
Siéntate ahí, y descansa.
No, no oigas el ruido de la calle. No vuelve. No puede volver.
Se ha marchado, y estás solo.
No levantes los ojos para mirarlo todo, como si en todo aún
    estuviera.
Se está haciendo de noche.
Ponte así: tu rostro en tu mano.
Apóyate. Descansa.
Te envuelve dulcemente la oscuridad, y lentamente te borra.
Todavía respiras. Duerme.
Duerme si puedes. Duerme poquito a poco, deshaciéndote,
    desliéndote en la noche que poco a poco te anega.

  ¿No oyes? No, ya no oyes. El puro
silencio eres tú, oh dormido, oh abandonado,
oh solitario.

          ¡Oh, si yo pudiera hacer
que nunca más despertases!

II

Las palabras del abandono. Las de la amargura.

Yo mismo, sí, yo y no otro.
Yo las oí. Sonaban como las demás. Daban el mismo sonido.
Las decían los mismos labios, que hacían el mismo movimiento.
Pero no se las podía oír igual. Porque significan: las palabras
significan. Ay, si las palabras fuesen sólo un suave sonido,
y cerrando los ojos se las pudiese escuchar en el sueño...

Yo las oí. Y su sonido final fue como el de una llave que
se cierra.
Como un portazo.
Las oí, y quedé mudo.
Y oí los pasos que se alejaron.
Volví, y me senté.
Silenciosamente cerré la puerta yo mismo.
Sin ruido. Y me senté. Sin sollozo.
Sereno, mientras la noche empezaba.
La noche larga. Y apoyé mi cabeza en mi mano.
Y dije...

Pero no dije nada. Moví mis labios. Suavemente, suavísimamente.
Y dibujé todavía
el último gesto, ese
que yo ya nunca repetiría.

III

Porque era el último amor. ¿No lo sabes?
Era el último. Duérmete. Calla.
Era el último amor...
Y es de noche.

SOMBRA FINAL

PENSAMIENTO apagado, alma sombría,
¿quién aquí tú, que largamente beso?
Alma o bulto sin luz, o letal hueso
que inmóvil consumió la fiebre mía.

Aquí ciega pasión se estrelló fría.
aquí mi corazón golpeó obseso,
tercamente insistió, palpitó opreso.
Aquí perdió mi boca su alegría.

Entre mis brazos ciega te he tenido,
bajo mi pecho respiraste amada
y en ti vivió mi sangre su latido.

Oh noche oscura. Ya no espero nada.
La soledad no miente a mi sentido.
Reina la pura sombra sosegada.

VAGABUNDO CONTINUO

HEMOS andado despacio, sin acabar nunca.
Salimos una madrugada, hace mucho, oh, sí, hace muchísimo.
Hemos andado caminos, estepas, trochas, llanazos.
Las sienes grises azotadas por vientos largos. Los cabellos
enredados en polvo, en espinas, en ramas, a veces en
flores.
Oímos el bramar de las fieras, en las noches, cuando dormía-
mos junto a un fuego serenador.
Y en los amaneceres goteantes oímos a los pájaros gritadores.
Y vimos gruesas serpientes dibujar su pregunta, arrastrándose
sobre el polvo.
Y la larga y lejana respuesta de la manada de los elefantes.
Búfalos y bisontes, anchos, estúpidos hipopótamos, coriáceos
caimanes, débiles colibríes.

Y las enormes cataratas donde un cuerpo humano caería como
    una hoja.
Y el orear de una brisa increíble.
Y el cuchillo en la selva, y los blancos colmillos, y la enorme
    avenida de las fieras y de sus víctimas huyendo de las en-
    llamecidas devastaciones.

    Y hemos llegado al poblado. Negros o blancos, tristes.
    Hombres, mujeres.
Niños como una pluma. Una plumilla oscura, un gemido, qui-
    zá una sombra, algún junco.
Y una penumbra grande, redonda, en el cielo, sobre las cho-
    zas. Y el brujo. Y sus dientes hueros.

    Y el tam-tam en la oscuridad. Y la llama, y el canto. Oh
    ¿quién se queja?
No es la selva la que se queja. Son sólo sombras, son hom-
    bres.
Es una vasta criatura sólo, olvidada, desnuda.
Es un inmenso niño de oscuridad que yo he visto, y temblado.

Y luego seguir. La salida, la estepa. Otro cielo, otros climas.

    Hombre de caminar que en tus ojos lo llevas.
Hombre que de madrugada, hace mucho, hace casi infinito, sa-
    liste.
Adelantaste tu pie, pie primero, pie desnudo. ¿Te acuerdas?
Y, ahora un momento inmóvil, parece que rememoras.
Mas sigue...

EL VISITANTE

Aquí también entré, en esta casa.
Aquí vi a la madre cómo cosía.
Una niña, casi una mujer (alguien diría: qué alta, qué guapa
    se está poniendo),

alzó sus grandes ojos oscuros, que no me miraban.
Otro chiquillo, una menuda sombra, apenas un grito, un ruidillo por el suelo,
tocó mis piernas suavemente, sin verme.
Fuera, a la entrada, un hombre golpeaba, confiado, en un
hierro.

Y entré, y no me vieron.
Entré por una puerta, para salir por otra.

Un viento pareció mover aquellos vestidos.

Y la hija alzó su cara, sus grandes ojos vagos y llevó a su
frente sus dedos.

Un suspiro profundo y silencioso exhaló el pecho de la madre.

El niño se sintió cansado y dulcemente cerró los ojos.

El padre detuvo su maza y dejó su mirada en la raya azul del
crepúsculo.

EL VIEJO Y EL SOL

HABÍA vivido mucho.
Se apoyaba allí, viejo, en un tronco, en un gruesísimo tronco,
muchas tardes cuando el sol caía.
Yo pasaba por allí a aquellas horas y me detenía a obser-
varle.
Era viejo y tenía la faz arrugada, apagados, más que tristes,
los ojos.
Se apoyaba en el tronco, y el sol se le acercaba primero, le
mordía suavemente los pies
y allí se quedaba unos momentos como acurrucado.
Después ascendía e iba sumergiéndole, anegándole,
tirando suavemente de él, unificándole en su dulce luz.

¡Oh el viejo vivir, el viejo quedar, cómo se desleía!
Toda la quemazón, la historia de la tristeza, el resto de las
    arrugas, la miseria de la piel roída,
¡cómo iba lentamente limándose, deshaciéndose!
Como una roca que en el torrente devastador se va dulce-
    mente desmoronando.
rindiéndose a un amor sonorísimo,
así, en aquel silencio, el viejo se iba lentamente anulando,
    lentamente entregando.
Y yo veía el poderoso sol lentamente morderle con mucho
    amor y adormirle
para así poco a poco tomarle, para así poquito a poco di-
    solverle en su luz,
como una madre que a su niño suavísimamente en su seno
    lo reinstalase.

    Yo pasaba y lo veía. Pero a veces no veía sino un sutilísi-
    mo resto. Apenas un levísimo encaje del ser.
Lo que quedaba después que el viejo amoroso, el viejo dulce,
    había pasado ya a ser la luz
y despaciosísimamente era arrastrado en los rayos postreros
    del sol,
como tantas otras invisibles cosas del mundo.

EL ALMA

El día ha amanecido.
Anoche te he tenido en mis brazos.
Qué misterioso es el olor de la carne.
Anoche, más suave que nunca:
Carne casi soñada.
Lo mismo que si el alma al fin fuera tangible.
Alma mía, tus bordes,
tu casi luz, tu tibieza conforme...
Repasaba tu pecho, tu garganta,
tu cintura: lo terso,

lo misterioso, lo maravillosamente expresado.
Tocaba despacio, despacísimo, lento,
el inoíble rumor del alma pura, del alma manifestada.
Esa noche, abarcable; cada día, cada minuto, abarcable.
El alma con su olor a azucena.
Oh, no: con su sima,
con su irrupción misteriosa de bulto vivo.
El alma por donde navegar no es preciso
porque a mi lado extendida, arribada, se muestra
como una inmensa flor; oh, no: como un cuerpo maravillosa-
    mente investido.

    Ondas de alma..., alma reconocible.
Mirando, tentando su brillo conforme,
su limitado brillo que mi mano somete,
creo,
creo, amor mío, realidad, mi destino,
alma olorosa, espíritu que se realiza,
maravilloso misterio que lentamente se teje,
hasta hacerse ya como un cuerpo,
comunicación que bajo mis ojos miro formarse,
organizarse,
y conformemente brillar,
trasminar,
trascender,
en su dibujo bellísimo,
en su sola verdad de cuerpo advenido;
oh dulce realidad que yo aprieto, con mi mano, que por una
    manifestada suavidad se desliza.

    Así, amada mía,
cuando desnuda te rozo,
cuando muy lento, despacísimo, regaladamente te toco.
En la maravillosa noche de nuestro amor.
Con luz, para mirarte.
Con bella luz porque es para ti.
Para engolfarme en mi dicha.
Para olerte, adorarte,

para, ceñida, trastornarme con tu emanación.
Para amasarte con estos brazos que sin cansancio se ahorman.
Para sentir contra mi pecho todos los brillos,
contagiándome de ti,
que, alma, como una niña sonríes
cuando te digo: «Alma mía...»

TIERRA DEL MAR

HABITABA conmigo allí en la colina espaciosa.
Vivíamos sobre el mar,
y muchas veces me había dicho:
«¡Oh, vivir allí los dos solos,
con riscos, cielo desnudo, verdad del sol!»
Y pude llevármela. Una casita colgaba
como despeñada, suspensa
en algunos poderosos brazos que nos amasen.

Allí habitábamos. Veíamos en la distancia
trepar a las cabras salvajes, dibujadas contra los cielos.
El rumor de la trompa lejana
parecía un trueno que se adurmiese.
Todo era vida pelada y completa.
Allí, sobre la piedra dorada por el sol bondadoso,
su forma se me aquietaba, permanecía.
Siempre temía verla desvanecerse.
Cuando la estrechaba en mis brazos
parecía que era sobre todo por retenerla.
¡Ah, cómo la comprobaba, suavidad a suavidad,
en aquel su tersísimo cuerpo que la ofrecía!

Lo que más me sorprendía era su dulce calor.
Y el sonido de su voz,
cuando yo no la veía,
me parecía siempre que podía ser el viento contra las rocas.
No había árboles. Apenas algún arce, algún pino.

A veces se templaba una loma con un ahogado sofoco.
Pero el cielo poderoso vertía luz dorada, color fuerte, tem-
    plado hálito.

Lejos estaba el mar: añil puro.
Los cantiles tajantes parecían cuajados, petrificados de res-
    plandor.
En la amarilla luz todo semejaba despedazado,
rodado, quedado,
desde un violento cielo de júpiter.

Pero en la cumbre todo poseía templanza. Y ella
hablaba con dulzura, y había suavidad,
y toda la exaltación terrestre se aquietaba en aquel diminuto
    nudo de dicha.

Había días que yo estaba solo.
Se levantaba antes que yo, y cuando yo me despertaba
sólo un viento puro y templado penetraba mudo por la ven-
    tana.
Todo el día era así silencioso,
eterno día con la luz quedada.
Vagaba quizá por la altura, y cuando regresaba había como
    una larga fatiga en sus ojos.
Como un ocaso caído,
como una noche que yo no conociese.
Como si sus ojos no viesen toda aquella luz que nos rodeaba.

Por la noche dormía largamente, mientras yo vigilaba,
mientras yo me detenía sobre su velo intacto,
mientras su pecho no se movía.

Pero amanecer era dulce. ¡Con qué impaciencia lo deseaba!
Ojos claros abiertos, sonrientes vivían.
Y besos dulces parecían nacer, y un sofocado sol de lirio puro
penetraba por la ventana.

Siempre ida, venida, llegada, retenida,
siempre infinitamente espiada,
vivíamos sobre la colina sola.
Y yo sólo descansaba cuando la veía dormir dichosa en mis
   brazos,
en algunas largas noches de seda.

Tierra del mar que giraba sin peso,
llevando un infinito miedo del amor
y una apurada dicha hasta sus bordes.

TENDIDOS DE NOCHE

POR eso tú,
quieta así, contemplándote,
casi escrutándote, queriendo en la noche mirar muy despacio
   el color de tus ojos.
Cogiendo tu cara con mis dos manos mientras tendida aquí
   yaces,
a mi lado, despierta, despertada, muda, mirándome.

Hundirme en tus ojos. Has dormido. Mirarte,
contemplarte sin adoración, con seca mirada. Como no puedo mirarte.
Porque no puedo mirarte sin amor.
Lo sé. Sin amor no te he visto.
¿Cómo serás tú sin amor?
A veces lo pienso. Mirarte sin amor. Verte como serás tú
   del otro lado.
Del otro lado de mis ojos. Allí donde pasas,
donde pasarías con otra luz, con otro pie,
con otro ruido de pasos. Con otro viento que movería tus
   vestidos.
Y llegarías. Sonrisa... Llegarías. Mirarte,
y verte como eres. Como no sé que eres.
Como no eres... Porque eres aquí la que duerme.

La que despierto, la que te tengo.
La que en voz baja dice: «Hace frío.» La que cuando te beso murmura
casi cristalinamente, y con su olor me enloquece.
La que huele a vida,
a presente, a tiempo dulce,
a tiempo oloroso.
La que señalo si extiendo mi brazo, la que recojo y acerco.
La que siento como tibieza estable,
mientras yo me siento como precipitación que huye,
que pasa, que se destruye y se quema.
La que permanece como una hoja de rosa que no se hace
pálida.
La que me da vida sin pasar, presente,
presente inmóvil como amor, en mi dicha,
en este despertar y dormirse, en este amanecer,
en este apagar la luz y decir... Y callarse,
y quedarse dormido del lado del continuo olor que es la vida.

EL SUEÑO

HAY momentos de soledad
en que el corazón reconoce, atónito, que no ama.
Acabamos de incorporarnos, cansados: el día oscuro.
Alguien duerme, inocente, todavía sobre ese lecho.
Pero quizá nosotros dormimos... Ah, no: nos movemos.
Y estamos tristes, callados. La lluvia, allí insiste.
Mañana de bruma lenta, impiadosa. ¡Cuán solos!
Miramos por los cristales. Las ropas, caídas:
el aire, pesado; el agua, sonando. Y el cuarto,
helado en este duro invierno que, fuera, es distinto.

Así te quedas callado, tu rostro en tu palma.
Tu codo sobre la mesa. La silla, en silencio,
Y sólo suena el pausado respiro de alguien,
de aquella que allí, serena, bellísima, duerme
y sueña que no la quieres, y tú eres su sueño...

AL COLEGIO

Yo iba en bicicleta al colegio.
Por una apacible calle muy céntrica de la noble ciudad misteriosa.
Pasaba ceñido de luces, y los carruajes no hacían ruido.
Pasaban majestuosos, llevados por nobles alazanes o bayos,
  que caminaban con eminente porte.
¡Cómo alzaban sus manos al avanzar, señoriales, definitivos,
no desdeñando el mundo, pero contemplándolo
desde la soberana majestad de sus crines!
Dentro, ¿qué? Viejas señoras, apenas poco más que de encaje,
chorreras silenciosas, empinados peinados, viejísimos terciopelos:
silencio puro que pasaba arrastrado por el lento tronco brillante.

Yo iba en bicicleta, casi alado, aspirante.
Y había anchas aceras por aquella calle soleada.
En el sol, alguna introducida mariposa volaba sobre los caruajes y luego por las aceras
sobre los lentos transeúntes de humo.
Pero eran madres que sacaban a sus niños más chicos.
Y padres que en oficinas de cristal y sueño...
Yo al pasar los miraba.
Yo bogaba en el humo dulce, y allí la mariposa no se extrañaba.
Pálida en la irisada tarde de invierno,
se alargaba en la despaciosa calle como sobre un abrigado valle lentísimo.
Y la vi alzarse alguna vez para quedar suspendida
sobre aquello que bien podía ser borde ameno de un río.
Ah, nada era terrible.
La céntrica calle tenía una posible cuesta y yo ascendía, impulsado.
Un viento barría los sombreros de las viejas señoras.
No se hería en los apacibles bastones de los caballeros.

Y encendía como una rosa de ilusión, y apenas de beso, en
las mejillas de los inocentes.
Los árboles en hilera era un vapor inmóvil, delicadamente
suspenso bajo el azul. Y yo casi ya por el aire,
yo apresurado pasaba en mi bicicleta y me sonreía...
y recuerdo perfectamente
cómo misteriosamente plegaba mis alas en el umbral mismo
del colegio.

LA CLASE

Como un niño que en la tarde brumosa va diciendo su lección y se duerme.
Y allí sobre el magno pupitre está el mudo profesor que no
escucha.
Y ha entrado en la última hora un vapor leve, porfiado,
pronto espesísimo, y ha ido envolviéndolos a todos.
Todos blandos, tranquilos, serenados, suspiradores,
ah, cuán verdaderamente reconocibles.
Por la mañana han jugado,
han quebrado, proyectado sus límites, sus ángulos, sus risas,
sus imprecaciones, quizá sus lloros.
Y ahora una brisa inoíble, una bruma, un silencio, casi un
beso, los une,
los borra, los acaricia, suavísimamente los recompone.
Ahora son como son. Ahora puede reconocérseles.
Y todos en la clase se han ido adurmiendo.
Y se alza la voz todavía, porque la clase dormida se sobrevive.
Una borrosa voz sin destino, que se oye y que no se supiera
ya de quién fuese.

Y existe la bruma dulce, casi olorosa, embriagante,
y todos tienen su cabeza sobre la blanda nube que los envuelve.
Y quizá un niño medio se despierta y entreabre los ojos,

y mira y ve también el alto pupitre desdibujado
y sobre él el bulto grueso, casi de trapo, dormido, caído,
del abolido profesor que allí sueña.

EN EL LAGO

POR la ciudad callada el niño pasa.
No hacen ruido las voces, ni los pasos.
Es un niño pequeño en su bicicleta.
Atraviesa la calle majestuosa, enorme, cruzada por los lentos
    tranvías.
Y sortea carruajes, carros finos, cuidados.
Y va suavemente con las manos al aire, casi dichoso.
De pronto, ¿qué? Sí, el gran parque
que se lo traga.
¡Cómo pedalea por la avenida central, rumbo al lago!
Y el niño quisiera entrar en el agua, y por allí deslizarse, li-
    gero sobre la espuma.
(¡Qué maravillosa bicicleta sobre las aguas, rauda con su es-
    tela levísima!
¡Y qué desvariar por las ondas, sin pesar, bajo cielos!...)
Pero el niño se apea junto al lago. Una barca.
Y rema dulcemente, muy despacio, y va solo.
Allí la estatua grande sobre la orilla, y en la otra orilla el
    sueño bajo los árboles.
Suena el viento en las ramas, y el niño se va acercando.
Es el verano puro de la ciudad, y suena el viento allí queda-
    mente.
Sombras, boscaje, oleadas de sueño que cantan dulces.
Y el niño solo se acerca y rema, rema muy quedo.
Está cansado y es leve. Qué bien la sombra bajo los árboles.
Ah, qué seda o rumor... Y los remos penden, meciéndose.
Y el niño está dormido bajo las grandes hojas,
y sus labios frescos sueñan..., como sus ojos.

NO QUEREMOS MORIR

Los amantes no tienen vocación de morir. «¿Moriremos?»
Tú me lo dices, mirándome absorta con ojos grandes: «¡Por
   siempre!»
«Por siempre», «nunca»: palabras
que los amantes decimos, no por su vano sentido que fluye y
   pasa,
sino por su retención al oído, por su brusco tañir y su vibración prolongada,
que acaba .ahora, que va cesando..., que dulcemente se apaga
   como una extinción en el sueño.

   No queremos morir, ¿verdad, amor mío? Queremos vivir
      cada día.
Hacemos proyectos vagos para cuando la vejez venga. Y decimos:
«Tú siempre serás hermosa, y tus ojos los mismos;
ah, el alma allí coloreada, en la diminuta pupila,
quizá en la voz... Por sobre la acumulación de la vida,
por sobre todo lo que te vaya ocultando
—si es que eso sea ocultarte, que no lo será, que no puede
   serlo—, yo te reconoceré siempre.»
Allí saldrás, por el hilo delgado de la voz, por el brillo nunca
   del todo extinto de tu diminuto verdor en los ojos,
por el calor de la mano reconocible, por los besos callados.
Por el largo silencio de los dos cuerpos mudos, que se tientan,
   conocen.
Por el lento continuo emblanquecimiento de los cabellos, que
   uno a uno haré míos.
Lento minuto diario que hecho gota nos une,
nos ata. Gota que cae y nos moja; la sentimos: es una.

   Los dos nos hemos mirado lentamente.
¡Cuántas veces me dices: «No me recuerdes los años»!
Pero también me dices, en las horas del recogimiento y mur-
   mullo:
«Sí, los años son tú, son tu amor. ¡Existimos!»

Ahora que nada cambia, que nada puede cambiar, como la
vida misma, como yo, como juntos...
Lento crecer de la rama, lento curvarse, lento extenderse;
lento,
al fin, allá lejos, lento doblarse. Y densa rama con fruto, tan
cargada, tan rica
—tan continuadamente juntos: como un don, como estarse—,
hasta que otra mano que sea, que será, la recoja,
más todavía que como la tierra, como amor, como beso.

CON LOS DEMÁS

EXTRAÑA sensación cuando vemos a nuestra amada
con otras gentes que quizá no lo saben.

Nos mira con ojos grandes, ojos absortos, dulces.
Allí impresos todavía están los besos, los favores, los largos
silencios.
Están aquellas horas fervientes, cuando inclinados sobre el
tendido dibujo murmuramos apenas.
Las largas navegaciones quietas en el cuarto del amor, los
envíos,
las altas mareas, las briosas constelaciones fúlgidas que han
visto al cuarto bogar.
Y están la música de las olas, los lentos arribos, el sueño
quieto en la costa del alba;
y el despertar en la playa encontrada, y el salto desde el sueño
a la orilla,
y el salir mucho después juntos por la ciudad, y el llevar todo,
y el escuchar todavía, en el tráfago de las calles, el eco apagado, en el oído encendido,
del largo clamor inmóvil de las espumas de la navegación infinita, en las relucientes noches de altura.
Y el alma, allí rodeada, nos mira como con solo amor,
y ofrece en los ojos impresos besos largos, designios, silencios
largos, estelas...

Y hoy en medio de los otros, nos encontramos. ¿Tú me
   miras? Te veo.
Ellos no te conocen. Hablan. Mueven. Oscilan.
Déjalos. Tú les dices. Pero tu alma cambia
largos besos conmigo, mientras hablas, y escuchan.
No importa. Sí, te tengo, cuerpo hermoso, y besamos
y sonreímos, y: «Toma, amor; toma, dicha.» Pronuncian,
insisten, quizá ceden, argumentan, responden. No sé lo que
   les dices.
Pero tú estás besando. Aquí, cara a cara, con hermosos sonidos,
con largos, interminables silencios de beso solo,
con estos abrazos lentos de los dos cuerpos vivos,
de las dos almas mudas que fundidas se cantan
y con murmullos lentos se penetran, se absortan.

Todos callan. Los muertos. Los salvados. Vivimos.

COMEMOS SOMBRA

TODO tú, fuerza desconocida que jamás te explicas.
Fuerza que a veces tentamos por un cabo del amor.
Allí tocamos un nudo. Tanto así es tentar un cuerpo,
un alma, y rodearla y decir: «Aquí está.» Y repasamos des-
   paciosamente,
morosamente, complacidamente, los accidentes de una verdad
   que únicamente por ellos se nos denuncia.
Y aquí está la cabeza, y aquí el pecho, y aquí el talle y su
   huida,
y el engolfamiento repentino y la fuga, las dos largas piernas
   dulces que parecen infinitamente fluir, acabarse.
Y estrechamos un momento el bulto vivo.
Y hemos reconocido entonces la verdad en nuestros brazos,
   el cuerpo querido, el alma escuchada,
el alma avariciosamente aspirada.

¿Dónde la fuerza entonces del amor? ¿Dónde la réplica que
    nos diese un Dios respondiente,
un Dios que no se nos negase y que no se limitase a arrojar-
    nos un cuerpo, un alma que por él nos acallase?
Lo mismo que un perro con el mendrugo en la boca calla y
    se obstina,
así nosotros, encarnizados con el duro resplandor, absorbidos,
estrechamos aquello que una mano arrojara.
Pero ¿dónde tú, mano sola que haría
el don supremo de suavidad con tu piel infinita,
con tu sola verdad, única caricia que, en el jadeo, sin térmi-
    nos nos callase?

    Alzamos unos ojos casi moribundos. Mendrugos,
panes, azotes, cólera, vida, muerte:
todo lo derramas como una compasión que nos dieras,
como una sombra que nos lanzaras, y entre los dientes nos
    brilla
un eco de un resplandor, el eco de un eco de un eco del
    resplandor,
y comemos.
Comemos sombra, y devoramos el sueño o su sombra, y ca-
    llamos.
Y hasta admiramos: cantamos. El amor es su nombre.

    Pero luego los grandes ojos húmedos se levantan. La
mano no está. Ni el roce
de una veste se escucha.
Sólo el largo gemido, o el silencio apresado.
El silencio que sólo nos acompaña
cuando, en los dientes la sombra desvanecida, famélicamente
    de nuevo echamos a andar.

ENTRE DOS OSCURIDADES,
UN RELÁMPAGO

> *Y no saber adónde vamos,*
> *ni de dónde venimos.*
> RUBÉN DARÍO

SABEMOS adónde vamos y de dónde venimos. Entre dos oscuridades, un relámpago.
Y allí, en la súbita iluminación, un gesto, un único gesto,
una mueca más bien, iluminada por una luz de estertor.

Pero no nos engañemos, no nos crezcamos. Con humildad,
con tristeza, con aceptación, con ternura,
acojamos esto que llega. La conciencia súbita de una compañía,
allí en el desierto.
Bajo una gran luna colgada que dura lo que la vida, el instante del darse cuenta entre dos infinitas oscuridades,
miremos este rostro triste que alza hacia nosotros sus grandes
ojos humanos,
y que tiene miedo, y que nos ama.
Y pongamos los labios sobre la tibia frente y rodeemos
con nuestros brazos el cuerpo débil, y temblemos,
temblemos sobre la vasta llanura sin término donde sólo brilla
la luna del estertor.

Como en una tienda de campaña,
que el viento furioso muerde, viento que viene de las hondas
profundidades de un caos,
aquí la pareja humana, tú y yo, amada, sentimos las arenas
largas que nos esperan.
No acaban nunca, ¿verdad? En una larga noche, sin saberlo,
las hemos recorrido;
quizá juntos, oh, no, quizá solos, seguramente solos, con un
invisible rostro cansado desde el origen, las hemos recorrido.
Y después, cuando esta súbita luna colgada bajo la que nos
hemos reconocido

se apague,
echaremos de nuevo a andar. No sé si solos, no sé si acompa-
ñados.
No sé si por estas mismas arenas que en una noche hacia atrás
de nuevo recorreremos.

Pero ahora la luna colgada, la luna como estrangulada, un
momento brilla.
Y te miro. Y déjame que te reconozca.
A ti, mi compañía, mi sola seguridad, mi reposo instantáneo,
mi reconocimiento expreso donde yo me siento y me soy.
Y déjame poner mis labios sobre tu frente tibia—oh, cómo la
siento—.
Y un momento dormir sobre tu pecho, como tú sobre el mío,
mientras la instantánea luna larga nos mira y con piadosa luz
nos cierra los ojos.

ANTE EL ESPEJO

COMO un fantasma que de pronto se asoma
y entre las cortinas silenciosas adelanta su rostro y nos mira,
y parece que mudamente nos dijera...

Así tú ahora, mientras sentada ante el vidrio elevas tus
brazos,
componiendo el cabello que, sin brillo, organizas.
Desde tu espalda te he mirado en el espejo.
Cansado rostro, cansadas facciones silenciosas
que parecen haberse levantado tristísimas como después de un
largo esfuerzo que hubiese durado el quedar de los años.
Como un cuerpo que un momento se distendiese
después de haber sufrido el peso de la larguísima vida,
y un instante se mirase en el espejo y allí se reconociera...,

así te he visto a ti, cansada mía, vivida mía,
que día a día has ido llevando todo el peso de tu vivir.

A ti, que sonriente y ligera me mirabas cada mañana como reciente, como si la vida de los dos empezase.
Despertabas, y la luz entraba por la ventana, y me mirabas
y no sé qué sería, pero todos los días amanecías joven y dulce.
Y hoy mismo, esta mañana misma, me has mirado riente,
serena y leve, asomándote y haciéndome la mañana graciosamente desconocida.
Todos los días nuevos eran el único día. Y todos
los días sin fatigarte tenías tersa la piel, sorprendidos los ojos,
fresca la boca nueva y mojada de algún rocío la voz que se
levantaba.

Y ahora te miro. De pronto a tu espalda te he mirado.
Qué larga mirada has echado sobre el espejo donde te haces.
Allí no estabas. Y una sola mujer fatigada, cansada como por
una larga vigilia que durase toda la vida,
se ha mirado al espejo y allí se ha reconocido.

ASCENSIÓN DEL VIVIR

Aquí tú, aquí yo: aquí nosotros. Hemos subido despacio esa
montaña.
¿Cansada estás, fatigada estás? «¡Oh, no!», y me sonríes. Y
casi con dulzura.
Estoy oyendo tu agitada respiración y miro tus ojos.
Tú estás mirando el larguísimo paisaje profundo allá al fondo.
Todo él lo hemos recorrido. Oh, sí, no te asombres.
Era por la mañana cuando salimos. No nos despedía nadie.
Salíamos furtivamente,
y hacía un hermoso sol allí por el valle.
El mediodía soleado, la fuente, la vasta llanura, los alcores,
los médanos;
aquel barranco, como aquella espesura; las alambradas, los
espinos,
las altas águilas vigorosas.

Y luego aquel puerto, la cañada suavísima, la siesta en el frescor sedeño.

¿Te acuerdas? Un día largo, larguísimo; a instantes dulces: a fatigosos pasos; con pie muy herido:
casi con alas.

Y ahora de pronto, estamos. ¿Dónde? En lo alto de una montaña.

Todo ha sido ascender, hasta las quebradas, hasta los descensos, hasta aquel instante que yo dudé y rodé y quedé
con mis ojos abiertos, cara a un cielo que mis pupilas de vidrio no reflejaban.

Y todo ha sido subir, lentamente ascender, lentísimamente alcanzar,
casi sin darnos cuenta.

Y aquí estamos en lo alto de la montaña, con cabellos blancos y puros como la nieve.

Todo es serenidad en la cumbre. Sopla un viento sensible, desnudo de olor, transparente.

Y la silenciosa nieve que nos rodea
augustamente nos sostiene, mientras estrechamente abrazados
miramos al vasto paisaje desplegado, todo él ante nuestra vista.

Todo él iluminado por el permanente sol que aún alumbra nuestras cabezas.

MIRADA FINAL

(MUERTE Y RECONOCIMIENTO)

La soledad, en que hemos abierto los ojos.

La soledad en que una mañana nos hemos despertado, caídos,
derribados de alguna parte, casi no pudiendo reconocernos.

Como un cuerpo que ha rodado por un terraplén
y, revuelto con la tierra súbita, se levanta y casi no puede reconocerse.

Y se mira y se sacude y ve alzarse la nube de polvo que él no es, y ve aparecer sus miembros,

y se palpa: «Aquí yo, aquí mi brazo, y este mi cuerpo,
 y esta mi pierna, e intacta está mi cabeza»;
y todavía mareado mira arriba y ve por dónde ha rodado,
y ahora el montón de tierra que le cubriera está a sus pies y
 él emerge,
no sé si dolorido, no sé si brillando, y alza los ojos y el cielo
 destella
con un pesaroso resplandor, y en el borde se sienta
y casi siente deseos de llorar. Y nada le duele,
pero le duele todo. Y arriba mira el camino,
y aquí la hondonada, aquí donde sentado se absorbe
y pone la cabeza en las manos; donde nadie le ve, pero un
 cielo azul apagado parece lejanamente contemplarle.

 Aquí, en el borde del vivir, después de haber rodado toda
 la vida como un instante, me miro.
¿Esta tierra fuiste tú, amor de mi vida? ¿Me preguntaré así
 cuando en el fin me conozca, cuando me reconozca y
 despierte,
recién levantado de la tierra, y me tiente, y sentado en la hondonada, en el fin, mire un cielo
piadosamente brillar?

 No puedo concebirte a ti, amada de mi existir, como sólo
 una tierra que se sacude al levantarse, para acabar cuando
 el largo rodar de la vida ha cesado.
No, polvo mío, tierra súbita que me ha acompañado todo el
 vivir.
No, materia adherida y tristísima que una postrer mano, la
 mía misma, hubiera al fin de expulsar.
No: alma más bien en que todo yo he vivido, alma por la que
 me fue la vida posible
y desde la que también alzaré mis ojos finales
cuando con estos mismos ojos que son los tuyos, con los que
 mi alma contigo todo lo mira,
contemple con tus pupilas, con las solas pupilas que siento
 bajo los párpados,
en el fin el cielo piadosamente brillar.

EN UN VASTO DOMINIO

[1958-1962]

PARA QUIÉN ESCRIBO

I

¿Para quién escribo?, me preguntaba el cronista, el periodista o simplemente el curioso.

No escribo para el señor de la estirada chaqueta, ni para su bigote enfadado, ni siquiera para su alzado índice admonitorio entre las tristes ondas de música.

Tampoco para el carruaje, ni para su ocultada señora (entre vidrios, como un rayo frío, el brillo de los impertinentes).

Escribo acaso para los que no me leen. Esa mujer que corre por la calle como si fuera a abrir las puertas a la aurora.

O ese viejo que se aduerme en el banco de esa plaza chiquita, mientras el sol poniente con amor le toma, le rodea y le deslíe suavemente en sus luces.

Para todos los que no me leen, los que no se cuidan de mí, pero de mí se cuidan (aunque me ignoren).

Esa niña que al pasar me mira, compañera de mi aventura, viviendo en el mundo.

Y esa vieja que sentada a su puerta ha visto vida, paridora de muchas vidas, y manos cansadas.

Escribo para el enamorado para el que pasó con su angustia en los ojos; para el que le oyó; para el que al pasar no miró; para el que finalmente cayó cuando preguntó y no le oyeron.

Para todos escribo. Para los que no me leen sobre todo escribo. Uno a uno, y la muchedumbre. Y para los pechos y para las bocas y para los oídos donde, sin oírme,
está mi palabra.

II

Pero escribo también para el asesino. Para el que con los ojos cerrados se arrojó sobre un pecho y comió muerte y se alimentó, y se levantó enloquecido.

Para el que se irguió como torre de indignación, y se desplomó sobre el mundo.

Y para las mujeres muertas y para los niños muertos, y para los hombres agonizantes.

Y para el que sigilosamente abrió las llaves del gas y la ciudad entera pereció, y amaneció un montón de cadáveres.

Y para la muchacha inocente, con su sonrisa, su corazón, su tierna medalla, y por allí pasó un ejército de depredadores.

Y para el ejército de depredadores, que en una galopada final fue a hundirse en las aguas.

Y para esas aguas, para el mar infinito.

Oh, no para el infinito. Para el finito mar, con su limitación casi humana, como un pecho vivido.

(Un niño ahora entra, un niño se baña, y el mar, el corazón del mar, está en ese pulso.)

Y para la mirada final, para la limitadísima Mirada Final, en cuyo seno alguien duerme.

Todos duermen. El asesino y el injusticiado, el regulador y
 el naciente, el finado y el húmedo, el seco de voluntad
 y el híspido como torre.

Para el amenazador y el amenazado, para el bueno y el
 triste, para la voz sin materia
y para toda la materia del mundo.

Para ti, hombre sin deificación que, sin quererlas mirar,
 estás leyendo estas letras.

Para ti y todo lo que en ti vive,
yo estoy escribiendo.

MATERIA HUMANA

Y TÚ que en la noche oscura has abierto los ojos y te has
 levantado.
Te has asomado a la ventana.
La ciudad en la noche. ¿Qué miras? Todos van lejos.
Todos van cerca.
Todos muy juntos en la noche. Y todos y cada uno en su
 ventana, única y múltiple.

 Si tú mueves esa mano, la ciudad lo registra un instante y
 vibra en las aguas.
Y si tú nombras y miras, todos saben que miras, y esperan
 y la ciudad recibe la onda pura de una materia.
Toda la ciudad común se ondea y la ciudad toda es una materia:
una onda única en la que todos son, por la que todo es, y en
 la que todos están; llegan, pulsan, se crean.
Onda de la materia pura en la que inmerso te hallas, que por
 ti existe también y que desde lejísimos te ha alcanzado.
Allí respira en la extensión total—¡ah, humanidad!— con
 toda su dimensión profunda casi infinita.

Ah, qué inmenso cuerpo posees.
Toda esa materia que viene del fondo del existir,
que un momento se detiene en ti y sigue tras ti, propagándote
    y heredándote y por la que tú significadamente sucedes.
Todo es tu cuerpo inmenso, como el de aquel, como el de
    ese otro, como el de aquella niña, como el de aquella
    vieja,
como el de aquel guerrero que no se sabe, allá en el fondo
    de las edades, y que está latiendo contigo.
Contigo el emperador y el soldado, el monje y el anacoreta.
    Contigo
la cortesana pálida que acaba de ponerse su colorete en la
    triste mejilla, ah, cuán gastada. Allí en la infinitud de los
    siglos.
Pero aquí sonríe contigo, bracea en la onda de la materia pura,
    y late en la virgen.
Como ese gobernante sereno que fríamente condena, allá en
    la lejanísima noche, y respira ahora también en la boca
    pura de un niño.
Todos confiados en la vibración sola que a todos suma,
o mejor, que a todos compone y salva, y hace y envía, y allí
se pierde todavía íntegra hacia el futuro.

Oh, todo es presente.

Onda única en extensión que empieza en el tiempo, y sigue
    y no tiene edad.
O la tiene, sí, como el Hombre.

LA SANGRE

Mas si el latido empuja
sangre y en oleadas lentas va indagando,
va repartiendo,
por los brazos, hasta afinarse en yema;
por las piernas hasta tocar la tierra,

casi la tierra,
sin alcanzarla nunca
(una frontera, apenas una lámina,
separa linfa y tierra, destinadas a unirse
pero mucho más tarde.
Oh bodas diferidas, mas seguras).

　Digo que si el latido empuja
y por el brazo llega al extremo, y va alegre,
refrescando, otorgando,
con nueva juventud y se diría
que con nueva esperanza...
cuando vuelve va oscura
—sangre apagada y triste de los hombres—
sombra que por sus túneles regresa
a su origen continuo.

　¿Cuál es su carga?, dime.

　Llegó a la mano y ésta
ahora soltaba el puño del arado,
o depuso una pluma,
o venía de enjugar la frente húmeda,
para lo cual el hierro
activo—azada o pala o filo—
quedó un instante en sombra.

　El riego alegre recogió la carga,
todo el conocimiento del esfuerzo oscuro,
y emprendió su regreso.
¡Sangre cargada de la ciencia humana!
Hacia arriba, despacio,
como un inmenso lastre se adentraba
más en el hombre. Primero por su brazo,
sabio de su dolor, luego en su hombro:
¡cómo pesaba inmensa!
Luego, por su camino horizontal buscando a ciegas
el descanso, la fuente,

el manantial de luz, de vida: el fresco
pozo donde lavar su oscura túnica
y levantarse nueva, suavemente empujada,
suavemente creída, como oreada,
para emprender de nuevo, sin memoria,
su dulce
curiosidad,
su indagación primera, su sorpresa, su firme y pura y honda
esperanza diaria.

Es la verdad que algunas veces en la boca aún destella
y se hace
una palabra humana.

EL SEXO

I

PENDIENTE de ese tronco
el fruto consta en vida.
Su materia consiente
una verdad durable.
En la sombra él madura,
si por siglos, finito,
y no cae sino cuando
el árbol rueda en tierra.
Fruto de carne o masa
de vida congruente,
pálido en su corteza,
nudosa nuez compacta.
La sangre rueda y pasa,
y ardiente sigue y vase,
mientras el viento pone
la vida en llamas y arde
doble tiniebla absorta.
Eje del sol que un rayo

descargará sin duelo
y estallará en la liza
dentro en la sombra exacta.
Oh, conjunción del fuego
con su materia idónea.
Fuego del sol, o fruto
que al estallar se siembra.

II

Entre las piernas suaves pasa un río,
lecho insinuado para el agua viva;
entre la fresca sombra o un humo quedo
que en el terso crepúsculo está inmóvil.
Entre los muslos, sólo el tiempo quieto,
el tiempo que no pasa, eternamente,
inmortal, sin nacer, entre las sombras.
Entre las piernas bellas sólo un río
en el fondo se siente cruzar único.
Agua oscura sin tiempo que no nace
y que sobre la tierra desemboca.

Oh, hermosa conjunción de sangre y flor,
botón secreto que en la luz perfuma
el nacimiento de la luz creciendo
de entre los muslos de la bella echada.
Ruda moneda o sol que exhala el día
naciendo de ese cuerpo dolorido,
presto al amor cuando el cenit empuje
al adversario que agresivo avanza.
Misterio entonces del ocaso ardiente
cuando como en caricia el rayo ingrese
en la sima voraz y se haga noche:
noche perfecta de los dos amantes.

VIENTRE CREADOR

EL vientre está esponjándose.
Sin limos también urna,
y luces crecen, ruedan
y forjan. Vientre ardiendo.
De la materia solo
la luz, materia es ígnea.
Y el hombre nace lento.
Un punto, un punto solo.
Galaxia íntima, estrellas
corpóreas sucediéndose.
Formales, forma exigen,
obtienen, muestran, cantan.
El hombre, un puño solo
de luces corporales,
dejadas, asestadas.
Y transparente, el vientre.
Allí infuso está el ojo,
la boca, el pie, la rosa,
está el perfume claro,
la voz, la voz sonando.
Y el vientre, urna dichosa,
rueda en la noche y pasa
contra los cielos: siglos.

Oh luna casi eterna,
humana, que transcurres,
origen, tumba y cáliz:
¡tú siempre hasta los bordes!

ESTAR DEL CUERPO

OSCURO el corazón.
Enterrado. ¿Quién pudo
decir: «Lo vi»? O tentarlo.

Como un sueño hace señas
desde muy hondo, hondísimo.
¿Cómo resiste y vive
aplastado en columna, a veces,
como el ala de un ruiseñor,
y encima el mar? Y aún bulle.
Otras veces es barro,
limo del fondo, y la marea lo mueve,
lo arrastra, y viene y huye.
Todo donde no hay luz. Y nadie oye el gemido.
Y arriba las espumas
acostumbradas. Dime,
¿qué es eso? ¿Un cuerpo? Acaso
debajo se oye un son.
Un cuerpo es mate,
opaco es, es compacto:
materia venturosa,
pues ahí está y reside
en él un ser o en él consiste.
Pero quien toca sabe
que toca un cielo
térreo. Y quien lo aprieta
no ignora cierto toca.
Certidumbre, materia
súbita organizada
para unos dedos lícitos,
pues desean saber,
y obtienen. Y preguntan,
y oyen. Son los palpos,
las presiones urgentes,
las demandas frenéticas.
Y perciben respuestas. Y avanzan
y oyen vivos
los movimientos íntimos,
los nunca confundibles
pedazos del vivir que entregan vida.

Todo está aquí. En las manos
que son. En esas manos
ajenas que te estrujan,
cuerpo veraz que no
puede mentir. No nudo,
no desnudo; oh, es que es más,
es mucho más: presente
desde dentro, pugnando
por confesar, sin voces,
con su sola expresión
material, su ser, su ser estando.

Aquí está, entre los dedos
totales, cuerpo siendo,
emergido hasta estar,
aquí en el mundo.

EL PUEBLO ESTÁ EN LA LADERA

Las casas se levantan
apenas, chaparro o piedra
agazapada que se aprieta o ahínca
contra la tierra, con un mísero espanto.

Un montón de pedruscos
se ve, y un vano en medio,
y cubriéndolos un techizo musgoso
en invierno, polvoriento en verano,
con lagartos tranquilos al sol que horrible abrasa.

Unas manos rugosas,
manos que aparecieron despacio en esos brazos,
con cuánta enorme dificultad,
hasta cuajar torpísimas, corteza dura y hueso,
carne apenas sentida, apenas irrigada o fresca a veces,
Unas manos, día a día

fueron poniendo piedra
sobre piedra. Piedra gris, apurada,
como caída, tal y como cayó de un cielo roto,
que así es esa cantera, ese montón injusto que en la altura
desafía a estos hombres.

Un cielo desfondado, catástrofe de cielo, que un día diera origen
a esta montaña inmensa, montón incalculable
donde las manos rotas, sucesivas,
a buscar se arrastraban.

   Y aquí están esas casas, cubiles solitarios
o, mejor, acarrados, agrupados con miedo,
casi en montón también, piedra junto a otra piedra,
casi humanas tocándose.

   Arriba está ese monte, monte o montaña hirviente que en
      su entraña
sólo piedras agita,
y en su ladera el pueblo, si no caído,
hecho allí por los hombres.
Allí arrastrado y allí al fin detenido
casi sobre el abismo o su figura;
al fondo sólo el llano.

   Este pueblo ha dormido
años o siglos. Cochiqueras, cubiles. Porquerizas se llamaba en
      la Historia.
Sobre el remoto llano, allí sin límites,
se ve un mapa extendido.
Guadalix está próximo. Y es Bustarviejo este otro.
Y a la derecha Chozas—más chozas y aún más chozas—.
Y más allá, a la izquierda, ese otro grupo:
Torrelaguna. ¿Torre? Cual siempre. ¿Laguna? ¡Dios la diera!
Y al fondo Cabanillas. Y Navalfuente. Colmenar más visible.
Colmenar Viejo. Todo antiguo, y lo mismo.
Y el llano inmenso, hermoso; pero no para el hombre,

La cañada está próxima y sus ráfagas claras.
El fresco río infante, recién nacido, ajeno
a su fin allá lejos en el Tajo imponente.
Y arriba la Morcuera, el puerto que un boquete
abre y se da a otro llano, feraz ahora y diverso.

Por el camino un día, senda o trocha avanzando,
rumbo a ese puerto, acaso a un monasterio allí en el valle
    de Rascafría, pasó un cortejo extraño. Soledad de la
    Historia
que el tiempo nombra o dice o moteja. Leyenda,
diosa aún menor que vaga sin precisión y apenas
pasa un momento grácil o irónica. La reina,
bajo ese mote, siglo XVI o centuria
XVII, iba despacio en silla, en litera es más justo,
rumbo a sus devociones en el viejo cenobio.
Atravesó la nieve penosa, la ladera, se reposó un momento.
Allá, allá más arriba, la Morcuera nombrada.
Y de pronto, ¿qué es eso más bajo? El dedo fútil
señaló. «Mira.» Ondulan silvestres. «Mira: flores.»
Miraflores. La reina bautizó los cubiles,
las grises cochiqueras agrupadas. Miraba
seguramente flores, sólo flores. Morada
la flor del castigado cantueso, la amapola
si acaso. Y Porquerizas fue Miraflores. Dicen.

No, la leyenda engaña. Los ojos verdes ciegos
no miraron un pueblo, sino flores perdidas.

FIGURA DEL LEÑADOR

I

EL leñador oprime
su hacha y sale al campo.
El camino hacia el puerto tiene unas blancas torres,

jardines. Son extraños al pueblo.
Sin mirarlos avanza por el polvo extendido,
que el camino, desdeñando otras cercas,
sube en su propio polvo hacia la altura,
hacia el azul común que a todos unge.
Y él marcha. La sandalia,
unión del pie seguro con la tierra,
pone un paso,
luego otro, y aún otro, y así muchos.
Entre las tiras bulle
el pie, en prieta corteza.
Los dedos se adelantan, casi córneos parecen,
y reciben en su punta las uñas
como un hueso ofensor,
indagador del mundo,
hostil a ruda marcha.

    Así esa pierna avanza, no desnuda;
su materia está envuelta casi en sí misma: pana mucho más
        que textil, casi piel solo,
rugosa allí latiendo;
abraza la rodilla, cruje al marchar con ella
y en el muslo hace el fuego: el de la sangre y músculos
quemados bajo el sol, allí sobre esos páramos.

    El sigue y ya ha torcido. El puerto está en lo alto.
La pana se termina en la cintura escueta:
rematada en la faja.
Signo rojo que inmóvil sujeta allí la vida,
partida en dos y enteriza pudiendo.
Entero el cuerpo sigue. Uno y valiente sigue,
y sube y sube. Con el hacha al hombro.

    Después va la camisa, el tronco mismo que la lleva apenas.
Como es él, ella misma. Camisa o tierra seca que un rocío
o un sudor humedece.
Aún el pecho la abre, aún más, como asomándose,
como materia lúcida, brillante en el esfuerzo,
fragor, vello o más sombras.

Ya casi está en la cima. El puerto se corona allí en las
    cumbres.
Y en el cuello del hombre, irrumpido, el mentón
ásperamente avanza. Proa allí, y todavía
como un airón, arriba, aún más arriba,
el pelo hirsuto ondeante.
Como de un manotazo allí se implanta
el pelo que es cobrizo más que negro,
y que en la nieve rojo se antoja, y a una mata
o un topo se asemeja.

El leñador completo a lo alto llega.
Allí a un lado está el bosque.
Bosque de robles que su mano dura
va a aclarar, y su acero.

II

Relámpago de pronto parecía.
De la tierra irrumpido. Como si ella se abriese,
y robusta se irguiese como una luz el hacha,
coronando al humano.
Hombre o rayo frenético, desnudo de cintura,
en zigzag ya trazado, rayo puro
abatiendo los árboles.
En las lomas el bosque es aún reciente. Unas décadas sólo.
Matas quedan, arbustos, casi niñez de un bosque que sube en
    la ladera
hacia su cima fuerte.
Pero hay troncos potentes mezclados con más troncos,
masa enteriza arbórea que, poblada de pájaros silvestres,
canta y canta en estío.
Mezclados a otros cantos, cigarras fuertes, élitros
de duros grillos, brillos o sonidos nocturnos
que hace el bosque compacto.
Aunque se ven luciérnagas, luces suaves, amantes,
que en soledad aguardan.

Pero el leñador llega, si es que no es hijo solo
de la tierra entreabierta.
Emerge y pronto arbóreo también, él se enardece;
sus dos ramas acrecen y brillan, ay: amenazan.
Repentino, no hermano, a un roble se le arrima,
un momento le imita, feraz, alto, rameante.
Pero pronto descarga.
¿Quién ha oído ese grito total que el bosque emite
cuando, herido concreto por un tronco, vacila?
El leñador se multiplica, tiene,
no dos ramas, un ciento, un hirviente ramaje,
que un viento removiese, fragoroso, arrasado,
mientras aquellas sus ondeantes ramas
contra otras ramas hieren, derriban, ¡oh: se cumplen!

El leñador es hombre, no un árbol. Tiene el rostro,
sus ojos, su posible sonrisa, el cuello o sangre,
sus hombros golpeantes, sus brazos, sí, humanísimos.
Trabaja. El árbol nunca trabaja. Juan trabaja.
Y cuando ha puesto en tierra los troncos necesarios,
rehecho en su humana forma—conciencia siempre viva—
depone el hierro, cae su brazo, y mira, y ahora
su piel enjuga, y, lento su mano lleva al pecho.

BOMBA EN LA ÓPERA

Toda descote, la platea brilla;
brilla o bulle, es igual, gira y contempla
el do de pecho que en la glotis grande
—escenario y telón—vibra, retiembla,
rebota en las paredes, sube en aguas
y anega a todos, a los felicísimos
que piensan mientras tragan, tragan, tragan,
que un bel morir tutta una vita onora.
Agua o música, o no: puro perfume,
y el perfume no ahoga.

Sobreviven, conversan, abanican.
La mano muerta mueve las varillas,
el nácar decorado. «Oh, conde, estalle,
rompa ese peto de su camisola
y no me mire así. Tiemblan mis pechos
como globos de luz...» Petróleo hermoso
o gas hermoso, o, ya electrificados,
globos de luz modernos en la noche.
Noche de ópera azul, o amarillenta,
mientras los caballeros enfrascados
en la dulce emoción de las danseuses
mienten a las condesas sus amores
lánguidamente verdes en la sombra.
Tarde, ¡qué tarde! Ya los terciopelos,
todo granate, sofocados ciñen
esculturales torsos desteñidos,
mientras el escenario ha congregado
a la carne mortal, veraz que canta.
Todos suspensos en la tiple. ¡Cómo!
¿Es la voz? ¡Es la bomba! ¿Qué se escucha?
Oh, qué dulce petardo allí ha estallado.
Rotos muñecos en los antepalcos.
Carnes mentidas cuelgan en barandas.
Y una cabeza rueda allá en el foso
con espantados ojos. ¡Luces, luces!
Gritos de los muñecos que vacían
su serrín doloroso. ¡Luces, luces!
La gran araña viva se ha apagado.
Algo imita la sangre. Roja corre
por entre pies de trapo. Y una dama
muerta, aún más muerta, con su brazo alzado
acusa. ¿A quién? La música aún se escucha.
Sigue sonando sola. Nadie la oye,
y un inmenso ataúd boga en lo oscuro.

ESCENA V: LA BOFETADA

«O h, quisiera decirte...» Es un susurro.
«¡Oh, cuán hermosa estás, Matilde bella!
Son tus hombros redondos dulces mieles...»
«¡Caballero!» Ha sonado. ¿Llaman, pegan?
Oh, qué dulce mentís le dan los ojos.
«¿No lo ves? ¡Está Paco! Oh, disimula.»
Oh, disimula, joven golpeado,
joven querido que en tu gabinete
besas a las condesas tumefactas,
mientras sus elegantes desposados,
condes lejanos en sus «confidentes»,
empinado el bigote, fuman, fuman.

«¡Oh, Matilde, Matilde!» «¡Repórtate!» Y sonríe
vasta de amor en el diván, echada
como un río de plumas movedizas,
seno volante que se detuviese
para los labios justos, sí, justísimos.
«¡Oh, perverso, me matas!» Sí, afluidas
aguas que pasan enfangadamente.
Cabecea el quinqué, lengua de fuego.
Tiemblan los cortinones y empañados
están los vidrios por el vaho silente
que hace el agua al crujir. Condesa, ruede,
ruede por ese cauce conocido
hasta dar en el mar que es el vivir,
que es el gozar,
que es el morir.
«Muerte chiquita», solo, sí, condesa.
Mientras que por las calles pasa el frío
con forma de mujer, con forma humana.
suena contra las puertas verdaderas
y golpea, amenaza, gime, impreca,
cae en sombras. Ciudad de los helados
días, entre la niebla sin ventura.
Ciudad de sombra muerta, entre la música.
Mientras suena un pasar de pies desnudos.

DÚO

BIGOTILLO sutil:
doble, sí, un caracol.
Ondulante el tupé.
«Canotier» para el sol.
Al ojal un clavel,
en la mano el bastón.,
El bastón es juncal,
petulante la flor.
¡Cómo cruza gentil
—el botín, de charol—
y saluda al pasar
al marqués y al barón!
Al llegar al jardín,
una dama... «¡Perdón!
¿Este guante?»... (Mirar
es amar, es amor.)
Todo es vals o es chotís
o es can-can. ¿Es galop?
Oh, pareja feliz
en el suave jardín...

EL PROFESOR

SE ha visto al docto profesor que no entiende
hablar largamente de lo que no entiende.
Y se le ha visto sonreír con la elegancia de la marioneta
mientras movía cadenciosamente sus brazos.
El bello discurso, la paloma ligeramente pronunciada,
el acento picudo dejado concienzudamente caer un poquito
    más allá de la vocal,
el dibujo de la martingala, el fresco vapor desprendido de
    cada uno de sus ademanes,
todo, todo conjugaba decididamente con su sonrisa.
Porque el docto profesor que no entiende

sonríe cordialmente por las mañanas,
golpea a la tarde con gozo sobre los omoplatos,
y por la noche, vestido con sus más delicadas jerarquías,
sabe decir con finura: «Oh, no, todos somos iguales.»

Igual la paloma que el cántaro, el necio que el sabihondo,
el simpático que el asesinado,
el sabio que el agasajado con todo dolor,
el yo y el tú,
y sobre todo igual, igual el refrescado profesor de ignorancia
que el pedantículo inconfundible que esculpe o escupe con-
     cienzudamente todos sus sinsaberes.

Oh, miradle en lo sumo.
El flota y sonríe.
El adiestra y sondea.
El opone su duro caparazón lo mismo para las ideas que para
     los sentimientos.
Pero, oh, él es el duro, el durísimo, el riguroso, el conocedor
     y el erguido.

Y cuando su dedo índice os amenaza,
cuando lo esgrime como el polo remoto de su majestad el
     trueno,
se abate la sociedad, se lamentan los hombres,
el mar se embravece,
recorre un crujido los cimientos de los edificios,
la literatura abre sus grandes alas de paloma derruida,
y el profesor se adelanta.

Todo está a punto: el cataclismo entre sus dedos se exhibe.
El profesor lo señala:
«He aquí el viaje de lo que va a suceder.
Aquí está la desembocadura.
He aquí sus meandros, los arroyuelos; aquí afluentes y cauces.
Aquí la patata sembrada, el olivo, la cebolla o la rosa.»
Y su dedo lo va estimulando.
«Todo está ya compuesto. He aquí el ramo de mi cataclismo.

He aquí el ramo perfecto.
Yo os lo ofrezco, señores, como la perfecta manifestación de
mí mismo.
He aquí el ramo dichoso en mi mano para vuestra ilustra-
ción y disfrute.»

Y su mano alarga un sobre vacío.

Y todos desfilan. «Oh, el profesor, el profesor.
Cómo se le nota sobre todo su rubia guedeja,
sus coruscantes, sus vertiginosos ojos azules,
y cómo le brilla antes que nada su deslumbradora sonrisa
entre unos labios de humo.»

CIUDAD VIVA, CIUDAD MUERTA

TODO es así. Todo es vivir finando.
Oh, qué despacio va el vivir quemado,
vivir bajo las ropas abrasadas,
trajes pesados que se removiesen
entre un crujir de huesos extinguidos.
Sólo sombras o escarnios nos saludan.
«Adiós, marquesa.» «Adiós, Lulú bendita.»
Pasa un obispo con sus hopalandas.
Una sonrisa dura sobrevive.
Hay una alondra cerca, desviada.
Una enorme lechuza cruza en sombras.
«Oh, señorita hermosa, la he mirado
toda cristal en el atardecer,
mientras mis dolorosas efusiones
hierven como un metal que recordase.
Oh, sí, hermoso es querer. Lo sé. Lo fundo.
Hermoso es el vivir bajo las vainas,
mientras los abatidos resplandores
en estertor postrero finan, finan.»
Pasan los coroneles fundadores.

Las dulces abadesas trastornadas.
Niños de celofanes quebradísimos,
y en el confín se ve, se ve, desnudo,
un naipe triste que se pone y funde.

    Oh ciudad hacia nunca, oh ciudad quieta.
Coronada de pájaros implumes,
roncas gargantas que la rematasen,
mientras huyen en negro sordas plumas.
Un enorme sombrero da una sombra.
Alguien micciona un agua amarillenta.
Enormemente quieta está cayendo.
¡Oh, la grandiosa plaza rebosando!

ANTIGUA CASA MADRILEÑA

I

DURA es la mano del que alzó esta piedra.
Dura fue, o fueron manos.
Esta calle se alza en barrio oscuro que huye de las luces no-
    vísimas,
rezagada en su historia, casi un túnel
desde «entonces» a «nunca».
Pero esta casa aún existe.
Aún o todavía son palabras, conceptos que nada tienen que
    ver con la presencia,
o su materia, y obvios.
Aquí está fundamental. Piedra hacia arriba.
Es esta la fachada: un muro; nunca dicho
mejor: un muro alzado, pertinente, continuo.
Al ras del suelo empieza, en la calle estrechísima,
con voluntad extrema de dejar eso fuera:
toda la calle, y otras: el mundo aquí termina.
Se levantó como un telón macizo, y hacia dentro la vida.
¿Qué veis? Una inmensa pared sin vanos,

determinada, y sólo arriba, en lo alto,
en la esquina final, dos ventanitas,
un agujero doble por donde cumplir solo
el destino animal de echar aliento.
Pero la mole inmensa, sin distracción, recusa
que hacia fuera haya nada: ni luz ni dimensión.
Todo hacia dentro es vida.

La escalera se abre en un rincón opuesto, apenas se abre:
un agujero solo, porque el cuerpo es preciso que alguna vez
    se rehaga y huya, y vuelva luego.
A su enterizo estar dentro, sin aire, sin luz: su estar com-
    pleto.
Un estar solo al alma,
solo al alma sombría, porque en sombra la luz se enciende
    y vese
y arde continua, y dura,
y vence y no se apaga
sino con el morir, que otras llamas alumbra.

Esta casa se hizo en 1607, unas letras lo dicen,
aún raspadas y vivas. Con un helor luciendo.
Y allá en la ventanita hay humildes macetas, cuatro flores
    rojizas
y un botón amarillo. Son olor y colores.
Son vida, vida innúmera que se asoma a un ayer de esta calle
    enterrada,
desde un hoy, desde un nunca.

II

Flores y unas macetas. Y unas rejas tramadas.
En su origen los hierros,
esos que aquí miramos, fueron puestos, cruzados,
para sujetar fija la veleidá imposible
de unos ojos oscuros.
Alguna vez una mirada en sombra,

entre finas pestañas profundas, se asomó a estas **tres cruces**
(no más da el vano férreo)
para mirar a una capa airosísima
deslizarse a lo largo, o a un sombrero en saludo barrer la
    calle en sombra.
Nunca una mano dijo adiós en ellos, pero los ojos fúlgidos,
avanzando su luz, rompiendo la oscuridad, lucieron
haciendo senda a un hombre.
La tentación a veces bajo las lunas pálidas
pone estrellas más bajas que los cielos perdidos.
Entre las piedras brillan, tras los hierros, y alumbran
y titilan y esperan, o confirman, y abrasan.
Sus hierros no son nube: menos vanos, y aún vanos.
Tapan menos las luces, y al fin son transparentes.

    Pero estos hierros que sujetaron vida, inútilmente acaso,
porque las voluntades nunca fueron del todo
prisioneras y quiebran y quebrantan, y abaten,
hoy son sostén humilde
de una flor, de un perfume.
Rojas, amarillentas—verdes sus tallos claros—,
exhaladas de un barro suben, trepan, aspiran
y a los hierros se engarfian y buscan luz, luz, cielo.
Y los hierros quietísimos mudos casi se ablandan,
casi ramas arbóreas de estas rosas crecidas,
y mezclados hoy nacen, hoy renacen, olvidan,
vida mezclada a vida bajo la luz del cielo.

III

Antaño eran apenas unos ojos recónditos,
almas como una lumbre que en su materia ardiesen.
Y detrás sólo sombra, sombra continua, espesa.

    Si ayer ojos oscuros,
hoy flor, humildes flores con colores ardientes,
o en cándido color. Pero no existen solas.
Unas manos sitúan

el tallo, lo aproximan
junto a la luz, y crece, y permite las rosas.
Estas manos cada mañana apagan
la sed nocturna de estas vidas humildes.
Silvestre flor que un poco de amor pide. Agua o besos, ca-
    ricias
de luz, las más delgadas para los justos pétalos.
Manos que se levantan de otra oscura faena.
No manos de una dama cuyo esfuerzo un pañuelo
mide cuando pendiente de dos dedos resbala
sobre el fiel guardainfante o inmensa rosa inversa.
Sino hoy manos activas que hasta muy tarde muévense,
con una aguja en vilo, o pasada en los lienzos.
Esas manos descienden de unos brazos aún jóvenes.
Sus venas delicadas suavemente se esparcen,
silenciosas de noche bajo una luz muy próxima.
Manos leves, cansadas, que ligeras se agitan,
fruncen, miden, extienden, graciosamente ajustan,
y como una escultura una forma levantan,
vacía, y allí luce. Y unos ojos la admiran.
¿La admiran? El artista dispuesto está a admirar,
a vivir lo compuesto. Vivirlo es darle vida.
Hacer es vivir más. Y verlo hecho es mirarlo
próximo y diferente, y su creador criatura
lo siente, siendo aún él mismo y otro. No admira: vive viendo.
Pero quien ha gastado su vida no en la llama sino en la ne-
    gación
de vivir, no siente que hizo sino que gastó sin fuerzas,
ganando apenas para su ir perdiendo.
Estas manos se agostan cada noche y renacen
cada mañana. Manos vivas, y no por unas sedas baladíes
que pasan sin quedar nunca aquí,
sino quizá o aún por estas leves flores matinales que ellas
    hacen o empujan, y se alzan
y suben y respiran, y aspiran, fuera, libres...
Desde el barro paciente.

Manos de amor que aquí se dan por esta alta ventana,
tras estos mismos hierros que hoy no velan aquellos ojos
    fúlgidos,
sino que humildes toman los tallos cuando ellas los apoyan
y mezclan sus materias diferentes.
La ventana luce su vida, pues es de ella, y no es de ella.
Y efímera un instante, da su olor.

CASTILLO
DE MANZANARES EL REAL

A Emilia y José Ángel Valente,
en Manzanares.

ESTOS tres, una mujer, dos hombres,
visitan el castillo o piedras duras.
Son piedras permanentes. Acaso en esa suave eminencia de
    tierra,
otero suave frente a cerros lueñes,
estas piedras se armaron, sin fecha, como expulsadas de un
    hondón, ardiendo,
y ahí están, ahí quedaron, y estos pies las visitan.
Pero no. Estos tres cuerpos verdaderos
ven de frente estos muros, recias murallas graves, troneras y,
    en seguida,
la enorme masa delicada irguiéndose:
castillo y sus almenas. Un castillo-palacio,
gótico en sus arranques, dorado y lento, firme,
apenas distraído, no, fijado,
en las fisuras justas, respiraderos cautos para el arma presta,
y luego muro y más
muro total: pared sin límites.
Tan extensa, tan alta: una ola insigne.

Allá arriba, en lo alto, ¿se ve? Son torres claras:
la gracia y fortaleza coronan, como ardiendo,

casi con lenguas finas. O espumas casi,
si fuerza y gracia salpicaran juntas.
En ese reino superior quedóse
lejos el basamento
formidable, la penetrante roca
en tierra hundida,
ancha, extendida en masa y levantando
todo el poder a un cielo que se ajusta.
Casi lo tocan esas torres lícitas.
Casi diríase que lo alzado flamea
y ese movimiento, de pronto—la Edad Media quedóse abajo
    pétrea—
sorprende entre las lumbres las columnillas, fustes,
las gracias agitadas de un plateresco dulce que halla formas.
Todo son llamas vivas hacia lo alto.
Y así esta antorcha ilustre
llameará en las noches infinitas.
Quizá por quien la alzó. Su nombre dure.

    Ellos, los visitantes, lo están ahora mentando.
Aquí el marqués de Santillana puso
su voluntad. Aquí agitado dijo
palabras para el rey. Pero quizá dijo aún aquí palabras
para después, por siempre y para todos.

    Los visitantes pisan el patio de armas, hueco,
y la higuera salvaje, el espino erizado,
ese fragor de vida anonadante
se enrosca en piedras rotas, las derriba, las atropella y salva.
Los arcos dolorosos no sostienen techumbre: ramas verdes
salen y palio dan al altar ido.
Qué profusión de vida y muerte mata
y resucita, despide y cita, y triunfa y llama.
Con impudicia y esplendor el todo gime.
¿Profanación? Una unidad no humana, y más que humana,
casi espanta. El hombre ha vuelto el rostro
aquí dentro. ¿Hay un dentro? Oh, ya es selva.

Una escala provisional como sobre lianas aún propone
la comunicación con piedras vivas,
estables, donde el esfuerzo humano aún no es derrota.
El visitante puede
posar su pie sin riesgo en tablas muelles
y saltar. Ah, cuán firme la piedra está ahí erguida.
He aquí la galería. Los tres que la visitan ponen planta
sobre las losas. Aquí el Renacimiento,
anticipado, como un montón de tiempo sucedido,
abre su galería, sus cresterías lúcidas, su tracería, y lento
ofrece a damas su pasaje claro.

Aquí hubiera coloquios. Aquí las hijas de Santillana
subieran después que allá en otro jardín pudieron
ser vistas del marqués. ¡Aquí cantadas!

Los visitantes reconocen las huellas
de esa tan dulce mano que descorrió cortinas para estas mis-
    mas luces.
Para estos montes esos verdes ojos
se abrieron puros, y estas rocas grises
ofrecieron su límite, y ahí quedan.

Los visitantes hoy contemplan mudos
el esplendor de aquel poniente hundiéndose.
Allí está, violeta,
la masa enorme de esta sierra aguda,
pedriza fuerza no gastada, y nunca
del hombre. Mas no: inmortal la mira.
Y la sigue mirando. Y aún, humana.

La noche cae o avanza.
Oh, sí, avanza ligera casi en sigilo hacia el castillo, y salen
los visitantes. Uno joven contempla la puerta frágil que hoy
    imita al roble.
Guardián un viejo campesino mira a su pie, y espera.
Son tablas rotas. Cual si la historia hablara, con tiza escrita
    está una triste letra:
«Propina».

LA PAREJA

I

¡O h, sí, mirad a la pareja inmóvil,
ahí en esa ventana de la ciudad pequeña!
Arboles, coches, ruedas, por esa plaza chiquita
giran tranquilamente cual noria confiada,
bendita noria pura que extrae un agua limpia
para todos los labios de esos niños que juegan
en la ciudad de niños, y siempre siguen jugando.

Amor en la ventana de la pareja joven.
Abajo juegan niños, juegan viejos, mujeres,
Juega el caballo lento de ese coche tranquilo.
Y juega el agua limpia que rueda hacia unos labios.

Unos hombres, apenas, se recortan, deshacen.
La pareja está amándose sobre el alféizar, ríe.
Nada se oye. Mudo su reír se dibuja
sobre un fondo purísimo de silencio absoluto.

II

Pero todo camina despacio, mudamente.
Todos hablan y dicen con silencio purísimo.
Los amantes, las madres, los dormidos, los duros:
todos hablan y gritan sobre un rumor de sueño.

¡Qué silencio de nunca sobre una nunca vivido!
Qué ademanes, qué besos, qué dolores, qué heridas.
Todo un río que marcha callando entre las sombras.

Hombres, niños, espantos, en la ciudad pequeña,
en la ciudad inmensa, se despiertan, se agrupan,
nacen o duermen, yérguense, se asoman, se despiden.
Todos hieren o besan, o se azotan o enlazan.
O de pronto mudísimos se ignoran, van pasando.

Oh, la sombra en la noche piadosa que los calla,
que verazmente muda cubre las gentes—humo—,
que así los unifica con un beso en la frente
y a los niños arropa. Y, «hasta mañana». Y nunca.

III

Oh, sí, nunca. En la noche la ciudad diminuta
desnuda ofrece sólo sus aristas lunares.
Vacía gira y gira, sin peso, entre las sombras.

Arriba están los cielos, una mente los lleva
tras un ceño confuso, doloroso y cansado.
Allí voltea la Idea del universo y sólo
trasparece en los ojos con escasa vislumbre.
Una lágrima grande la contiene redonda
con un iris al borde, presta a rodar, volarse.
Pero allí retenida con su dolor insomne
en el ojo finito pervive aún un instante.

En la sombra sin dueño la cabeza ha girado.
Mira a un fondo vacío de pensamiento. Todas
las estrellas mentales en la lágrima existen.
Universo existido que en un momento ha brillado
turbiamente, y ya rueda. Y se enjuga, evapora.

IV

La pareja en la sombra ríe y ríe. El alféizar.
Cristalino se escucha su reír sin suceso.
Sobre un fondo purísimo de silencio absoluto,
la pareja en la noche
aquí está o aquí estaba, o estará o aquí estuvo.

HIJO DE LA MAR

SOBRE esa arena yace todavía. Es la playa de Benalmádena.
Allí Torrequebrada. Y aquí en espumas cede
el mar algo que es suyo, por derecho de posesión
durable: siglos.
La estatua es bella. Quizá desde la costa del sur de Italia
salió, cuando los Flavios, en un barco ligero
cargado de tesoros: mosaicos y marfiles, arcas de gruesa espe-
    cie, mármoles, piedras, brillos...
Todo pesado y bello, peligroso en la cava, cuando el tablero
    es frágil.
Atravesó el soberbio Mediterráneo en calma: todo poder, en
    olas.
Y ya aquí junto a esa costa, rumbo ¿adónde? en la Bética, la
    mar irguióse.
Acaso fue su cólera, quizá el desdén: el barco
tragado fue en las minas azules y hubo un grito
armónico, y las ondas hermosas prevalecen.
Todo quietud el mar, el «mar nuestro» reposa.
Y guarda. Veinte siglos sin alterar su lento
conocimiento: nave, tesoros, piedras, luces,
veladas suavemente por una arena en calma,
eran silencio antiguo, sin tiempo, entre las ondas.
Hasta que nuevas sombras, humanas, ay—delfines—
desnudas irrumpieron, rompiendo el ser constante.
¿Hay algo más constante que el mar? Sus salas únicas
en majestad se esparcen, otorgan, y nadie pisa el ámbito.
Y los delgados peces—no; fueron hombres—, ligeros, heri-
    dores,
hendieron las paredes del agua dura, eterna
más que inmortal, y abriéronse cortinas, y violaron
la majestad que suma despojos, ofrecidos,
votivos para siempre, ardiendo en luces húmedas.
Oh, fuego sin cenizas bajo la mar, sin dioses.

Y los que allí bajaron, rompiendo espeso el muro
del mar, luego emergieron con el precioso resto
intacto: la piedra bella en orden. La forma: el dios vacío.

Aquí está: es la presea del mar. Justa. Dionisos
quizá, o su sombra infausta. La yerta luz, su peso.
Su misterioso peso, como un rayo ofendido
que ahí se agolpó y deslumbra. La mar, la mar ahí erguida,

Es tiempo, porque humana. Es obra. Ahí en la arena
levanta el brazo en arco sobre la testa libre.
Los pámpanos, el torso desnudo; a la cintura vese
la piel salvaje. El tronco sostiene el cuello y álzase
en fin un rostro joven de veinte siglos puros de mar, de mar
    sin horas.

No es mármol su materia confusa. Azul la piedra:
mar, mar, es un pedazo de mar, y, en pie, una ola.
Que nunca rompe y abre sus ojos para el hombre
cual si lo reclamara para su origen: aguas, arenas, viento hon-
    dísimo.

Playa de Benalmádena... Se ven brazos morenos,
pies trabajados, piernas, vicisitud, esfuerzo.
Y estos hoy andaluces que con su pelo oscuro,
real, hoy congregados, miran con ciertos ojos
la forma intacta, el tiempo petrificado, pasan
efímeros y acaso señalan: «¿Y es un hombre?»
No, no es un hombre, ved: Mitad mar, mitad tiempo,
parece piedra. Y dura. Como en la mar, las olas.

LA VIEJA SEÑORA

Si revolvéis la esquina
allí veréis la calle del Sacramento y otras.
Allá Puerta Cerrada y allá la suspendida

plaza—del Cordón, dicen—,
más bien la plaza quieta del silencio viejísimo,
y luego sombra y muros: pared, ojos que fueron.
Cuando la sombra espesa su dominio acentúa,
oiréis crujir las ruedas,
acaso las soberbias pezuñas de dos bayos.
Si os detenéis veréis pasar la sombra, la caja laqueada, el coche antiguo.
Es la vieja señora que desfila a más sombras.
Esos caballos tienen atalajes, y tiran,
y suenan yantas viejas de hierro, y ruedas altas.
El cochero y su fusta. Su alto sombrero, y noche.
Tres botones dorados difícilmente alumbran.
Mas, dentro de esa caja que en sus vidrios callóse,
en la urna laqueada de cristales severos,
no hay sombra: un espesor cuajado. ¿Alguien respira?
Acaso es aire espeso de lustros, de decenios,
quizá centurias. Pasa
el coche y tras el vidrio, más oscuro, alguien vive.
Si pasa cerca y vese su fondo, algo es ligero;
el ojo que lo mira ve encajes, o un tejido
de negror silencioso que desde un cuello viértese.
Primero un humo estéril, inmóvil, no un cabello,
después el hueco triste de un rostro nunca sido,
y en seguida la sombra cayendo lentamente
como un luto sin día que ciegamente es noche.
Tras el vidrio lejano, lejana, lejanísima,
se ve una mano erguida muy próxima que alzara
unos cristales fríos para unos ojos mudos,
impertinentes áureos y gélidos que miden
distancias estelares entre unos rayos lívidos.

La sombra descolgada que erguida cae continua,
lo que imitara un cuerpo si el alentar sirviese,
desfila en estas calles, en su cajón ilustre,
en esas yantas crudas que horrísonas apartan.

En ese ojo viejísimo, ¿alguna vez pupila
miróse? En ese hueco tan mudo, ¿hubo una rosa
viviente? ¿Y si cayesen las sombras, desnudadas,
veríase a una niña saltar, estar, ser vida?

La vieja dama en noche metida ahora suscribe
más defunción, y en ella más sombras, más penumbras
terminan. O se acaban. El coche pasa y sigue.
Un ataúd enorme desfila: entre sus tablas
—fantasma de un sonido que nunca justo fuese—
un gran montón de sombras finidas va a su fosa.

«LAS MENINAS»

EL que mire al pasar en el salón cuidado
verá una lápida fría, convenida expresión de un loor acadé-
    mico.
A un lado el vacuo espejo, comprobación inútil de una pro-
    fundidad que sin vidrios se ahonda.
Y dos ventanas grandes, con colgantes cortinas
dirigiendo una luz que el pintor quiso libre.

Después... El mundo se abre en un rompiente súbito que
    desborda y no espanta.
Vertiéndose hacia ti que lo miras como si de una verdad pro-
    funda aquí cayese: ·
estuviese cayendo.
Roto un cielo que es mundo
total, ingresa un orbe por el rompiente: invade.
Ah, perpetua invasión rodando en orden, hacia ti que con-
    templas.

En esa material suma orgánica se adelanta diario
el más humilde ser, también quizá el más próximo:
el mastín que a tu mundo incorpora mediatamente el mundo
    donde tú aún no respiras.

La distancia, ese supremo arte del pintor que respeta, está
    aquí tensa, al borde,
y late con diafanidad, en su filo, ahora ya casi equívoco,
frente a ti humano mismo que eres ya de otro reino.
Nunca tú más pedido, tú la sola, la suprema respuesta a la
    enorme demanda.
Y casi salta o mira ese can que establece con tu ser la ata-
    dura.
Realidad: fácil copia. Oh, verdad: más profunda.
Y ese ala más terrible de la luz no son plumas,
aunque tiemblen sus fuerzas.
Mas ve: Nicolasillo,
un instante detenido cuando pone su pie en la piel leonada,
grita o suspende un aire.
Maribárbola triste, Margarita, meninas: un ritmo del espa-
    cio, en su curva rodando.
Y allí, engarzado, el lienzo y su sombra: el pincel, su pensa-
    miento: un hombre.

  Si aquí quedase todo, sin dimensión girara solo un mundo
    primero,
y el vasto allá, con cósmica alianza, sólo un gemido fuese.
Pero en los ojos graves del pintor que no vemos, pues que
    vemos su imagen,
se pinta el orbe a fondo.
Son las fuerzas que invaden el espacio las solas protagonistas
    vivas
de esos ojos oscuros.
Y no hay revelación de la sombra insondada, sino por esa
    espalda que es su luz: sombra ilustre.
Inmerso en tiempo está el espacio, y es la luz quien lo mide
    mientras se expande, exalta como puro universo.
Y va ganando ser, realidad, existencia: mientras crece en sus
    límites,
en la total conciencia de su existir, que es numen donde todo
    es presencia.
Experiencia de vida revelada, y la luz
reconoce, y son formas.

Una oleada más, y allí está inmóvil ahora:
la dueña, el guardadamas: agua oscura: es la misma.
Y otra oleada, y más compartimentos de la luz, rota en
    fueras.
La puerta, y más allá la luz yéndose en fugas,
y una figura neutra sobre el gran fondo rútilo: José Nieto
    día a día.
Y aún más allá la otra, la suprema realidad delantera que aquí
    no está. ¿Son sombras?
Donde tú estás que miras, ellas, las dos figuras, aquí ten-
    drían que estar, oh, sobre-estar,
a tu lado, sin vérselas.
Y se ven sólo al fondo del otro reino, sumas, coronadas,
    en vidrio de un espejo o unas aguas.
Y tú que lo contemplas casi arrojas la piedra
por romper el espejo: ¡ahora el gran cuadro a oscuras!

Largamente has mirado del mastín a las sombras
del fondo: sólo el tiempo en espacios.
Y los bordes quemados de las formas, hirviendo
en las luces: vividos, como en síntesis constan.
La gran obra es recinto. La distancia, respeto.
Y el allá, en su oleaje, deposita los seres, un instante pre-
    sentes,
sorprendidos, perpetuos.

HISTORIA DE LA LITERATURA

SE ha visto al viejo triste, cansado de existir, quizá nunca
    de amar, pasar despacio.
A veces alguien piensa: ¿Sería o fuese
un nombre señalado? ¿Duque de Rivas? Pompas
casi fúnebres, recogidas en vida, pesan mucho, pero las tur-
    bias luces
quebráronse en sus ojos, nunca acaso saciados de los vivos
    destellos.

Si no el duque, sería... Este no llegó a viejo.
Espronceda murió en la flor, quizá cuando doblábase
bajo el peso del tiempo, de su rutina incierta,
que hasta eso puede el curso sobre un corazón ínsito.
En su juventud fuese, primera, el terso rostro
apenas superficie de otro volcán hirviente.
Palabras... El verbo o lava rompióse en los Madriles,
como en Londres o en Francia o en la primer Lisboa.
Un sueño o cabellera rodaba sobre la frente erguida,
El pecho, una materia pretensa prolongada
nerviosamente en ese brazo súbito, que apenas fuerzas halla
para irrumpir delgadamente en manos, dedos... Muere.
Pero el talle se cimbra, y el levitín tornea
la voluntad. Aquí está erguido el pábulo.
Sobre el tallo se eleva la fuerza rompedora
que estalla en flor, mejor en frente, en brillos.
¿Aromas? El perfume romántico es el trasunto último
de lo que fue, desleído el ser, para otros pechos
que lo aspiran, se embriagan. Por él juran.

¿Entonces? Un poeta no son sólo sus versos. Figuras tristes pasan,
que imitan su propia verdad desconocida, y ponen
su mano en la blancura como traición y mienten.
Lamidas cabelleras, flacos bultos caídos,
ayes en el vacío, cual si gritase el mudo,
y nunca aire, y sonrisa cual si imitar bastase.
Vivir... «Mi corazón, un poco
de agua pura», dijo quien pudo y supo.
Y era turbio de vida, verdad y fuerza, y barro,
arcilla trabajada, como en materia hermosa.
Quebrada pronto: un golpe. Y trizas, llamas.
Porque sus lumbres siguen quemando. Y algo ardiera.

Pero el poeta a veces, una conciencia erguida.
Alguien lo dijo: «Un poeta: una conciencia puesta
en pie hasta el fin.» Y cuántas veces arduo
es existir cumpliendo. Libertad, ¡cuál tu nombre!

Servir es liberarse, yendo hacia el fin cual corre
el río al mar, y allí cumpliendo nace.
Libertad: nombre humano. «En los demás libertóme,
pues en ellos me encuentro, con sucesión rompiéndome
en ilimitación final, la sola. ¡Y libre!»

Escribir es poner en el papel un nombre
como quien pone un hombre, de pie. De carne y hueso.
«La mejor musa es la de carne y hueso», dijo otro, y verdad
es: la vida total de carne y hueso, veraz, tangible o cierta,
conducente e histórica, con voluntad
moral, y ojos que miran, bajo esa luz que tiene ocaso, y alba.

Espronceda cantó y murió. El día antes
de caer para no levantarse corrió, corrió en caballo,
hasta más allá del confín, traspasó el límite.
Volvió como de un infinito viaje y se postró
para morir. Ya sabio definitivo, él, que quemara
    su voluntad a diario para hirviente levantarse a diario
con grito o con antorcha. Y otros pensaron: Verbo,
bah, palabras... Y aún arde. Aunque también se apague.
Mas no importa: que otras lumbres le heredan.

IDEA DEL ÁRBOL

COMO la corteza misma de un árbol.
Rugosa en su materia paciente,
acumulada con severidad pero con indefectible perseverancia,
no hay sino la materia, la encarnizada materia, que no sería
    como llamarada,
sino como lo que queda tras el desconocido ardimiento.
La combustión se origina
en las primitivas exhalaciones, cuando la tierra se abre y
    respira
con fuegos sobre los cráteres de la llanura.
Fuegos misteriosos que azuzados por la transfiguración geo-
    lógica como unas lenguas pululan.

Mejor, suplican o se lamentan, mejor, increpan o, más, de-
nuncian, y con fatigado resuello se extinguen.
Todos los aceites del mundo, los oleosos minerales como
una sangre circulan y se asoman y espiran, y respiran, y
callan.
Azules lenguas silenciosas, que en filas sobre el gran desierto
la transustanciación profundísima están figurando.
Pero allí la materia es un aire, un resplandor, un velo que-
mador, sólo un viento.
Y cuando el simún receloso se estira y cubre su dominio tenaz, se oscurecen.
Y las delgadas lenguas instantáneas dimiten y el negror se
restaura,
sólo interrumpido o, mejor, coronado
por la abrasada noche de las estrellas.

Pero un árbol no es lengua, aunque también trabajosa-
mente se yergue.
No es hombre, aunque casi es humano. La fantasía del hombre no podría inventar la materia del árbol.
Su vida tenaz y su inmovilidad rigurosa. Y su movimiento
sin tregua.
Y su desafiante fuerza rendida.
Aquí sin posible comparación, la madera
no es carne, aunque puede ser herida y ser muerta.
No agua, aunque su savia mane con sufrimiento, en transparentes gotas hialinas.
Ni es sangre, aunque pueda correr hacia el mar y teñirlo
como un río que hunde su espada al morir,
que es dar vida.

Pero el árbol es una idea y es anterior a la idea.
Una idea concéntrica que como un pensamiento demorado va
geométricamente conformándose desde un núcleo.
Una idea lentísima, precisa en su salvación, y ahí expuesta.
Una palabra no la diría: la palabra es humana.
La traduce ese ser. El la expresa y la configura.
Y él es una precisa definición, en su neto lenguaje: «ES EL
ÁRBOL».

PRIMER PAR

1

Óleo

ESE que veis ahí fue un hombre triste,
mas hermoso. Fue amado acaso y flojamente supo
durar, con indolencia soberana.
Dio besos como quien da monedas,
con ese mismo ademán complacido,
pero quizá no próximo, y se asomó al mirador natural de un
    campo en luz caída—o campo o luz, o historia—
y en su ojo castaño aún dudo un sol de poniente,
que allí alcanzó templado, casi ya no visible.

De muchacho corrió por estos jardines
entre las fuentes turbias del polvo de los jinetes,
y miró estas estatuas: unas desnudas, bellas, con sus súbitos
    brazos,
su repentina cabellera dura;
otra, la pierna adelantada, cubierto el busto con la piel sal-
    vaje
y una aljaba en el hombro.
Guerreros ahí había, nunca dolor, esbeltas sombras,
y a veces esos pechos de mármol rozara el «árbol del amor»,
sus flores cárdenas, o pasara otra sombra unos dedos sutiles,
incorpóreos, que se agitan con algo, como al viento unas
    ramas.

Debajo del ropaje esto que aquí miráis fue carne viva.
Quizá el dolor la reconoció e hizo su marca.
Como signo de fuego, un cuchillo en el hombro dejó el trazo.
En el pecho una daga, que algo erró y aún dio un signo.
Y en el muslo el furor se clavó, y aquí su rastro hasta el fin
    fue constante.

Porque, si no de amor, de la fidelidad todo es prueba ahí
    ardiente.

Sus sienes plateadas dicen quizá de vigilias ardidas.
Ahí al lado, en el estante míranse
libros graves, la torcida que alumbró los ojos tercos,
y un lienzo que él dejó cuando puso su mano
pálida cual la hoja sobre otras hojas blancas.

Si guerreó, si amó, si habló, su garganta está muda.
No menos clara ahí entre negros tranquilos
o grises imprecisos, casi polvo en los hombros.
No llueve el tiempo, que un instante es su hora,
dure ya cuatro siglos o ahora mismo su sonrisa anúnciese,
desde ese grave gesto que ahí ofrece.

Si lo miráis podéis dudar de casi todo
menos de su presencia ante esa puerta.
Detrás el tiempo va a girar despacio,
empujando ese quicio, y una luz blanca va a brillar despierta.
La ropa cierta podéis tentar, esa cadena
dorada, la tibieza del rostro. Oh, sí, mirad, empujad
y romped ahí ese muro del aire, y entrad dentro.

2

A José Hierro.
Vida

Pero este mismo rostro (¿es el mismo?) es de hoy y al pasar
    ahí se mira.
Tiene la ardida frente, pero no ahí ese toque de ceniza ilustre.
Todo el fuego en sus ojos. De niño, entre la bruma, una
    centella hubiera.
Luego de hombre es más dura, no, más viva, y más luce.
Bajo las cejas a veces, oculta por su órbita, es su fuego in-
    visible,

pero presente quema, hacia dentro, y consume.
Los devastados ojos con tristeza contemplan.
Con reserva se callan y en el fondo aún preguntan.
La vida es dura y queda sin explicar, y triste
algo como unas luces póstumas en el mirar perdura.
Ojos, si siempre sabios, a veces levantándose
con ilusión, fulgiendo: matinal es la aurora.
Lavados por las aguas marinas: verde el monte,
verdes las aguas vivas de ese río allegándose
y verdes, casi verdes las voces, frescos gritos
de esa garganta lúcida donde hoy renace el mundo.

Si esa misma figura de antaño, que es de hoy y se mueve,
      en lienzo residiese,
debajo alguien pondría: «Poeta X», y el año.
Aquí la frente que un soplo prematuro desguarneció.
Luego los ojos: la juventud primera pasó, que no sus luces.
Luego la enjuta mejilla, los pómulos marcados, sucinto el
      hueso aún joven,
pero tocada ya la boca por un poso vivido. Pena o beso.
Y el rojo aún fresco bajo la ceniza.

Aquí también en negros, o en imprecisos grises,
los hombros. Nunca encaje, ni seda al brazo. Mate
pasa el vestir sobre ese cuerpo opaco
que inmóvil ahora veis, y al fondo torres.

O mar. Por estos jardines litorales
no fuentes enturbiadas por el polvo de los caballos raudos,
sino en su fin el horizonte lívido, y velas, blancas velas,
arriadas o enhiestas por más brazos del hombre.
Y nubes grandes, cargadas de duelo, bajas para las frentes
      temerosas,
o rotas en el mar, que estalla en picos súbitos.

Pero hoy no es lienzo. El cuadro es la ventana.
José, Manuel, Enrique... Tu nombre al Norte es húmedo.
Galernas lo lavaron. El aire corre y pasa.
El tiempo no es un muro. Entrad: la puerta, abierta.

SEGUNDO PAR

3

Óleo

POR todas partes se ven figuras varias, nunca contradictorias,
pero ahí está parada, detenida por siempre, quizá una som-
    bra rubia.
Sombra de una mujer o su luz sorprendida.
Alguien, hace ya mucho, hace muchísimo, puso con su mano
    más diestra
unos puntos de sol sobre ese lienzo grande.
Acaso quiso retener unas luces, unos simples destellos salpi-
    cando increíbles;
pero bajo esa mano se organizaron pronto
y quemáronse en pelo, en cabellos rizosos,
que ardieron sin consumirse nunca: ved la llama, y son siglos.
Después fueron los rosas y los carmines
acumulados, aproximados por una mano desvariante.
Porque un pintor es ciencia, pero a veces delira,
y en este caso luces, sombras, penumbras, rompimiento son
    arte
hallado más que sabido, y el esfuerzo es la dádiva.
Y la materia ardida se transfigura en reino
diferente, y pesa como piedra, o es ya música.

Por eso esta mujer quedada después que huyera allá al
    fondo en la sombra,
porque que huyó no hay duda, en siniestro boscaje,
y sonó, más que como unas ramas un instante entreabiertas,
como piedra en el agua, y las aguas cerráronse.
Por eso esta mujer quedada, perdida, huida definitivamente al
    fondo o limo,
aquí está frescamente como una rama virgen,
con su temblor inmóvil bajo un cielo sin nube.
Fue niña antes que sombra, y mujer
antes que luz. Ahora está aquí sentada. Ha llegado sin ruido.

Posiblemente allá, tras la fronda, violines, si tácitos, continuos.
Una mano viril ya no es visible, pero ahí está y espera.
Ella va a levantarse. Cristina... o Johanna: escucha.
Los encajes, la vida, la sumisión, el reino...
mientras tiemblan los brillos como figura en orden,
graciosamente echada, reclinada sobre el diván y fina
en un pie perdidizo, chapín, burbuja, viento...

   La mano que esto aquí terminó sonrió después. Sabía
que ella podría huir. Huyó. Mas nunca solo
se vio más. Porque ella le mirara
hasta el fin, y más allá del fin. Aquí aún nos mira.

4

A Lines Hierro.
Vida

Es posible que sea... Es la misma. Miradla.
Pasa despacio ahora—es hoy—por esa calle en cuesta.
Tiene ese mismo pelo rubio; graciosos son los rizos; no queman, pero brillan.
No es el atardecer; el día aún levanta.
Fino es el rostro. Bajo el brillar o el crepitar, pues arde
sin abrasar, descansa
la frente. Que es tersa aún, mas levemente vivida. Vividera, porque a vivir dispuesta.
Allí los pensamientos ofrecen suave guarda, clausura, paz co-
 brada
y sólo en esos ojos casi de verde mar aire ventilan.
Ojos de mujer joven
que efunden más que luz verdad, y miran claros.

   Ella nunca está sola. Aquella, antaño,
acabó en el chapín o en viento efímero.
Esta consta, constante, en pie o hablando, o velando, o cui-
 dando: siendo.

Su mano blanca, se fatiga: ayuda.
Ella, mucho más que la luz, es sombra. La que hace el hom-
    bre, o la que al hombre guarda.
A esta paz él trabaja. Es posible: con pluma. Y ella tiene la
    boca presta
no tanto al beso cuanto a la voz caliente, y esos labios se
    callan
mientras las manos tejen otro silencio para unos gritos jó-
    venes.

Porque la delicada mejilla, enjuta aún cual de niña
tenaz, y estos graciosos pómulos levemente apuntados,
como el cuello gentil o el busto agraz y su cintura, límite
dan a una vida que no está sola, y vidas
de ella fluyeron hacia una mar constante. Fue manantial y
    es cauce.
Ribera, y granas flores, y a veces, cuántas veces, fue las mis-
    mas espumas.

Los niños. Bella palabra. Niños. Y el hombre. Y ella es
    muy frágil.
¿Es el laurel el que se enrosca al tronco? ¿O es la pared, el
    muro vivo,
lo que sostiene el seto? ¿El espaldar reclina su verdor
y flor exhala, o es la tierra
en fin la que sostiene muro y flores?
Ahí, ella graciosa, con risas, con seriedad, alza a sus hijos,
y aún queda una mirada para el esposo, y álzalo
a más fe, más verdad: Vedle ahora erguido.
José, tu nombre lo es por ella. Y Juan, si así te llamas: ella
te bautiza. Y esas aguas que corren, niños vivos,
menudos o reales, rientes, crujidores, desembocan
por ese cauce hacia la mar temprana.

No digáis: «¿Cuál su nombre?» Esbelta en pie, a la puer-
    ta está esperando.
Sombra rubia o luz rubia. Es una intimidad, un dentro,
más en silencio aún. Penumbra es toda.

TERCER PAR

5

Óleo

Es la infancia, se sabe, una visión moderna.
Las luces son para todos lo mismo, pero a veces destellan
más vivas sobre un pelo incipiente, que estalla en rosas
    claras,
sorprendidas, si en un óleo residen.
¿Cómo es posible que, asestadas, dispersas, aún duren y nos
    cieguen?
Ese cabello es claro. La claridad es orden, y en él reside el
    júbilo.
Ese niño iba oscuro por un lóbrego espacio,
acaso era una cámara, quizás un corredor, tal vez era más
    lóbrego:
un muro y dos ojuelos, si bellos, apagados.
La luz negra no existe, pero aterida a veces luce
naciente en unos ojos de un niño entristecido.
Este que veis aquí parado al fin de la pared callada,
¿nunca fue niño? ¿Lo era entonces? Un niño sin infancia.
Un grave niño de España, en negras sedas.
Con un rubí solo en el pecho: no luz, mas sangre, y muda.
El ha visto en palacio—porque sin duda es donde come,
    oh, no,
donde muy lento pasa gravemente—; él ha visto en palacio
—porque sólo los niños de un linaje cierto
posan así para el pintor que adula—;
él ha visto las luces de noche, las garzas matinales, arreos de
    guerra, cascos
y plumas, los colores, los gayos arrequives de sus desfiles
    quietos.
Y ha extendido esta mano que se adelanta entrando en nues-
    tro tiempo;
que apunta a ti, se acerca, te espanta. ¡Oh, el niño intruso!
Y ha dicho entonces, ah, entonces: «Quiero, puedo».

El niño no es nervioso. Acaso ha paseado por el salón, en
    orden.
El niño, siete años, setenta, setecientos. El niño
es una raza cansada que exangüe mira por esos ojos fati-
    gados,
por ese rostro... Su porte nada dice de infancia. Lleva es-
    pada,
gorguera, un guante ilustre. Sus ojos ahí se miran
con pesadumbre, ciencia acaso; más: hastío.

    Al fondo está esa puerta por donde el viento pasa, y vuelve.
Algo apenas ondula. El muro, sombras.
La luz da en ese pelo partido. El labio, ¿es rojo?:
tocado por un viso que es gris, el rosa es débil.
Como el aliento mismo, que, ahí sí, se siente vivo.

    Este niño ha pasado despacio. Detenido un instante,
quedóse. Y con vago ademán alza su brazo, apunta, sueña,
quizá se burla, señalando a quien mira, desde su ayer, que es
    hoy. Y no hay
sino cansancio. Ah, si el pintor
volviera y lo intentara
pintar, un viejo sin edad súbitamente ante el pincel mirase.

6

Vida

Aquí en la vida presente este niño es un niño.
Pesaroso, si triste, pero pidiendo risas.
Tiene ese mismo pelo rubio, pero no cae abatido
por una luz severa de los altos vitrales.
Aquí cae silencioso pero gracioso, hacia adelante y quiere
reír con brillos generales de un sol abierto y libre.
Llega a la frente el pelo y rueda, y un flequillo cercara,
enmarcando los ojos que allá chispean lícitos.

Ojos entre pestañas espesas, oscuros como la sombra que el
    sol mismo prestase.
Y dentro la pupila tan pura que es el alma,
el infantil estar, con grandes ojos.
No es un salón, ni un muro, ni un mármol donde el pie
    grave pisa.
Ni son tapices lentos, gualdrapas, ni armaduras.
No son bóvedas altas. Que dan, hueco, el gran eco.
Más alta, más, hay bóveda. La gran bóveda, insigne,
solar: el cielo inmenso. Aquí el niño está mudo.
En pie, su ladeada cabeza descansa sobre el bracito, apoya
su fina traza en la madera erguida:
el mango de una pala que el borde tiene en tierra.
He aquí un instante quieta una figura ilustre.
Ilustre pues que existe, porque del suelo yérguese,
suelo también erguido, terral, y su hombro es tierra.
O luz. Lo mismo, y arriba su delicada testa,
un triunfo numeroso: la boca, el labio, el cuello, la suave
mejilla, la tersa frente y luego luz, más luz: el pelo en brillos.

Este niño ha movido su mano. Ha alzado esa pala con
    tierra al aire,
en horas, en más horas. El sol crecía
reciente cuando empezaba su jornada virgen,
y decaía el sol cuando el templado niño suelta su mango y
    cesa.
No: sube su mano y pasa su dorso sobre su frente mate.
¡Sudor! No es el rocío. Sus gotas matinales, cuando existen,
    son frescas,
pero estas tan pequeñas que apenas se originan en el menudo
    espacio,
son vespertinas gotas abrasadas
que caen y no de un cielo, y sí: mas ruedan.

Este niño es hoy niño. Como un hombre trabaja. Y es niño
    aún. Y dura.
Y pasa. Dulce expresión reciente cuando amanece el día:
acorde luz. ¡Qué corta! Dudosa sombra extinta,

casi sin luz, o luz callándose,
cuando, volviendo, avanza sobre el terrón espeso,
 la grama, el tallo erguido.

 Y al fin llega. Y el niño es aún más niño
cuando en más sombra duerme.

QUINTO PAR

9

Óleo

I

DEMASIADO solo está el caballero. ¿Lo es? El licenciado
 pertenece al Consejo.
Aquí quizás estaba una tarde cuando el artista quiso pro-
 nunciarlo, engendrarlo.
Pues a otra vida nace quien, así retenido, proyectado amanece e inmerso aquí levántase.
Helo aquí justamente
cuando en pie nos contempla.
Acaba de despegar sus ropas negras de ese cuero curtido
 donde sentado estuvo,
curtido castellano mate y tibio que hundido quedó—mirad—
 de un cuerpo.
No hay extrañeza en esos ojos. Un castellano mira
con sosiego cualquiera sea el espacio, el tiempo a que se
 asome.
Sus ojos mirarían aún más allá; están hechos
de pensamientos grave y ulterior... Nada hay nuevo,
pues hasta el más morir, que sería más vivir, previsto está
en sus ojos.

 El licenciado es magro, cenceño, ardido. Negro,
su pelo, coronando una frente cansada, y siempre erguida.
 Arrugas

se embeben en la barba nunca prolija, ancha
la torneada nariz. ¿Cristiano viejo? Laso
en ese pelo escaso más que corvino, y dura
en su negror rebelde al tiempo, tenaz, bajo estas luces.

Se ha levantado y viste de negro. Ah, sí, el artista
le dijo: «Así
estarás como tú eres, como serás, y duras.» Y vio en los
    ojos, puso
una sombra dudosa, dudante, y dentro la firmeza. ¿Dudar?
Del tiempo, de ese fluir mojado donde el pintor decía
querer poner su tabla por que siguiese
el curso.
Y detrás la firmeza, esa quietud que el grave
señor siente a su espalda, donde se apoya: un muro.
La eternidad.

II

El caballero extiende
su mano, en pie, la aplica apenas
sobre el tablero y casi
sonríe. Dura. Dura.
Posiblemente sabe e ignora, aduce
y gasta. Retiene, y brilla inmóvil
esa pupila intensa donde una gota ha ardido
sin consumirse, ¡y hela!

Cortés te llama, y casi él se responde. Mas acércate y
verás que pregunta. Mira: sálvale.

10

Vida

Hoy ese rostro tiene, en ese otro cuerpo, de hoy, donde le
    ves, los ojos
mismos. ¿Iguales? La barba no es prolija tampoco, acaso
un punto más atrasada en el cuido; su pelo,
negro tenaz, pero cediendo a alguna hebra de plata,
casi de luz que entrase.
Más suaves las arrugas, y también embebidas
en la barba muy leve, que alarga el rostro, en suspensión,
    sereno.
Los ojos, ¿son los mismos? Menos severos, si más vividos,
más duraderos, como un querer,
en orden.
No exactamente en negro sus ropas. Ahora el color no atañe.
El ha vivido, quemándose en hacer, más que en mirar o en
    sueño.
Trazó líneas, dibujó e hizo cálculos, vertió carriles, abrió ca-
    minos para el hombre ciertos,
y acercó hasta él los frutos.
Con otros más acampó y sujetó el agua y la expandió, y volvía
siempre después,
y siempre más: era un hacer, era un hacer,
el hombre.
Y ahora aquí, con los años, ahora este piso habita, y alto so-
    bre esta plaza
vívida. Y los días.
Si le miráis, no le veis ahora en pie, la mano sobre la mesa
    y los ojos allá, muy más allá, en sus luces.
Oh, no, muy más acá, aquí, muy más aquí, aquí,
en lo justo.
En el centro, el muy alto. Oh, no alto, él no es alto,
pero vive en tal planta, piso diez, piso doce, o bien quince:
    es lo mismo.
En esa habitación su luz le da en los ojos, la luz vivida,
la vividera luz de la ciudad, común con todos.

Él se llama... Ha vivido y amado, trabajado y creído,
ha sufrido, esperado, ha entregado,
entre otros.
Los ojos son oscuros, térrea un poco la tez, la frente es ancha,
casi perdida,
como sus pensamientos. Oh, no, sus pensamientos,
recogidos a diario, porque nunca para él; para él no fueron.
Hacer, hizo. Pensaba,
y casi sin pensarlo,
que vivir es hacer. Hizo con todos.

Ahora aquí le miráis, en esa habitación, ni mísera ni extensa.
Han pasado los años. Está de pie. Allí abajo,
la plaza grande. Y oye.
Olor de multitud. Hombres, mujeres, niños
pasan. Y en sus ojos, vividos, no cansados,
un sol, común, se esparce.

IMPAR

11

Óleo ("Niño de Vallecas")

A VECES ser humano es difícil. Se nació casi al borde.
Helo aquí, y casi mira. Desde su estar inmóvil rompe el aire
y asoma súbito a este frente: aquí es asombro.
Pues está y os contempla, o más, pide ser visto, y más: mirado, salvo.
Tiene su pelo mixto, cubriendo desigual la enorme masa,
y luego, más despacio, la mano de quien aquí lo puso trazó
lenta la frente,
la inerte frente que sería y no fuese,
no era. La hizo despacio como quien traza un mundo
a oscuras, sin iluminación posible,
piedra en espacios que nació sin vida
para rodar externamente yerta.

Pero esa mano sabia, humana, más despacio lo hizo,
aquí lo puso como materia, y dándole
su calidad con tanto amor que más verdad sería:
sería más luces, y luz daba esa piedra.
La frente muerta dulcemente brilla,
casi riela en la penumbra, y vive.
Y enorme vela sobre unos ojos mudos,
horriblemente dulces, al fondo de su estar, vítreos, sin lágrima.

La pesada cabeza, derribada hacia atrás, mira, no mira,
pues nada ve. La boca está entreabierta:
sólo por ella alienta, y los bracitos cortos juegan, ríen,
mientras la cara grande muerta, ofrécese.

La mano aquí lo pintó, lo acarició
y más: lo respetó, existiendo.
Pues era. Y la mano apenas lo resumió exaltando
su dimensión veraz. Más templó el aire,
lo hizo más verdadero en su oquedad posible
para el ser, como una onda que límites se impone
y dobla suavemente en sus orillas.

Si le miráis le veréis hoy ardiendo
como en húmeda luz, todo él envuelto
en verdad, que es amor, y ahí adelantado, aducido,
pidiendo, suplicando sin voz: pide ser salvo.
Miradle, sí; salvadle. El fía en el hombre.

MATERIA ÚNICA

Esa materia tientas
cuando, carmín, repasas
la sonrisa de un niño.
Más: grosezuela, carne,
pierna o rosa exhalándose.
La materia fresquísima,

cuán repentina emerge
en esa pierna o luces.
Oh, cómo tiembla el iris:
suspenso ahora en el rosa,
escala suave o masa
que es un montón fragante.
Materia inmensa dura...
Cuán infinita empieza
cuando el tiempo, y vibrante
es una red que tocas.
Aquí, aquí está en sus bordes.
No más, no más distintos
que allí su origen: tiéntase
sin fin. Y un niño canta.
Y en él quizá Tiberio,
remoto. Oh, Capri. Espumas;
las carpas. Huele el viento.
Pero hoy el niño corre.
Madrid. El aro es gayo.
Y llega y mira. Vese
en él el ojo lóbrego,
la barba rubia, exangüe
la mano: allí la esfera.
Felipe Dos. Silencio...
La virgen hoy nos dice.
En la materia misma
la cortesana antigua
hoy late, y se adereza.
Su faz cansada vuelve.
¿No oyes la voz?: la Santa.
Desde esa masa única
alza sus ojos: siente
la flecha suave ardiendo.
Y aquí descansa el hombre,
respira el monje, y nada:
sólo es un mar, él mismo.
¿Quién del bajel saltase?
Cipango ilustre intacto.

Son gritos, no: saludos.
¡Pisan el mar los indios!
Su flecha va en el viento,
y vibra hoy en el pecho,
amor, amor, y lleva
su mano allí esa joven...

Ardiendo, la materia
sin consunción desborda
el tiempo, y de él se abrasa.
Indemne en sus orígenes.
Entre las lumbres únicas,
con su corona trágica,
si Calderón altísimo,
María hoy arde humilde.
La veis subir despacio,
sirviente: el cesto, y sigue.
Silencio. Es la madera
que cruje. El pan. Y llama.

A siglos, le abriría
aquel guerrero. Y tocas,
y Atila pasa; insistes,
y en él nos mira el bardo;
y más, y en sus ropajes
está el tirano, y lucen
sus ojos. ¿Mira el niño?
Oh, virgen: llega y pasa.

Todo es materia: tiempo,
espacio; carne y obra.
Materia sola, inmensa,
jadea o suspira, y late
aquí en la orilla. Moja
tu mano, tienta, tienta
allí el origen único,
allí en la infinitud
que da aquí, en ti, aún espumas.

RETRATOS CON NOMBRE

[1958-1965]

DIVERSIDAD TEMPORAL

I

Es una espuma sólo, final, ápice, brillos.
En la materia misma su estar formas suscribe:
la sucesión. Y rueda: como en la mar las olas.

Allí respira o late la indivisión profunda.
Conciencia, ápice mismo de la sustancia, culmen.
Destinos diferentes que se enredan o alcanzan.
Desde el origen mismo la voluntad proclama
su dispersión, sus flores, diversidad, espumas.
La entraña solidaria que reventó o estalla
es la explosión justísima que al irrumpir se ordena.
¿Exhalación? ¿Ventura? Continua luz profunda,
moral, de la materia que en progresión se extiende.
Devenir, diosa indemne que en su conciencia impera.
Avatares del orden que cúmplese en espacios,
y se ha hecho tiempo. Humano, distinto, el pie se inserta.

II

Diversidad, no diosa, mas realidad continua,
presente, y pasa, adviene. Plural y única a solas.
La comunión se esparce, congrega, se alza, abate;
su relación son hombres continuos, y ella es una.
Una si varia, triste si alegre, en suma ardiendo
desde el fuego primero que aquí en historia aún quema.
Como una ola se allega sobre las playas mismas,
donde los pies recientes se mojan, y otro, y otro.
Esa mano, esa ropa, el pie, el gemido, el brillo,
sus besos numerosos, su muerte, el rey, las cuevas,
el orden voluntario, pues hijo es él del hombre.
Como unas olas rompen y abren: playa, historia.

Lo que él hizo está hecho y lo que quiso puede.
La situación se ocurre, perece, salva, dice,
predice, y el mañana ya luce, y son auroras.
La libertad del hombre sus formas abreviara.
Dice lo que la historia y conclusión espera.
Las playas diviniza el hombre, y él, ¿divino?
Humano, sí. ¿Infinito? Real. ¡Luz a sus límites!

«MÍRAME BIEN: TUIO SOI
HASTA MORIR»

ESTE Xavier no es viejo,
aunque sí antiguo.
Su casaca es azul, muy clara y justa; el talle
gira cuando el pincel pequeño aquí lo expuso,
lo retuvo y situó. Allí tras el cristal él brilla,
quiere brillar. Los ojos son negrísimos,
blanco el encaje de su chorrera, y rosa,
casi de ese color, la faz que rinde
su vida, su pensamiento,
que bajo la peluca bulle en sombras.

   Si empolvado el cabello, galán el rostro
bajo la gracia de esos bucles raros,
fingida madurez que al arte implora.

   Ya Rousseau había dicho palabras para luego.
Y antes aún Voltaire fundó una historia:
Cándido mira el mundo y arde intacto
el mejor universo. Pero aquí a esta española orilla
dialoga una maja con la sombra, y un toro
embiste ahora a más sombra: un pueblo grita.
Después ese bulto alza el testuz
sobre un fondo sin fe de cielo ardido,
quemado, y muge a solas.

   Los ojos de este joven, quizá un tardío
guardia de Corps, más bien un magistrado nuevo,
son negrísimos. Bajo del vidrio miran o preguntan.
Afirman. El labio dice unas palabras.
Aquí en el marco están, en letras de oro.

   Con incorrupta voz, con fresco labio
dice el amante su promesa y pasa
sobre siglos, y suena la palabra aquí, y es clara.
«Mírame bien:
tuio
soi
hasta morir.»

   En el marco de ébano grabada está con fuego.
Tú, muchacha de hoy que miras la miniatura, olvidas
el arte y su color, el fino trazo,
la perfección pequeña en gracias leves.
Pues ves, de esos ojos la luz, del labio el temple,
y de todo su rostro esa esperanza
de que ella, tú, al mirar, su amor sintieses.

   ¡Quién sabe! Si se contempla esa luz,
en su pasión permanente desde el ayer,
suspensa, inmarchita en la frente tenaz, en boca viva,
en los ojos donde la pira ardió y aún arde—«tuio
soi»—, este que aquí se dice de ella, hoy
huele a tierra, a suma
de vida, en muchos, muchas,
sucesión y presencia, y él muy joven, hijo
de esa materia y suyo—«tuio
soi»—hasta morir. Pero él no muere.
Fresco, hoy, inmortal, por todos arde.

CUMPLEAÑOS

(AUTORRETRATO SUCESIVO)

No sé la cifra de los años que voy a cumplir,
pero sí sé que son férreos eslabones gruesos.
Se anudan y me rodean adaptándose a mi figuración,
ellos son verdaderamente mi figuración
y en su tremenda libertad y condición y materia me reco-
    nozco.

Ellos son la larga historia de mi vivir.
En el primero un dolido
vagido me pronunció o me deletreó con tristeza.
Habían sido todos convocados con alegría...
Pero él no pudo más que dar una sílaba,
un pequeño grito,
una mudez inmediata bajo los ojos del miedo.

Toqué con mi mano otro eslabón. Aquí algo se había mo-
    vido.
El expresaba su niñez advenida y condicionada.
La de un niño o un ángel férreo, una pluma o un astro, pero
    una realidad enmarcando
unos verdaderos ojos azules.

Pero el eslabón grande se manifestaba. Hoy lo siento pasar
    como una decisiva cuenta.
Otro más, y sujetaba la muñeca durísima de la erguidísima
    juventud, en la bien trabada figura.
Entre los hierros el brillo de los dientes, bajo la coraza el
    corazón estallado;
no, no era ya el niño envuelto en eslabones, cubierto de liga-
    duras o cantando su libertad,
beso a beso sobre unas aguas que le desconocían.

Otra cuenta mayúscula. La serenidad concentrada.
El enorme saco de la verdad por primera vez sobre el hombro.

Al fondo aquel horizonte y, en un esfuerzo supremo, el brazo
    casi invisible
llegando como un camino para todos a tocar a la aurora.

    Más cuentas, más eslabones duros, más hierro frío.
La rebelión de los músculos.
Pero el corazón, encendido y cursivo,
y como un esfuerzo victorioso el vivir, el continuar
y el estremecerse.

    El hierro, ¿para quién? Para el poderoso entramado, y des-
    de su palpitante músculo reconocedor,
la comunión desatándose.
Alud general sin retrocesión que se adelantaba y que fue re-
    cibido
por los brazos abiertos—los grillos saltados, las cadenas col-
    gando,
pendientes como dos haces de luz, hasta tierra. O una histo-
    ria inconclusa.

    No sé cuántos eslabones voy a cumplir.
Sé que es una cifra grande y con las dos manos la toco
tatuada en el pecho vivo, ¿el alma sin mancha?
Oh, el alma con mucha mancha, con toda su viva mancha.
Resultada, dentro del pecho, puesta delante como una vida,
    en redondo, como el universo.

    ¡el alma
completa!

UNA AMAZONA

(ARABELLA)

    ESA fuerza veraz irrumpe súbita.
En la fuerza del ser se yergue el viento.

No te conozco, piel de alazán violentamente abriendo
esta quietud que, muerta, no es la muerte.
Ha estallado el color. La vida cruje.
Y en ella, espuma de color, la risa,
quizá la cresta, la mención, el iris.
La cabellera que es airón o es fuego
de un astro o rosa, o es su flor ardiendo,
girando:
la majestad, en órbita, quemándose.
Venid los quietos que en la luz, inmóviles,
miráis pasar, sorbidos finalmente,
finalmente girando. Larga cola
arrebatada en vilo, humanamente
hermosa,
como de vidas hecha, aquí arrastrándose.

   Pero ella, la amazona,
la juvenil pasión en forma estricta,
exenta de ese fuego, cierta en límites,
gobierna
con un brazo sin luz la luz ardiéndose.
Ella de carne o viento, o brisa pura,
toda de tiempo acaso, impone un orden,
un exquisito instante, y es eterno.
Ella la dominante, sólo música,
inoíble en los astros, toda es forma
para los ojos seguidores, vueltos
ahora a su ser, mientras se escapa un cielo,
la majestad de las estrellas vueltas
a su velar tranquilo en los espacios.

   (Vivir, vivir. El sol cruje invisible.)

UN PAYASO O «AUGUSTO»

(TONIO)

> *Poeta, sí: payaso de la sombra.*
> M. L.

AQUÍ tanteando dice
una palabra, y sobra un traje inmenso
que cubre, y más, a un ser que existe acaso.
Pequeño, flaco, escurrido más bien, sobra y es hilo,
hilo su voz, saliendo de ese traje.
Tirando de él, del hilo, quizá un hombre
existe, el que apenas pronuncia unas palabras.
Y ríen. Y el «augusto»,
roja y negra la cara, tiznada en gris,
color tormenta o blanca,
como el yeso polar de la luna,
dice una voz, una palabra, y rueda
la rosa grande que le escucha, muda,
y él habla así, callando, a las estrellas.

El «augusto»
espera aún que venga ahora el «clown» alto.
Este, de pronto, un lujo, vestido el raso
amarillo, constelado de piedras de colores,
entra, y su gorro blanquísimo se ríe.
«¿Qué dices, tú?» Y el otro,
zapatones enormes, cae, y la risa
rueda por los espacios, gran corola
de risa universal, y él aún se yergue.
Arrogante, bajo el ropón enorme que le borra,
«augusto» en majestad, tiznado o lúgubre,
el zapatón enorme pisa el corcho,
mientras llueve la risa a ráfagas y bate
contra la costa desolada. Al borde,
el fino «clown» de seda: «¿Ven, señores?
No hay nadie.» Y sacude un pañuelo. Y sólo hay luces.

EN EL VIENTO

Aquéllos son muy jóvenes.
Algunos pasan, cuerpos ligeros en el aire.
Unos van en volandas con un destino alegre.
En un campo detiénense, extenso y hay jardines.
Edificios enormes, aulas, pizarras, voces.
Otros van incluidos en un viento más bajo,
más lento, y se detienen donde el viento los deja.
Un instante en la boca
de una mina, o aquel sobre la jarcia
de una barca en la ola.
Y más allá aquel otro junto a la puerta férrea
de un horno alto, o queda
en tal pueblín, sentado, con una lezna chica
entre sus dedos. Siguen,
pues el viento va largo. Ahí pasan las mujeres.
Yo las he visto un día quedar sobre los campos,
arrodilladas, el pecho casi a tierra. ¿Rezaban?
Rebuscaban
la oliva. Enero. El viento
seguía. E iban ahí los mudos, también los afligidos,
los siempre incomprendidos, como los que, dolientes,
ahí siguen esperando.

Vi volantes casacas, espadas finas, filos,
y era el brillo fugaz como un relámpago.
Después pasaban lienzos
ligeros o gastados,
las mantas transparentes, por mucho amor usadas,
los pañuelos llovidos, quizás aún el trasunto
de voces, ¿dónde, cuándo? El viento nunca liso
que ondula, crece, silba:
un mundo ahí palpitando.

Son horas o son vidas.
Pero el destino mezcla los hombres. Hay miradas,
lamentos—son más lágrimas—, la lluvia aquí reunida,

mejillas y, arrasado,
el brillo de unos ojos, más ojos, aún más ojos,
que en ese viento cruzan y siguen, y ahí besados.

Algunos son más jóvenes, y el viento hay un momento
que en un borde los deja, muy suave. Oh, sí, sé: es un
    instante.
Otros van de muy lejos, y aún pasan ahí volando.
Mas si firmes miráis el horizonte, a veces
caen cuerpos, sigue el viento. Más cuerpos. Siempre joven.
Pero el viento, completo, se pierde, sigue. Dentro
se escucha: van cantando.

DON RAFAEL O LOS REYES VISIGODOS

PEQUEÑO fue, pues tal su sino, y serio, casi serio.
Allí en el pueblecillo, también pequeño y serio,
era un maestro: profesor primario.
Don Rafael. Don Rafael, pequeño, nombre todo,
y de arcángel,
daba su clase, en esta tarde oscura.
Cabeza gruesa, pelo escaso y una mirada azul, limpia o ras-
    gada,
como un cielo lavado por donde a veces pasa un ala nítida.
Había tristeza acaso
cuando don Rafael,
con el puntero en ese mapa dice: «Aquí Jaén,
aquí Sevilla, esta Málaga, esta Cádiz... Son ocho provin-
    cias.»
Y algún niño pensaba: Son las ocho hermanas.
Y veía a Manuela, Filo, Tere, Rosa, Encarna...
Un pueblo blanco, gira, pues de noche—si invierno—
palpitado de estrellas casi es brillos.
Don Rafael sus ojos claros alza.
«A ver tú, Juan, dime los nombres.»

Los reyes visigodos. Casi mágicos son aunque erizados.
Sigerico... Alarico... Walia... Turismundo...
Mundo de nombres que de boca en boca
pasan, casi rodados cuando...
«A ver tú, Manolito: los reyes visigodos.»
Los reyes visigodos ¿son hombres? Son nombres, y suena a
    espada,
a armadura el fragor; su arista y picos
chocan: materia, y una voz humana, muy pequeña, infantil,
termina: «...y don Rodrigo.»
Y todos sienten un nombre humano, en ese «don» que a
    ellos se acerca,
pues estos niños al maestro llaman
«D. Rafael» y él vuelve la cabeza.
«D. Rodrigo». Y volviérala. Y quién sabe.
Y suave ondula el nombre. Y su sombra final, humana,
    surte.
Los niños ahí le ven. Casi con su caballo cruza. ¿Por dónde?
Allá por las Asturias, quizá... Quizá fue un sueño.
Y los niños dormidos, frente al maestro, sienten ahí los
    cascos
tocar en piedra, y alguno oye el relincho.

Don Rafael despierta. «Vamos, pronto, los reyes visigodos.»
Y el más pequeño duerme, y es el arcángel
—ay, don Rafael—
quien vela y calla junto a ese mapa, y mudo.

EL ESCUCHADOR

(GUSTAVO ADOLFO BÉCQUER)

MUEVE el viento.
Mueve el velo
quedo.

Mueve el aire.
Mueve el arce.
Vase.

Luz sin habla.
Voz callada.
Clara.

Sombra justa.
Suena muda.
Luna.

Y él la escucha.

SIN NOMBRE

LA historia a veces calla
los nombres. El que prendió aquel fuego.
La niña que se murió
en la ciudad desierta.
Aquel viejo gastado,
afligido, que lo dio todo,
pero acabó como un pabilo oscuro.
—Ni el humo viose entonces—.
El de la pana triste. O aquella gallarda muchacha,
con la flor en el pelo, negros los ojos, la canción abrién-
    dose;
natural de aquel pueblo:
andaluza. Fue en Palma.
Palma del Río o Alhaurín, o fue en Arcos.
Lo mismo se diría del que creció y fue joven,
y joven se quedó. Era claro, muy rubio,
muy azules los ojos.
Porque nació de lo que fue colonia
germana. (Ay Olavide, español de las «luces».)
Un pueblo con un nombre

de mujer: La Carolina, bella, cual muchacha, y muy rubia.
Pero andaluza aldea, al cabo. Hoy madre de andaluces
con ojos claros y pestaña oscura.
Carolina dramática, y al costado la sierra.
Piedra valiente, y sobre el aire el cielo
solitario. Van nubes
en el aire invisible.

Ese niño entre velas
que no medró. O el que engendró cien veces
entre olivos, y al campo
echóse un día. El «Vivillo»,
el «Pernales». Terrible
historia equivocada,
denuncia al cabo triste.
Esa muchacha loca
—tal la dicen—que en la ventana espera,
tras la reja florida,
que él pase, furtivo y cierto en noche.
Un sombrero redondo, la capa, el brillo mudo
de la espuela. Y se allega.
Y entre la flor el beso. Y él escapa firmísimo.
Ella queda, y erguida. Errada heroína joven
del valor dadivoso, sin fin, mas con objeto.

No, no quedan los nombres.
Unos tienen leyenda. Otros son sólo el viento,
y en él el polvo mismo que se incorpora un día
en nuevos cuerpos bellos, o en el mar va a perderse.

Estos los solitarios, aquellos los unidos en una voz o un
            cántico.
Los que mueren mirando
por vez primera el orbe,
apenas una boca: la de la madre, o un pecho:
el seno que ellos toman para vivir, y mueren.
Y el que muere ancianísimo,
que es apenas, también, recién llegado e ido.

La vieja de haldas fuertes.
La de la espuma en ropas,
volante; el aire es ella, y también cual el aire.
El recio trabajando
con su mano de tierra, un instante hecha humana,
para pronto sembrarse.

   El anónimo puro
que al morir se diría
que se reintegra al seno
de los demás, que siguen.

   Seguir. Mas todos siguen. Continuidad sin meta.
Ella, la fiel muchacha,
el niño ido, el héroe
por vivir, el fiel muerto.
La luz, la luz borrando los nombres, más piadosa
que la memoria humana.

   La historia a veces calla
los nombres. El que prendió aquel fuego.
Quien lo apagó. El amante.
Quien nunca amó. Aquel viento.
En él siempre invisible, las nubes van volando.

A MI PERRO

O H, sí, lo sé, buen «Sirio», cuando me miras con tus gran-
    des ojos profundos.
Yo bajo a donde tú estás, o asciendo a donde tú estás
y en tu reino me mezclo contigo, buen «Sirio», buen perro
    mío, y me salvo contigo.
Aquí en tu reino de serenidad y silencio, donde la voz
    humana nunca se oye,
converso en el oscurecer y entro profundamente en tu me-
    diodía.

Tú me has conducido a tu habitación, donde existe el tiempo
que nunca se pone.

Un presente continuo preside nuestro diálogo, en el que el
hablar es el tuyo tan sólo.

Yo callo y mudo te contemplo, y me yergo y te miro. Oh,
cuán profundos ojos conocedores.

Pero no puedo decirte nada, aunque tú me comprendes...
Oh, yo te escucho.

Allí oigo tu ronco decir y saber desde el mismo centro infinito
de tu presente.

Tus largas orejas suavísimas, tu cuerpo de soberanía y de
fuerza,

tu ruda pezuña peluda que toca la materia del mundo,

el arco de tu aparición y esos hondos ojos apaciguados

donde la Creación jamás irrumpió como una sorpresa.

Allí, en tu cueva, en tu averno donde todo es cenit, te
entendí, aunque no pude hablarte.

Todo era fiesta en mi corazón, que saltaba en tu derredor,
mientras tú eras tu mirar entendiéndome.

Desde mi sucederse y mi consumirse te veo, un instante
parado a tu vera,

pretendiendo quedarme y reconocerme.

Pero yo pasé, transcurrí y tú, oh gran perro mío, persistes.

Residido en tu luz, inmóvil en tu seguridad, no pudiste más
que entenderme.

Y yo salí de tu cueva y descendí a mi alvéolo viajador, y,
al volver la cabeza, en la linde

vi, no sé, algo como unos ojos misericordes.

POEMAS
DE LA CONSUMACIÓN

[1965-1966]

AMPO DE NIEVE

Luna de mármol dulce
luna de puros fríos,
besos que van y vienen
en despedidas, lejos.
Aves de nieve nacen;
blancos mensajes llevan
entre sus yertas plumas
para la luna altísima.
Visos, vislumbres, copos,
besos de nieve o carne,
¿dónde un adiós resbala
por diamantinos senos?

Oh, sí, yo vi en las noches,
sobre la espalda nívea,
boca sin piel grabando
su quemadura gélida.
Suenan las ramas finas.
Blancos corales alzan
sus destellantes filos
contra los vientos negros.
¿Quién dulces hielos siente,
quién cauteloso toca
esa afilada piedra
donde el amor acaso
puso unos labios tristes?
Oh, sí, los mares sienten.
¿Quién, quién lloró en sus mármoles,
sobre su fría losa,
sus pensativas penas?
Yo vi una sombra fría,
vi yo un desnudo echado,
yo vi un amor llorando
sobre la mar de piedra.

Rostro de niebla estaba
como mejilla en mano.
Piedra era el mar y almohada
para el sollozo oscuro.
Y un cuerpo grave, quieto,
sobre sus losas yace.

Luna sin fe enviaba
sus satinadas luces.
Todo el verdor del mundo
era una dulce nieve.
Viento parado un muro
puro, azulado, erguía.
Y era el amor un ave,
un abrasado hielo,
un beso impuro y terso,
ampo de nieve en rojo.

LA MUERTE DEL ABUELO

PASÉ de puntillas
y todavía se oía el penoso alentar del enfermo.

Y me senté en mi cuarto de niño,
y me acosté.
Se oía en la casa entrar y salir, y allá en el fondo,
como un murmullo, el largo rumor de la mar que rodaba.

Soñé que él y yo paseábamos en una barca.
¡Y cómo cogíamos peces! Y qué hermoso estaba el mar
    terso.
Y qué fresco vientecillo bajo el sol largo.
Él tenía la misma cara bondadosa de siempre,
y con su mano me enseñaba los brillos,
las vaporosas costas felices, las crestitas del agua.
Y qué feliz en la barca solo con él...

Solo con él, tan grande y tan seguro para mí allí: solo con
    él en el mar.
«¡No lleguemos tan pronto!»..., dije. Y él se reía.
Tenía el cabello blanco, como siempre, y aquellos ojos azules
    que dicen que son los míos.
Y me empezó a contar un cuento. Y yo empecé a dormirme.
Ah, allí mecido en el mar. Con su voz que empujaba.
Me dormí y soñé su voz. Ah, el sueño en el sueño...
Y soñé que soñaba. Y muy dentro otro sueño. Y más dentro
    otro, y otro,
y yo más hondo soñándole, con él al lado, y huyendo los dos
    sueño adentro.

    Y de pronto, la barca... Como si tropezase.
Ah, sí, ¡cómo abrí los ojos! (Y nadie, y mi cuarto.)
Y había un silencio completo como de arribo.

NO TE CONOZCO

¿A QUIÉN amo, a quién beso, a quién no conozco?
A veces creo que beso sólo a tu sombra en la tierra,
a tu sombra para mis brazos humanos.
Y no es que yo niegue tu condición de mujer,
oh nunca diosa que en mi lecho gimes.
Pero yo no gimo de alegría cuando te estrecho.
Sobre la ebriedad del amor, cuando bajo mi pecho brillas
con el secreto brillo íntimo que sólo la piel de mi pecho
    conoce,
yo sufro de soledad, oh siempre allí postreramente desco-
    nocida.

    Nunca: cuando la unidad del amor grita su victoria en la
        ya única vida,
algo en mí no te conoce en la oscura sombra estremecida
que bajo el dulce peso del amor me sostiene
y me lleva en sus aguas iluminadamente arrastrado.

Yo brillando arrastrado sobre tus aguas vivas,
a veces oscuras, con mezcladas ondas de plata,
a veces deslumbrantes, con gruesas bandas de sombra.
Pero yo, sobre el hondo misterio, desconociéndolas.

Natación del amor sobre las aguas mortales,
sobre las que gemir flotando sobre el abismo,
hondas aguas espesas que nadie revela
y que llevan mi cuerpo sobre ausencias o sombras.

Entonces, cerrado tu cuerpo bajo la zarpa ruda,
bajo la delicada garra que arranca toda la música de tu
    carne ligera,
yo te escucho y me sobrecojo de la secreta melodía,
del irreal sonido que de tu vida me invade.

Oh, no te conozco: ¿quién canta o quién gime?
¿Qué música me penetra por mis oídos absortos?
Oh, cuán dolorosamente no te conozco,
cuerpo amado que no hablas para mí que no escucho.

ENFERMA

MIRARTE así, en la cama, cuando con tu velada mirada me
    sonríes...
Casi me sonríes. Mirarte enferma es casi mirarte entre una
    niebla doliente,
leve, borrosa, pero casi cruel, que delicadamente te hurta.
Así te miro. Así casi no puedo mirarte. Así apenas te veo.
Rodear tu cara con estas manos es repasar acuciantemente
    una pena.
Preciosa estás, esfumada, dulce, vivida. Ah, sí, qué vivida.
Parece como si toda nuestra vida te hubiera al fin consu-
    mido,
quemado sin humo, sin calor, sin ceniza.
Como una hoja de rosa que se adelgaza.

Pero no quiero hablar... No quiero decir. Quisiera be-
    sarte.
Echado a tu lado, besarte casi sin que me sintieras, como una
    templanza olorosa.
Que me respiraras y sonrieras, que dulce alentaras.
Que no te dieras cuenta y así aspirases
un aire que entre mis caricias muy hondo te entrara,
y tú sonrieras, y tus labios se colorearan, y tus ojos bri-
    llasen,
y una mano aún pálida te llevases a tus aún vivos cabellos,
y movieses a un lado tu cabeza, y dijeras...

   Y así sin quitarme,
sin nunca quitarme,
la vida, poco a poco,
volviera.

NOCHE MÍA

                    Homenaje
                    a San Juan de la Cruz

    TODA la noche cerrada,
    volcada. Foscas, bruñidas
    las paredes. Se resbalan
    torpes las estrellas fijas.
    Sin un resquicio, la noche
    campana muerta, caída.
    La viva voz, por la tierra,
    de la alta noche, extinguida.
    Parado campo. No mientas,
    noche, noche. Muda, fría,
    volteas, doblas sin habla
    y calladamente giras.

Todo es signo. Suavemente
hasta quedar detenida,
la noche persiste. Abismos.
Luz y sombra. Planos. Vida.
El alma ya no se siente.
Se siente todo. Inaudita
pasión. Dime tú, ¿morir
será hacer la noche mía?
Entonces morir. Muriendo,
noche, te siento. ¡Divina
realidad! Tú suenas, tú
eres, tú: mi vida es mía.

CABEZA ENORME

(Ante un retrato del poeta,
por John Ulbricht.)

ACÉRCATE, no temas.
La cabeza, de lejos, un magma mineral, rocas insignes;
rosa, el ocre, el azul: planeta es vuestro.
Y arriba, como un rielar de brillos en la bóveda
redonda, desnuda, que a estas luces velar parece eterna.

Quietud. Como montaña
trabajada, por un dios, en los siglos,
aquí erguida hasta un cielo, ya inhumana,
toda es materia, que ascendida fulge.
Oh la desconocida, aquí rebelde,
innominable, con la salud continua
de la piedra, sin voz, en el sonido
quizá del viento o de la luz, sin otro eco
que el pitagórico que en los espacios zumba.

Pero acércate más. Verdes empiezan
entre la lava, el rosa es vivo ahora,

el sepia es tierra o surco, el alba imagen
de un despertar carnal. Aún geografía...
Mas ya tentar su superficie es vida,
sucesión. Colores aún de arena, espuma;
mas ya lección de sangre oculta. Tienta, tienta
su tibieza: es aurora vital. Pómulo acaso
del tamaño de un orto. ¿Una sospecha
de mejilla, o aún monte? ¿Un abismo en azul o un ojo tibio,
húmedo, limitado, que se acerca, ahora fijo,
ahora claro? Enorme aún, pero un hombre por él mirar sabría.

Temerosa cabeza, a esta distancia. Miedo,
ah, sí, miedo. ¡Tan grande! Aquí pintada
como un cruel paisaje, con poder minucioso,
con encarnizamiento. La piel vista de cerca
tiene valles, no incisos. Oteros, no facciones.
Mas de pronto te habla: tu voz. Y suena un trueno.

Oh, te conozco. Magnificado, asomado—testa solo—,
allí preso, con son, por quien te mira;
con luz, por quien te ve. Y callado, presente,
sin sueño. El tiempo abajo, invisible.
¡Salud! Dura es tu imagen. Y perdura.
                                    —Duerme.

FUNERAL

Alguien me dice: ha muerto André Breton.

España, antaño en piedra bajo el sol.
Quemada, extensa, en lenguas se abrasó.
Pues ella entera y sola se entreabrió:
oh, voces minerales en que ardió.

Diversos, sin espera, sólo amor,
en desvarío alzados, solos no,
a solas, sola España, escoria y flor.

Oh desvarío: tierra, tú en tu voz.
Poetas. Sí, *Poeta en Nueva York*.
También, corriendo fiel, *Un río, un amor*.
Allá *Sobre los ángeles* sonó
el trueno. No; la luz. *La destrucción*.

Oh luz de ciega noche y verde sol.
Erguidos, misteriosos, su clamor
se abrió, duró. Callaba y se extendió.

Por eso bajo el fuego está la voz.
Por eso en sólo piedra se oye el son.
Coro andaluz real que no cesó.
Que suena en vida o muerte, en su pavor.
Que alarga un mudo brazo y dice adiós.
Adiós, André Breton.

POEMAS VARIOS

[1927-1967]

LOS AÑOS

¿S o n los años su peso o son su historia?
Lo que más cuesta es irse
despacio, aún con amor, sonriendo. Y dicen: «Joven;
ah, cuán joven estás...» ¿Estar, no ser? La lengua es justa.
Pasan esas figuras sorprendentes. Porque el ojo—que está aún
    vivo—mira
y copia el oro del cabello, la carne rosa, el blanco del súbito
    marfil. La risa es clara
para todos, y también para él, que vive y óyela.
Pero los años echan
algo como una turbia claridad redonda,
y él marcha en el fanal odiado. Y no es visible
o apenas lo es, porque desconocido pasa, y sigue envuelto.
No es posible romper el vidrio o el aire
redondos, ese cono perpetuo que algo alberga:
aún un ser que se mueve y pasa, ya invisible.
Mientras los otros, libres, cruzan, ciegan.

Porque cegar es emitir su vida en rayos frescos.
Pero quien pasa a solas, protegido
por su edad, cruza sin ser sentido. El aire, inmóvil.
Él oye y siente, porque el muro extraño
roba a él la luz pero aire es sólo
para la luz que llega, y pasa el filo.
Pasada el alma, en pie, cruza aún quien vive.

LOS VIEJOS Y LOS JÓVENES

U n o s, jóvenes, pasan. Ahí pasan, sucesivos,
ajenos a la tarde gloriosa que los unge.
Como esos viejos
más lentos van uncidos

a ese rayo final del sol poniente.
Éstos sí son conscientes de la tibieza de la tarde fina.
Delgado el sol les toca y ellos toman
su templanza: es un bien—¡quedan tan pocos!—,
y pasan despaciosos por esa senda clara.

Es el verdor primero de la estación temprana.
Un río juvenil, más bien niñez de un manantial cercano,
y el verdor incipiente: robles tiernos,
bosque hacia el puerto. en ascensión ligera.
Ligerísima. Mas no van ya los viejos a su ritmo.
Y allí los jóvenes que se adelantan pasan
sin ver, y siguen, sin mirarles.
Los ancianos los miran. Son estables,
éstos, los que al extremo de la vida,
en el borde del fin, quedan suspensos,
sin caer, cual por siempre.
Mientras las juveniles sombras pasan, ellos sí, consumibles, inestables,
urgidos de la sed que un soplo sacia.

COMO MOISÉS ES EL VIEJO

Como Moisés en lo alto del monte.

Cada hombre puede ser aquél
y mover la palabra y alzar los brazos
y sentir como barre la luz de su rostro,
el polvo viejo de los caminos.

Porque allí está la puesta.
Mira hacia atrás: el alba.
Adelante: más sombras. ¡Y apuntaban las luces!
Y él agita los brazos y proclama la vida,
desde su muerte a solas.

Porque como Moisés, muere.
No con las tablas vanas y el punzón, y el rayo en las alturas,
sino rotos los textos en la tierra, ardidos
los cabellos, quemados los oídos por las palabras terribles,
y aún aliento en los ojos, y en el pulmón la llama,
y en la boca la luz.

Para morir basta un ocaso.
Una porción de sombra en la raya del horizonte.
Un hormiguear de juventudes, esperanzas, voces.
Y allá la sucesión, la tierra: el límite.
Lo que verán los otros.

HORAS SESGAS

DURANTE algunos años fui diferente,
o fui el mismo. Evoqué principados, viles ejecutorias
o victoria sin par. Tristeza siempre.
Amé a quienes no quise. Y desamé a quien tuve.
Muralla fuera el mar, quizá puente ligero.
No sé si me conocí o si aprendí a ignorarme.
Si respeté a los peces, plata viva en las horas,
o intenté domeñar a la luz. Aquí palabras muertas,
Me levanté con enardecimiento, callé con sombra, y tarde.
Ávidamente ardí. Canté ceniza.
Y si metí en el agua un rostro no me reconocí. Narciso es
      triste.
Referí circunstancia. Imprequé a las esferas
y serví la materia de su música vana
con ademán intenso, sin saber si existía.
Entre las multitudes quise beber su sombra
como quien bebe el agua de un desierto engañoso.
Palmeras... Sí, yo canto... Pero nadie escuchaba.
Las dunas, las arenas palpitaban sin sueño.
Falaz escucho a veces una sombra corriendo
por un cuerpo creído. O escupo a solas. «Quémate.»
Pero yo no me quemo. Dormir, dormir... ¡Ah! «Acábate.»

ROSTRO FINAL

La decadencia añade verdad, pero no halaga.
Ah, la visicitud
no se cancelará, pues es el tiempo.
Mas, sí su doloroso error, su poso triste. Más bien su torva
    imagen,
su residuo imprimido: allí el horror sin máscara.
Pues no es el viejo la máscara, sino otra desnudez impúdica;
más allá de la piel se está asomando,
sin dignidad. Desorden: no es un rostro el que vemos.
Por eso, cuando el viejo exhibe su hilarante visión se ve
    entre rejas,
degradado, el recuerdo de algún vivir, y asoma
la afilada nariz, comida o roída, el pelo quedo,
estopa, la gota turbia que hace el ojo, y el hueco o sima
donde estuvo la boca y falta. Allí una herida
seca aún se abre y remeda algún son: un fuelle triste.
Con los garfios cogidos a los hierros, mascúllanse
sonidos rotos por unos dientes grandes, amarillos,
que de otra especie son, si existen. Ya no humanos.
Allí tras ese rostro un grito queda, un alarido
suspenso, la gesticulación sin tiempo...
Y allí entre hierros vemos la mentira final. La ya no vida.

EL PASADO: «VILLA PURA»

Aquí en la casa chica,
tres árboles delante, la puerta en pie, el sonido:
todo persiste, o muerto,
cuando cruzo. Me acuerdo: «Villa Pura».
Pura de qué; del viento.
Aquí ese niño puso
en pie el temblor. Aquí miró la arena
muerta,
el barro como un guante,

la luz como sus pálidas mejillas
y el oro viejo dando
en el cabello un beso
sin ayer. Hoy, mañana.
Las hojas han caído, o de la tierra al árbol
subieron hoy
y aún fingen
pasión, estar, rumor. Y cruzo
y no dan sombra,
pues que son. Y no hay humo.

Velar. Vivir. No
puedo,
no debo
recordar. Nada vive. Telón que el viento mueve
sin existir. Y callo.

COMO LA MAR, LOS BESOS

No importan los emblemas
ni las vanas palabras que son un soplo sólo.
Importa el eco de lo que oí y escucho.
Tu voz, que muerta vive, como yo que al pasar
aquí aún te hablo.

Eras más consistente,
más duradera, no porque te besase,
ni porque en ti asiera firme a la existencia.
Sino porque como la mar
después que arena invade temerosa se ahonda.
En verdes o en espumas la mar, feliz, se aleja.
Como ella fue y volvió tú nunca vuelves.
Quizá porque, rodada
sobre playa sin fin, no pude hallarte.
La huella de tu espuma,
cuando el agua se va, queda en los bordes.

Sólo bordes encuentro. Sólo el filo de voz que en mí
　quedara.
Como un alga tus besos.
Mágicos en la luz, pues muertos tornan.

POR FIN

UNA palabra más, y sonaba imprecisa.
Un eco algunas veces como pronta canción.
Otras se encendía como la yesca.
A veces tenía el sonido de los árboles grandes en la sombra.
Batir de alas extensas: águilas, promociones, palpitaciones,
　tronos.
Después, más altas, luces.

　Más luces o la súbita sombra.
El sonido disperso y el silencio del mundo.
La desolación
de la oquedad sin bordes.

Y de pronto, la postrera palabra,
la caricia del agua en la boca sedienta,
o era la gota suave sobre los ojos ciegos,
quemados por la vida y sus lumbres.

Ah, cuánta paz, el sueño.

CANCIÓN DEL DÍA NOCHE

MI juventud fue reina.
Por un día siquiera. Se enamoró de un Norte.
Brújula de la Rosa. De los vientos. Girando.
Se enamoró de un día.

Se fue, reina en las aguas. Azor del aire. Pluma.
Se enamoró de noche. Bajo la mar, las luces.

Todas las hondas luces de luceros hondísimos.
En el abismo estrellas. Como los peces altos.
Se enamoró del cielo, donde pisaba luces.
Y reposó en los vientos, mientras durmió en las olas.
Mientras cayó en cascada, y sonrió, en espumas.

Se enamoró de un orden. Y subvertió sus gradas.
Y si ascendió al abismo, se despeñó a los cielos.

Ay unidad del día en que, en amor, fue noche.

QUIEN FUE

La desligada luna se ha fundido
sobre los hombres. El valle entero ha muerto.
La sombra invade su memoria, y polvo
pensado fuera, si existió. Y no ensueño.
Pues mineral la tierra ha anticipado
la materia; el hombre aquí ha aspirado.
Un oro devorado, un viento frío:
ese allegado aliento es una nube.
Quiere durar. No hay piedra. El hombre amaba.

La criatura pensada existe. Mas no basta.
No bastaría. Ah, nunca bastase.
Pensado amor... Si alguien hubo que pudo y que pensara,
alguien de desveladas luces puso
sus ojos en cautela, y soñó un fuego.

Amar no es lumbre, pero su memoria.
Su imaginada lumbre resplandece.
Las movedizas sombras que consume
—delgadas, leves, cual papel ardido—

esa mente voraz que ya no ha visto.
El pensamiento solo no es visible.
Quien ve conoce, quien ha muerto duerme.
Quien pudo ser no fue. Nadie le ha amado.
Hombre que enteramente desdecido, nunca
fuiste creído; ni creado;
ni conocido.
Quien pudo amar no amó. Quien fue, no ha sido.

LUNA POSTRERA

La desdecida luna soñolienta.
La que no supe nunca como se llamaba.
Dijo María o Luisa. Reí. Tu nombre es luna.
Luna callada o luna de madera.
Pero luna. Y callóse.
Cómo no, si dormida,
es un pez, un blanco pez limpiado
de todas las memorias, de las espinas tristes,
de su merced doliente. Y duerme
como muerta, en un lago de penas,
pero de penas muy lloradas,
de lágrimas vertidas,
que no son ya dolor, sino agua sola,
agua a solas, sin luces,
como la misma luna muerta.

SI ALGUIEN ME HUBIERA DICHO

Si alguna vez pudieras
haberme dicho lo que no diijste.
En esta noche casi perfecta, junto a la bóveda,
en esta noche fresca de verano.
Cuando la luna ha ardido;
quemóse la cuadriga; se hundió el astro.
Y en el cielo nocturno, cuajado de livideces huecas,
no hay sino dolor,
pues hay memoria, y soledad, y olvido.
Y hasta las hojas reflejadas caen. Se caen, y duran. Viven.

Si alguien me hubiera dicho.
No soy joven, y existo. Y esta mano se mueve.
Repta por esta sombra, explica sus venenos,
sus misteriosas dudas ante tu cuerpo vivo.
Hace mucho que el frío
cumplió años. La luna cayó en aguas.
El mar cerróse, y verdeció en sus brillos.
Hace mucho, muchísimo
que duerme. Las olas van callando.
Suena la espuma igual, sólo a silencio.
Es como un puño triste
y él agarra a los muertos y los explica,
y los sacude, y los golpea contra las rocas fieras.

Y los salpica. Porque los muertos, cuando golpeados,
cuando asestados contra el artero granito,
salpican. Son materia.
Y no hieden. Están aún más muertos,
y se esparcen y cubren, y no hacen ruido.

Son muertos acabados.
Quizás aún no empezados.
Algunos han amado. Otros hablaron mucho.
Y se explican. Inútil. Nadie escucha a los vivos.
Pero los muertos callan con más justos silencios.

Si tú me hubieras dicho.
Te conocí y he muerto.
Sólo falta que un puño,
un miserable puño me golpee,
me enarbole y me aseste,
y que mi voz se esparza.

CONOCIMIENTO DE RUBÉN DARÍO

Los ojos callan.
La consumida luz del día ha cejado
y él mira el resplandor. Al fondo, límites.
Los imposibles límites del día,
que él podría tentar. Sus «manos de marqués»
carnosas son, henchidas de materia
real. Miran y reconocen, pues que saben.
Al fondo está el crepúsculo.
Poner en su quemar las manos es saber
mientras te mueves, mientras te consumes.
Como supiste, las ponías,
tus manos naturales,
en la luz no carnal que el alba piensa.
A esa luz más brillaron tus ojos fugitivos,
llegaderos del bien, del mundo amado.
Pues tú supiste que el amor no engaña.
Amar es conocer. Quien vive sabe.
Sólo porque es sapiencia fuiste vivo.

Todo el calor del mundo ardió en el labio.
Grueso labio muy lento, que rozaba
la vida; luego se alzó: la vida allí imprimida.
Por un beso viviste, mas de un cosmos.
Tu boca supo de las aguas largas.
De la escoria y su llaga. También allí del roble.
La enorme hoja y su silencio vivo.
Cual del nácar. Tritón; el labio sopla.

Pero el mar está abierto. Sobre un lomo bogaste.
Delfín ligero con tu cuerpo alegre.
Y nereidas también. Tu pecho una ola,
y tal rodaste sobre el mundo. Arenas...

Rubén que un día con tu brazo extenso
batiste espumas o colores. Miras.
Quien mira ve. Quien calla ya ha vivido.
Pero tus ojos de misericordia,
tus ojos largos que se abrieron poco
a poco; tus nunca conocidos ojos bellos,
miraron más, y vieron en lo oscuro.
Oscuridad es claridad. Rubén segundo y nuevo.
Rubén erguido que en la bruma te abres
paso. Rubén callado que al mirar descubres.
Por dentro hay luz. Callada luz, si ardida,
quemada. La dulce quemazón no cubrió toda
tu pupila. La ahondó.
                    Quien a ti te miró conoció un mundo.
No músicas o ardor, no aromas fríos,
sino su pensamiento amanecido
hasta el color. Lo mismo que en la rosa la mejilla
está. Así el conocimiento está en la uva
y su diente. Está en la luz el ojo.
Como en el manantial la mar completa.

Rubén entero que al pasar congregas
en tu bulto el ayer, llegado, el hoy
que pisas, el mañana nuestro.
Quien es, miró hacia atrás y ve lo que esperamos.
El que algo dice dice todo, y quien
calla está hablando. Como tú que dices
lo que dijeron y ves lo que no han visto
y hablas lo que oscuro dirán. Porque sabías.
Saber es conocer. Poeta claro. Poeta duro.
Poeta real. Luz, mineral y hombre:
todo, y solo.
                Como el mundo está solo,
y él nos integra.

ROSTRO TRAS EL CRISTAL

(MIRADA DEL VIEJO)

O TARDE o pronto o nunca.
Pero ahí tras el cristal el rostro insiste.
Junto a unas flores naturales la misma flor se muestra
en forma de color, mejilla, rosa.
Tras el cristal la rosa es siempre rosa.
Pero no huele.
La juventud distante es ella misma.
Pero aquí no se oye.

Sólo la luz traspasa el cristal virgen.

EL POETA SE ACUERDA
DE SU VIDA

> *Vivir, dormir, morir: soñar acaso.*
> «Hamlet»

PERDONADME: he dormido.
Y dormir no es vivir. Paz a los hombres.
Vivir no es suspirar o presentir palabras que aún nos vivan.
¿Vivir en ellas? Las palabras mueren.
Bellas son al sonar, mas nunca duran.
Así esta noche clara. Ayer cuando la aurora,
o cuando el día cumplido estira el rayo
final, y da en tu rostro acaso.
Con un pincel de luz cierra tus ojos.
Duerme.
La noche es larga, pero ya ha pasado.

CUEVA DE NOCHE

MÍRALO. Aquí besándote, lo digo. Míralo.
En esta cueva oscura, mira, mira
mi beso, mi oscuridad final que cubre en noche
definitiva
tu luminosa aurora
que en negro
rompe, y como sol dentro de mí me anuncia
otra verdad. Que tú, profunda, ignoras.
Desde tu ser mi claridad me llega toda
de ti, mi aurora funeral que en noche se abre.
Tú, mi nocturnidad que, luz, me ciegas.

LOS MUERTOS

Ma guarda e passa.
DANTE

LOS ojos negros, como los azules.
Como los verdes vivos. Todos hoy, cerrados,
duermen. Su luz ahora sofoca
su rayo mineral. El cielo es alto,
y frío. Más fríos aún, los rostros no contemplan,
o no arrojan verdad. Mas no hay otra verdad que aquí, dormidos,
los bultos miserables. Calla, y pasa.

CERCANO A LA MUERTE

No es la tristeza lo que la vida arrumba
o acerca, cuando los pasos muchos son, y duran.
Allá el monte, aquí la vidriada ciudad,
o es un reflejo de ese sol larguísimo
que urde respuestas
a distancia
para los labios que, viviendo, viven,
o recuerdan.
La majestad de la memoria es aire
después, o antes. Los hechos son suspiro.
Ese telón de sedas amarillas
que un soplo empuja, y otra luz apaga.

AYER

Ese telón de sedas amarillas
que un sol aún dora y un suspiro ondea.
En un soplo el ayer vacila, y cruje.
En el espacio aún es, pero se piensa
o se ve. Dormido quien lo mira no responde,
pues ve un silencio, o es un amor dormido.

Dormir, vivir, morir. Lenta la seda cruje diminuta,
finísima, soñada: real. Quien es es signo,
una imagen de quien pensó, y ahí queda.

Trama donde el vivir se urdió despacio, y hebra a
    hebra
quedó, para el aliento que aún se agita.

Ignorar es vivir. Saber, morirlo.

EL LÍMITE

BASTA. No es insistir mirar el brillo largo
de tus ojos. Allí, hasta el fin del mundo.
Miré y obtuve. Contemplé, y pasaba.
La dignidad del hombre está en su muerte.
Pero los brillos temporales ponen
color, verdad. La luz pensada, engaña.
Basta. En el caudal de luz—tus ojos—puse
mi fe. Por ellos vi, viviera.
Hoy que piso mi fin, beso estos bordes.
Tú, mi limitación, mi sueño. ¡Seas!

PERMANENCIA

DEMASIADO triste para decirlo.
Los árboles engañan. Mientras en brillo
   sólo van las aguas.
Sólo la tierra es dura.

   Pero la carne es sueño
si se la mira, pesadilla si se la siente.
Visión si se la huye.
Piedra si se la sueña.

Calla junto a la roca, y duerme.

OTRA VERDAD

La volubilidad
del viento anuncia
otra
verdad. Escucho aún, y nunca,
ese silbo inaudito
en la penumbra.
Oh, calla:
escucha.
Pero el labio está quieto
y no modula
ese sonido misterioso que oigo
en el nivel del beso. Luzca,
luzca tu labio su tibieza o rayos
del sol que al labio mudo asustan,
como otra boca ciega.
Ah sed impura
de la luz, sed viva o muerta, en boca
última.

DESEO FANTASMA

(ADVENIMIENTO DE LA AMADA)

El labio rojo no es rastro de la aurora tenaz,
pues huyó, y queda.
¿Los dientes blancos huella de un beso son?
Espuma, o piedra.
La liviandad de un aire casi puede
deshacerse. Nunca te vi.

—Pues tenla.

PENSAMIENTOS FINALES

NACIÓ y no supo. Respondió y no ha hablado.

  Las sorprendidas ánimas te miran
cuando no pasas. El viento nunca cumple.
Tu pensamiento a solas cae despacio.
Como las fenecidas hojas caen y vuelven
a caer, si el viento las dispersa.
Mientras la sobria tierra las espera,
abierta. Callado el corazón, mudos los ojos,
tu pensamiento lento se deshace
en el aire. Movido suavemente. Un son de ramas
finales, un desvaído sueño de oros vivos
se esparce... Las hojas van cayendo.

EL OLVIDO

No es tu final como una copa vana
que hay que apurar. Arroja el casco, y muere.

  Por eso lentamente levantas en tu mano
un brillo o su mención, y arden tus dedos,
como una nieve súbita.
Está y no estuvo, pero estuvo y calla.
El frío quema y en tus ojos nace
su memoria. Recordar es obsceno;
peor: es triste. Olvidar es morir.

Con dignidad murió. Su sombra cruza.

DIÁLOGOS
DEL CONOCIMIENTO

[1966-1973]

SONIDO DE LA GUERRA

EL SOLDADO

Aquí llegué. Aquí me quedo. Es triste
saber que el día en noche encarna. Eterna
miré la luz en unos ojos bellos.
¡Cuán lejos ya! Aquí en la selva acato
la única luz, y vivo. Pues ignoro
aquí de dónde vengo. Son las aves
tenaces las que sobreviven, las que
sobrevuelan. Aquí a mis pies lianas
bullen, y sienten que tierra es todo, y nada
es diferente. El cielo no es distinto.
El ave es tierra y vuela.
Lo mismo garza que alcotán. ¡Qué pájaros
fantasmas, qué chirridos
fantasmas! El agua pasa y cunde.
Aquí mi cuerpo mineral hoy puede
vivir. Soy piedra pues que existo.

EL BRUJO

Solo quedé. Arrasada está la aldea.
Ah, el miserable
conquistador pasó. Metralla y, más, veneno
vi en la mirada horrible. Y eran jóvenes.
Cuántas veces soñé con un suspiro
como una muerte dulce. En mis brebajes
puse el beleño de no ser, y supe
dormir, terrible ciencia última.
Mas hoy no me valió. Con ojo fijo
velé y miré, y seco
un ojo vio la lluvia, y era roja.
Pálido y seco,
y ensangrentado en su interior, cegó.

EL SOLDADO

No estoy dormido. No sé si muero o sueño.
En esta herida está el vivir, y ya
tan sólo ella es la vida.
Tuve unos labios que significaron.
Un cuerpo que se erguía, un brazo extenso,
como unas manos que aprehendieron: cosas,
objetos, seres, esperanzas, humos.
Soñé, y la mano dibujaba el sueño,
el deseo. Tenté. Quien tienta vive. Quien conoce ha muerto.
Solo mi pensamiento vive ahora.
Por eso muero. Porque ya no miro,
pero sé. Joven lo fui. Y sin edad, termino.

EL BRUJO

Pues vi miré. La sangre no era un río,
sino su pensamiento doloroso.
La sangre vive cuando presa pugna
por surtir. Pero si surte, muere.
Como un castillo donde prisionera
está la bella y un dulce caballero
abre el portón, y sale: la luz mata.
Así la sangre, en que el destino yerra,
pues si fulgura muere. Ah, qué misterio
increíble. Sólo sobre unos labios coloridos,
como tras celosía, se adivina
el bulto de la sangre. Y el amante
puede besar y presentir, ¡sin verla!

EL PÁJARO

¿Quién habla aquí en la noche? Son venenos
humanos. Soy ya viejo y oigo poco,
mas no confundo el canto de la alondra

con el ronco trajín del pecho pobre.
Miro y en torno casi ya no hay aire
para mis alas. Ni rama para mi descanso.
¿Qué subversión pasó? Nada conozco.
Naturaleza huyó. ¿Qué es esto? Y vuelo
en un aire que mata.
Letal ceniza en que bogar, y muero.

EL SOLDADO

Qué sed horrible. En tierra seca, nada.
Tendido estoy y sólo veo estrellas.
El agujero de mi pecho alienta
como brutal error. Pienso, no hablo.
Siento. Alguna vez sentir fuera vivir.
Quizás hoy siento porque estoy muriendo.
Y la postrer palabra sea: Sentí.

EL BRUJO

Camino a tientas. ¿Entre piedras ando
o entre miembros dispersos? ¿Frío un talón o es una frente
    rota?
Qué rumoroso un trozo que está solo:
Más allá de la muerte vive algo,
un resto, en vida propia. Y ando, aparto
esa otra vida a solas que no entiendo.

EL SOLDADO

Si alguien llegase... No puedo hablar. No
puedo gritar. Fui joven y miraba, ardía,
tocaba, sonaba. El hombre suena. Pero mudo, muero.
Y aquí ya las estrellas se apagaron,
pues que mis ojos ya las desconocen.

Sólo el aire del pecho sueña. El estertor
dentro de mí respira por la herida,
como por una boca. Boca inútil.
Reciente, y hecha sólo
para morir.

EL BRUJO

La guerra fue porque está siendo. Yerran
los que la nombran. Nada valen y son sólo palabras
las que te arrastran, sombra polvorosa,
humo estallado, humano que resultas
como una idea muerta tras su nada.
¿Dónde el beleño de tu sueño, zumo
para dormir, si todo ha muerto y veo
sólo que la luz piensa? No, no hay vida,
sino este pensamiento en que yo acabo:
El pensamiento de la luz sin hombres.

LA ALONDRA

Todo está quieto y todo está desierto.
Y el alba nace, y muda.
Pasé como una piedra y fui a la mar.

LOS AMANTES VIEJOS

ÉL

No es el cansancio lo que a mí me impele
al silencio. La tarde es bella, y dura.

ELLA

Se ve en la noche el ruiseñor. No escucho.
El viento estos cabellos desordena. Mas no los míos.
Y la luna es fría.

ÉL

Oye la tierra
cómo gime larga. Son pasos, o su idea. No consigo
decir aún lo que en el pecho vive.
Vive tu sueño y mira tus cabellos. ¿Son ellos los que on-
        dulan
cuando los pienso? ¿O es la noche a solas?
Oh tú la nunca vista y siempre hallada.
La no escuchada—y siempre ensordecido.
De tu rumor continuo voy viviendo.
Cumplí los años, oh, no, cumplí las luces.
Cumplí tus luces misteriosas, y heme
ciego de ti. Mis ojos fatigados
no ven. Mis brazos no te alcanzan.
Después que te cumplí, como una vida, solo
debo de estar, pues miro y tiento, y nadie,
nada. El ojo ciego un cosmos ve. ¡No viera!

ELLA

Sé bien que es una voz lo que oigo. Cerca,
aquí a mi lado. Dime. Canta
el bosque. El ruiseñor invita. El viento pasa.
¿Son ésos mis cabellos? Ramas siempre.
El viento es alto. Ralo el pelo pende.
Tómame, viento claro, toma y huye.

ÉL

El mar me dice que hay una presencia.
La soledad del hombre no es su beso.
Quien vive amó, quien sabe ya ha vivido.
Esas espumas que en mi rostro azotan
¿son ellas, son mi sueño? Extiendo un brazo
y siento helada la verdad. No engañas
tú, pensamiento solo
que eres toda
mi compañía. La soledad del hombre está en los besos.
¿Fueron, o he sido? ¿soy, o nunca fueron? Soy quien duda.

ELLA

Yo me sonrío, pues mis dientes son,
aún, eco y espejo, y da la luz en ellos.
Existir es brillar. Soy quien responde.
No importa que este bosque nunca atienda.
Mis estrellas, sus ramas, fieles cantan.

ÉL

El pensamiento vive más que el hombre.
Quien vive, muere. Quien murió, aún respira.
La pesadumbre no es posible, y crece.
Así la frente entre las manos dura.
Ah, frente sola. Tú sola ya, la vida entera.

ELLA

Pero el pájaro alegra su pasaje. Escucho,
purísimo cantor. Por mí has volado
y aquí en el bosque comunión te llamas,
Me llamo tú. Soy tú, pájaro mío.

ÉL

Qué soledad de lumbres apagadas.
La lengua viva no la veo, aún siento
su ceniza en la piel, y lame, y miente.
No: Verdad decide y expresión confía.
Su lengua fría aquí me habla, y, muda,
es ella quien me dice: «amor», y existo.

ELLA

La noche es joven. Son las horas breves,
por bellas. Son estrellas puras
las que lo dicen. Las que proclamaron
que el mundo no envejece. Su luz bella
perpetua es en mis ojos; también brillan.

ÉL

Qué insistencia en vivir. Sólo lo entiendo
como formulación de lo imposible: el mundo
real. Aquí en la sombra entiendo
definitivamente que si amé no era.
Ser no es amar, y quien se engaña muere.

ELLA

¡Qué larga espera! Ya me voy cansando.
Aquí quedó en volver. Años o días,
quizá un minuto. Pero qué larguísimo.
Ya me voy cansando. Las estrellas lo dicen: «Ya es tu hora.
¿Cómo dudas?»
Yo no dudo. Yo canto. Hermosa he sido;
soy, digo, pues lo fui. Lo soy, pues, siéndolo.
Y aguardo. Aquí quedamos, junto al bosque.
Se fue, le espero. Oh, llega.

ÉL

Nadie se mueve, si camina, y fluye
quien se detuvo. Aquí la mar corroe,
o corroyó, mi fe. La vida. Veo...
Nada veo, nada sé. Es pronto, o nunca.

ELLA

Con ropas claras me compuse. ¡Vuelve,
vuelve pronto! Así le oí. La primavera estaba
en su esplendor. Oh, cuántas primaveras
aquí esperando. ¡Por qué, por qué ha tardado
tanto! La vida inmóvil, como inmóvil siempre
la luz más fija de la estrella, dice
que joven es la luz, y en ella sigo.
El bosque huyó. Pero, otro bosque nace.
Y, clara estrella mía, yo te canto,
yo te reflejo. Somos... Esperamos.

ÉL

La majestad de este silencio augura
que el pensamiento puede ser el mundo.
Vivir, pensar. Sentir es diferente.
El sentimiento es luz,
la sangre es luz. Por eso el día se apaga.
Pero la oscuridad puede pensar, y habita
un cosmos como un cráneo. Y no se acaba;
como la piedra. Piensa, luego existe.
Oh pensamiento, en piedra; tú, la vida.

ELLA

Era ligero, como viento, y vino
y me habló: «Soy quien te ama, soy quien te ha sentido.
Nunca te olvidaré. Amarte es vida,
sentirte es vida.» Así me dijo, y fuese.
Pero lo sé. Como un relámpago durable
está, y él vino, y si pasó, se queda.
Aquí le espero. Soy vieja... Ah, no, joven me digo,
joven me soy, pues siento. Quien siente vive, y dura.

ÉL

Concibo sólo tu verdad. La mía
no la conozco. A ti te hablo, e ignoro
si estoy diciendo. A quién
digo no importa. Como tampoco importa lo que digo
o lo que muero. Si amo o si he vivido.

ELLA

No viviré. El alba está naciendo.
¿Es noche? ¿El bosque está? ¿Es la luna
o eres tú, estrella mía, la que tiendes
a desaparecer? El día apunta. La claridad
me hace a mí oscuridad. ¿Soy yo quien nace
o quien tiembla? ¿Quien espera o quien duerme?
hablo, y la luz avanza. Las estrellas
se apagan. Ah, no me veo.

ÉL

La oscuridad es toda
ella verdad, sin incidentes
que la desmientan. Aquí viví, y he muerto.

Calla: Conocer es amar. Saber, morir.
Dudé. Nunca el amor es vida.

ELLA

Está al llegar, y acabo. Tanto esperé, y he muerto.
Supe lo que es amar porque viví a diario.
No importa. Ya ha llegado. Y aquí tendida digo
que vivir es querer, y siempre supe.

ÉL

Calla. Quien habla escucha. Y quien calló ya ha hablado.

LA MAJA Y LA VIEJA

(EN LA PLAZA)

A Justo Jorge Padrón

VIEJA

Todo esto puede ser, pero nadie ha sabido.
Tú eres hermosa como un caudal sin límite.
Mas de qué vale el oro si se pierde en las manos.
Mira el gallardo mozo cómo torea,
y miente.
¿La verdad para él? Para quien sepa y valga.
Tú eres verdad, hermosa, y la verdad sólo si se apaga está
        muerta.
Vive, gallarda mía; vive y triunfa. Y sucede.
Sólo en un bello estuche el diamante deslumbra.

MARAVILLAS (*maja*)

Yo soy quien soy. Pero no soy de nadie.
Quien me quiera se borre.
Maravillas me dicen. Pero mira el torero
cómo engaña, de hermoso, pero al final sucumbe.
La capa besa otros ojos más tristes
y el cielo ahora enrojéce para las astas ciegas.
Majestad y silencio. Pulso fiel a esa luces.
Una tromba le erige su plinto y él se yergue
sobre el polvo y el oro, como una estatua enorme.

VIEJA

Ese torero es bello, pero está solo, y muere.
A ti quien viva llame, no quien muere en las plazas.
Vive quien brilla. Vive quien tiene. Vive
quien da. Y tú cual Dánae tomas
esa lluvia de oro y en ella brillas magna.
De ese sólo serás.

MARAVILLAS (*maja*)

No soy de nadie.
Yo soy de mí. Mira el cielo en sus lumbres:
él no es de nadie y brilla, y los hombres lo adoran.
Mas él es suyo sólo, luce y nadie lo alcanza,
pero él se cumple siempre en las frescas pupilas
de los demás. Dadivoso y rehusado,
hurtado y generoso. Siempre de él y en los otros.
Yo soy de nadie,
pero nací y no quiero
morir. Si deslumbro en los ojos
de otros, vivo. Y reflejo. Soy la luz, y me miro.

VIEJA

¿Qué sabes tú? La vida cruza como un espejo
donde sólo tu rostro ves, y ya no existe.
Una luz, y es tus ojos.
¿Eso es vivir?
Oye cómo cruje la gente cuando ese toro embiste.
Ese toro conoce aunque muera. Ama aunque dude.
Y fiel sigue la pauta que el varón le propone
con esa llama núbil que resbala en sus ojos.
Yo fui joven también y he visto mucho.
Ese joven torea y su verbo seduce
al toro. En su verdad le miente.
Sólo después cuando el toro está muerto
se desnuda el torero.
Yo he visto morir al joven, nacer al niño,
saber al viejo y perecer al ángel.
Cuando un silencio pasa es que un ángel se ha ido.
Y he visto mucha tierra caer en muchos rostros
y tapar; y alejarse. Sólo las flores quedan.
Y he escuchado el sonido del beso o una fuente,
que eso es el beso, y ríe, y en la tierra se empapa.
Calla, tú no conoces.

MARAVILLAS (*maja*)

Yo sé, sé lo que veo. Mira al torero ardiendo.

VIEJA

¡Cómo silba lo ignoto! Su cuerpo ahora domina.
Son los vientos o el nombre que unos labios pronuncian.
En su sonido mueve su capa silenciosa
quien conoce y se cela, quien descubre y se oculta.
Cómo se ciñe el toro como una sombra triste.
Hechizado persigue un nombre: no recuerda.

¿Lo recuerda? ¿De dónde? Casi lo roza, y huye
Sólo el varón presiente la verdad que maneja.
Como una flor enorme toca el belfo y engaña.
Pero ahí está. ¡Y ahí brilla! Y la plaza delira.

MARAVILLAS (*maja*)

Soy de mí, soy de nadie. Pero corro brillando
y me embebo. De nadie. Pero en todos me veo.
Soy la luna de noche, desnudada y arriba,
pero fresca en los labios, pero fresca en los ojos.
Sí, de nadie, de todos.

VIEJA

Calla. Pronto hay ya que morir. Yo ya no vivo.
Quien es viejo no vive y menos sueña.
Pues quien recuerda ha muerto.

MARAVILLAS (*maja*)

Vivir, vivir, el sol cruje invisible.
La tarde está cayendo, pero brillan mis venas.
En el polvo las luces pueden más. Suena el viento.
Ah, mi desnudo cuerpo bajo la ropa blande
como bandera al viento.
Para todos, y ciegos.

VIEJA

Vivir. ¿Vivir? Fruición, y quien no lo conoce no ha nacido,
no pasó de una idea.
En la mente de un dios un hombre vive,
pero pronto es olvido.

Porque nunca nació quien no amó,
ni dio luz en su vida.
Sólo en su pensamiento, y muerte es sólo.

(*a Maravillas*)

Calla, vive o delira. Como el mar en las olas.

EL INQUISIDOR, ANTE EL ESPEJO

A Carlos Villarreal y Antonio Carvajal

EL INQUISIDOR (*ante el espejo*)

No sé qué miro en este
fijo rostro de vidrio,
pálido entre las luces
finales, y aún despierto.
¿O es mi sueño en lo oscuro?
Superficie de agua,
cristal que no transcurre,
como un ojo que ha muerto
mas devuelve una imagen.
Rostro vítreo, sin meta,
una copia de engaños,
alma, espejo o mi nombre
sobre unos labios mudos.

EL ACÓLITO (*en rojo*)

De rojo entero, alumbro
esta muerte sin prisas.
Tal le veo acezando,
ronco a veces, sin sangre,

cual pedernal sin chispa.
Quémate, yo diría.
Pero no como nieve,
sino cual llama. Mírame
entre el rojo ropaje
arder, como una rama,
o en palabras ardientes.
Por mis pies entra el fuego
del mundo, y en él vivo,
todo mi cuerpo en ascua.
Y las llamas se enroscan.
Mi cabellera ardiendo.
Pero tú, nieve sucia,
carbón yerto, avaricia
de oscuridad, ¿qué miras?
Te veo en el espejo
mirándote, y oh obscena
contemplación de un muerto.

EL INQUISIDOR

Solo estoy y he perdido.
Con mi mano sin lumbre
di llamas, y fui justo.
Salvé matando, y miro
cara a cara a ese sol
que es un desorden. ¡Puedo!
Amo la sombra, donde
está Dios, y su filtro
de voluntad. ¡Detente!
Nadie pase que no
pueda beber del frío
sin luz, que al Alto ama.
Yo soy sombra en la sombra.
Y en la sombra me aplaco
como ese viento frío
que sólo de Dios llega.

Muera quien tiemble. Peca
quien puede. Y debo
mirar a Dios: espejo
de unas aguas que ahí yacen.
Pero este vidrio inmóvil...
¡Pureza! Hueso, alfil.
Sólo tu voz respóndame.

EL ACÓLITO

Él se mira: está muerto.
Lo sabe. Y mata, y muere.
Pero muere de nuevo.

EL INQUISIDOR

No temblé nunca. A muchos
entendí, y, más voraces,
fuego pidieron, fuego
tuvieron, y arden puros
en el sublime frío
de otro estar permanente.
Pues Dios es sombra, y sólo
en la sombra resuena,
tentado, y sombra en todo.
Pero sombra es el mundo,
sombra de Dios, y Él quema
como la nieve larga
que un luto al fin revela.
Luto de amor o muerte
para Dios en los labios.

EL ACÓLITO

Quien habla es quien escucha.
Pero a sí solo, y muerto.
Pues quien no oye ha acabado
como el agua en los muros,
donde, quieta, no existe.
Aquí esa mano vive
muerta, pues muerte otorga,
vida fingiendo, réproba.
Qué donación terrible
desde una faz sin venas
donde el cirio está extinto.
Cera de muerte, acábate,
y la tierra te herede.

EL INQUISIDOR

Una mujer, un niño
arder pueden. Hermosa
su verdad cuando ardiendo.
Ábrete, cielo, y lama
la llama el azul claro
en que Tú los recibas.
En Ti se queman, frío
de tu seno acogiéndolos
en la nieve perpetua
donde la llama alcanza.
Hielo sin fin, suprema
paz, donde acaba el fuego,
reino hialino y puro
donde la hoguera ríndese.
Quemad, quemad, y sálvense,
y en la nieve reposen.

EL ACÓLITO

En el espejo él oye,
sin voz, las frías aguas,
un manantial pensado,
nunca sentido, y mudo.

EL INQUISIDOR

No he vacilado, y mírome
y estoy, y soy, pues callo.
Y sombra imparto, sombra
de Dios, que eso es la muerte.
Qué salvación del mundo
ardiendo. Hoguera entera
que otorgaría mi mano
para salvar, muriendo,
matando. ¡A Dios las almas!
En el espejo gélidas
miro otras luces, brillo
de ese cristal sin curso,
y sé: su frío es vida.
Sólo un reflejo o mano
mortal, que vida otorga.
Y sé. Quien calla, escucha.
¡Pero todos se abrasen!

DIÁLOGO DE LOS ENAJENADOS

EL AMADOR

Nací a la orilla de la mar. La mar estable
pudo mecer mi cuna. Cuánto brillo en los bordes.
Las palomas como los nardos. El fuego de las luces
como el de esas espumas. El azul sucesivo: todo es amor o
   dádiva.

Crecí porque adorado. Comprendí, pues vivido.
La tierra estaba bajo mi cuerpo, hermosa,
y encima el sol quemándome mi pecho
y en lo alto el aire como un pájaro mío,
mío para mis ojos sosegados,
donde inscrito el azul, siente las alas.

EL DANDY

Si miro no es despacio. Antaño aquel monóculo
era casi cristal: detrás el mundo.
Lo mismo que los peces
tras el muro de vidrio pasan, callan,
así tras el breve cristal el mudo mundo
quedaba inoíble. Oh, qué fino descanso.
Hoy es difícil ignorar el ruido.
Como carro muy viejo—viejos, jóvenes—
pasa desvencijado, sin saberlo, y aún sigue.
Hoy se hereda el estrépito. Y no hay monóculo que silencie
    el mundo.
Pero algo vale: la sonrisa o la flor. El tenue pétalo
que desplaza al grosero consistir de la vida.
Oler es ya vivir. Y basta. No hay que insistir. Y callo.

EL AMADOR

A veces miro mi rostro y me asombro. Moreno,
existo. Negros los ojos, ¿para qué voraces?
Las pestañas angustian, pues espesas como rastro de noche,
hastían si miradas, aunque guarden los ojos.
Mirar no es ver. Pero yo miro siempre,
aunque a veces me calle porque nunca distingo.
Un bulto joven por esa calle oscura
es un solo relámpago, y eso miran mis ojos.
Esa luz sí la sienten. Secos son como sed.
La luz, la luz los ciega, no como agua o sus lágrimas.

Ellos beben y miran, y en la noche devoran.
Cuerpo cierto a los ojos, repentino. ¡Ahora ven!

EL DANDY

Curioso... Con un guante se azotaba un rostro.
Antaño el caballero de levita, dignísimo,
fatigoso en su sable, remendaba su honor,
Pero hoy no basta un chaleco de rosas,
ni los rizos teñidos con el verde de mar.
Si con un guante azotas, sólo es viento en las dunas,
o la ráfaga viva que un coche hace al pasar.
Callad. Yo me paseo con mi bastón tristísimo
por la alameda última de mi ciudad sin paz.
Bultos, más bultos. Sueño. Mi sonrisa no mata,
pero sopla en los rostros y los borra. Pasad.

EL AMADOR

Es difícil superar una luz que nunca se conoce.
La irradiación de un cuerpo por la ciudad oscura
no hace senda, ni da esperanza. Pero sólo ella tiembla.
Es un norte absorbido, como un embudo triste.
Como un tifón pequeño, pero ya irremediable.
Y si sigues detrás, entiendes que tú buscas cuando sólo te
    arrastran.
La noche es más oscura que un corazón sin vida.
Vida, pero en los labios. Sueño, pero en los ojos.
Verdad, un pensamiento que con la mano arranco.
Vivir, vivir: tu boca. Y sorbido, me arrastro.
¡No!

EL DANDY

Algunos dicen que amar es algo
inevitable, o simplemente un medio
de existir: la conciencia.
No sé. Cuando de noche mudo de piel
o arranco el traje con que latí y fui visto,
me río. La desnudez es un orden innoble. Me recuerda
vagamente a los huesos, pues la carne es un aire
casi inmóvil en que los huesos quedan,
están. Por eso amar desnudo es bello, pero no suficiente.
Bello, como los huesos conjugados de los amantes. Muertos.
Muertos, pues que se estrechan. Lo que suena es el hueso.
El beso es aire y el amante sólo
de verdad besa el diente. Por eso alguien cantaba
el beso de diente a diente sólo.
Era sin duda un sabio... Aunque a veces dormía.

EL AMADOR

Velar es desear. Yo nací cuando sentí un deseo.
Me erguí, junto a unos juncos. Quise beber. El agua
era un espejo donde bebí mi rostro. Me levanté, cuán triste,
con un sabor a olvido, de algo que supe pero no en mi vida.
Después, siempre que me enajeno recuerdo súbito lo que supe,
       y odio
o amo. Y en los cuerpos me entierro. Cavo en lo oscuro:
       tierra. Y su sabor cuando me alzo queda
sobre mi lengua, a solas.
En un sabor a arena me enajené, y no he vuelto.

EL DANDY

El amor es sin duda un sentimiento burgués.
Caballeros, señoras. Orden, orden... Los hijos
o un subproducto bello que sorprende o adula.

Asociación de padres o una suma de números.
Regimentado el viento pasa sobre los juncos,
mientras en la alameda los ojos brillan últimos.
Soledad. Tú mi diosa sin brazos, labios mudos
y en la frente variable un pensamiento puro.
La verdá intolerable. Pero cantan los súcubos.

EL AMADOR

La soledad tiene ojos de muchacha esbeltísima.
Pero de pronto un bulto. Como en la luz, me hundo.
Lo que viví no he visto. Lo vi, mas quedé mudo.
Sólo el aliento alienta. Un cuerpo fue un tumulto.
Lo que vi no lo ignoro. Nazco a ti, y me sepulto.

EL DANDY

Alguien ve y yo no he visto. Un chaleco de rosas no es vivir.
No es alentar una corbata de humo.
Pero cuán delicada esa penumbra última.
Esa dubitación del que vivió difuso.
Un corazón no es piedra, aunque el humo la imite en su des-
      dibujo.
Ah, la consumación como una risa.
¡Sí! A lo que no rehúso.

DOS VIDAS

A Clara y Claudio Rodríguez

JOVEN POETA PRIMERO

Y desperté,
y estaba solo.

La soledad es sólo un mero espejo
con una luz. Denuncia es de una forma
fallida. Sin voz juegan las masas, mas no escuchan.
¡Cómo sobre ese cauce fue Narciso!
Mas no hay espumas sino vidrio escaso.
Sólo responde triste el cristal mudo.

JOVEN POETA SEGUNDO

Esa ciudad, la mía. Amurallado
el recinto, cerca de un río, en población se escucha.
Aquí nací, bajo estos cielos claros,
bajo estas alas vivas que ahora pasan.
El pájaro gritó, gritaba un niño.
Y abrí mis ojos a la luz. Y estuve.

JOVEN POETA PRIMERO

Un número es vivir. Pensada vida,
genuina vida que es mental, si existo.
Nací junto a un sonido lamentable: el viento.
Y desperté. Ya entonces fui memoria.

JOVEN POETA SEGUNDO

El río es una espuma. El nombre, hermoso.
Los peces mudos al brillar responden.
Al fondo el monte, su paciencia viva.
El valle o claridad de verdes frescos.
Cuánta llanura hasta el confín, viviendo,
absorta ahí en su ser. O luz, o sombras.
Y me asomé. ¡Cómo latía el tiempo ante mis ojos,
cuán infinito en su porción concreta,
en su figuración que amé, y tentara
con estas manos que el amor diputa!
Pues soy...

JOVEN POETA PRIMERO

Yo me conozco, pues que pienso, y miro
a los demás. Son formas ideadas.
Cómo engañan sus bordes, nunca lícitos.
Vivir es conocer. Mas yo tan sólo
testimonio de mí. No sé. No escucho.

JOVEN POETA SEGUNDO

¡Cómo en ti sumergí mis ojos claros,
mundo real! Nací pues que existías.
Yo me miro en los montes: son espejo
para todo lo vivo. Encima el cielo.
Por sus laderas hombres, pena, duda,
verdad. Todo verdad, el mundo era un sendero
para el conocimiento, y lo hollé en vida.
Salí por una puerta alegremente.
Miré los robles. Oí sus fuertes ramas.
Abrí los ojos y cielo era Castilla.
Abajo entre los hombres eché a andar.

JOVEN POETA PRIMERO

El número es la vida. Y rueda a solas.
Un pensamiento lícito es un hombre.
Nací a la orilla de la mar, y supe.
Mas no miré las aguas. Sólo un símbolo
podían ser. En una mano estaban.
La mano inmensa que negué, dormido.
¿Entonces? Y desperté a su trueno.

JOVEN POETA SEGUNDO

Salí de la ciudad por una puerta estrecha.
Y de repente el campo estaba abierto.
Puertas del campo derribadas: límites
que son sólo el confín. Inmenso, el hombre.
Inmenso para ti, campo extendido,
lecho donde nacer. Por ti, ser tuyo,
de ti, hijo de ti, concreto puño
de tu tierra, animada en sólo un hálito.
La misteriosa vida respirándote,
en un humano cuerpo establecido.
Qué misterioso andar. ¡Andar o ser!

JOVEN POETA PRIMERO

Quimera soy si intento un paso o carne.
Desconfío de ti, tierra sentida.
Sin gravitar no existo, y me rebelo
a mi peso. La idea numerosa
es como luz y pasa por los cuerpos,
sin su limitación. Adiós, los muertos.
Una victoria sostenida es numen.
La carne es el vestido, y yo desnudo
quiero saber, reinar exento y libre.

JOVEN POETA SEGUNDO

Pronto descubrí el habla. Otro algo dijo
¡y lo entendí! Oh la visitación del habla dulce
que un labio dice y un oído escucha.
Era en principio el verbo, y fue la luz.
Por él vi claridad, vi las estrellas,
su inescrutable signo palpitando
como otros labios sobre mi mejilla.
Grité. Y sentí un beso. Y desperté. Era el día.

JOVEN POETA PRIMERO

En esta oscuridad mental, el mundo.
En este pensamiento sólo una idea
veo brillar: el mundo luminoso.
En esta cavidad que piensa, luce
una verdad o un número: el planeta.
Así lo siento o lo razono. Yo amo
sólo una idea que adoré, y persiste.
Inmaculada resplandece a solas.

JOVEN POETA SEGUNDO

¡Cuántos fuegos alegres en la noche!
Besad, amantes, con la luz los labios.
Besad la luz y fluya en ella un seno.
Oh la carne que llega. Las estrellas
suspiran si besadas, mas no hay lágrimas,
sino un cielo en desvelo. Todo expresa
una verdad tangible: una materia,
o es un rayo de luz que yo aprisiono.
Ceñirte es darte amor, mundo otorgado.
Mundo que casi rueda entre mis brazos.
Como un beso, el espacio, y, ahora ardido,
queda en estrellas como su memoria.

JOVEN POETA PRIMERO

De espaldas a la mar, ciegos los ojos,
tapiado ya el oído, a solas pienso.
Sé lo que sé, e ignoro si he sabido.
El monte, la verdad, la carne, el odio,
como un agua en un vaso, acepta el brillo,
y allí se descompone. ¡Bebe el agua!
Y duerme. Duerme, y el despertar tu sueño sea,

JOVEN POETA SEGUNDO

El día amanece. ¡Cuánto anduve, y creo!
Creer, vivir. El sol cruje hoy visible.
Ah, mis sentidos. Corresponden ciertos
con tu verdad, mundo besado y vívido.
Sobre esta porción vivo. Aquí tentable,
esta porción del mundo me aposenta.
Y yo la toco. Y su certeza avanza.
En mi limitación me siento libre.

JOVEN POETA PRIMERO

¿Miro o lo sé? Si callo está visible.

JOVEN POETA SEGUNDO

La libertad se ha abierto para el mundo.

QUIEN BAILA SE CONSUMA

EL BAILARÍN

Es demasiado ligero. No sé, difícil es optar
qué está más escondido, si el puñal o la rosa.
Algo embriaga el aire. ¿Plata sólo? O aromas
de los pétalos que machacados por unos pies desnudos
llegan a mis sentidos, los descubren e incitan.
Rompen más poderosamente los enigmas
y al fin se ven los montes, como cuerpos tumbados,
allí en el horizonte, mientras sigue el misterio.

EL DIRECTOR DE ESCENA

Si quieres decir que la bambalina oscila,
no cuidas las palabras. Tu pie en el aire imita
la irrupción de la aurora, pero cuán pobremente.
¿La orquesta? Mientras ensaya la madera a dormirse,
el son a su mudez y el farol a crujir cada vez más rosado,
yo duermo o leo, y me despierto y callo.
La ciencia es un dominio donde el hombre se pierde.
Un bosque que levanto con mis órdenes puede
a los espectadores darles verdor, no vida.
Por eso me sonrío cuando el telón se alza
y el bailarín ondea como un árbol y aduzco
su pie, su pie en sigilo como una duda intensa.

EL BAILARÍN

Yo soy quien soy, pero quien soy es sólo
una proposición concreta en sus colores.
Nunca un concepto. Bailo, vacilo, a veces puedo
afirmarme hecho un arco, con mi cuerpo, y los aires
bajo él cruzan como deseos. No los siento. La piedra
del puente nunca siente
a las aguas veloces, como a las quietas: sueño,
y el soñar no hace ruido.
Mi cuerpo es la ballesta en que la piedra yérguese;
y el arco, y soy la flecha: un pensamiento huyendo.

EL DIRECTOR DE ESCENA

Solo estoy y no confío en lo que hice, ni hago
mención de lo que puse o propuse: una idea.
La escena es una idea, y el pensamiento abrasa.
Con colores o turnos de ira o fe erguí tu nombre.
En lienzo el bermellón, el amarillo híspido, la rosa, el pie
    desnudo

y todo el cuerpo erguido del bailarín creciente,
pura mentira o veste, mas la verdad ahí arde.
Bajo la malla un grito corporal es el ritmo
y con mi mano tomo la forma y ahí se quema
para todos. Y todos, consumados, aplauden.

EL BAILARÍN

Suena la música y ondea como una mar salobre
donde mi cuerpo indaga temeroso y brillante.
Soy la espuma primera que entre las ondas álzase
y en la cresta aquí irísase, revelándoos un mundo.
Su nombre, o son sus hechos, en los labios ardidos.
Mientras cantan las cuerdas y los óboes se quejan
como oscuros principios frustrados, y hay la flauta
como una lengua fina por una piel huyendo.

EL DIRECTOR DE ESCENA

No es el son, son mis manos. ¡Basta! Todo el mundo ahí er-
    guido.
Concebir nunca es fácil. Coro o tristeza inmunda
que cual rosas marchitas desfila sordamente.
¿Aún bailan o aún engañan? Una onda a aromas pútridos
que divaga y oscila mientras callan las liras.
Rostros para esa ardiente juventud que es un hombre.
La perdición completa yo la vi y la presento.
Los negros gemebundos, los amarillos glaucos, los finales más
    grises,
como cuerpos dormidos.
Un montón de lujuria, pero extinto, en la sombra.
O es un vals lastimero que en polvo lento absuélvese

EL BAILARÍN

Es el fin. Yo he dormido mientras bailaba, o sueño.
Soy leve como un ángel que unos labios pronuncian.
Con la rosa en la mano adelanto mi vida
y lo que ofrezco es oro o es un puñal, o un muerto.

ÍNDICE

MUNDO A SOLAS
[1934-1936]

SOMBRA DEL PARAÍSO
[1939-1943]

EN UN VASTO DOMINIO
[1958-1962]

POEMAS DE LA CONSUMACIÓN
[1965-1966]

DIÁLOGOS DEL CONOCIMIENTO
[1966-1973]

Impreso en el mes de enero de 1978
en I. G. Seix y Barral Hnos., S. A.
Avda. J. Antonio, 134-138
Esplugues de Llobregat
(Barcelona)